D1191276

BRODARD ET TAUPIN — IMPRIMEUR - RELIEUR
Paris-Coulommiers. — France.
05,469-VI-2-2573 - Dépôt légal nº 4131, 1er trimestre 1965.
LE LIVRE DE POCHE - 4, rue de Galliéra, Paris.

LE PÈRE GORIOT

ŒUVRES DE H. DE BALZAC

BALZAC

Le Père Goriot

PRÉSENTÉ PAR BÉATRIX BECK

LE LIVRE DE POCHE

AU GRAND ET ILLUSTRE
GEOFFROY-SAINT-HILAIRE

*Comme un témoignage d'admiration
de ses travaux et de son génie.*

DE BALZAC.

PRÉFACE

Les œuvres très célèbres ont, comme les héros, leurs légendes. Point n'est besoin d'avoir lu Le Père Goriot pour « savoir » que ce roman décrit le calvaire d'un homme admirable qui a tout sacrifié à ses filles, lesquelles poussent l'ingratitude jusqu'à le laisser mourir seul, dans la misère et le désespoir. L'auteur n'a-t-il pas qualifié son personnage de « Christ de la paternité »? Seulement, sous la plume de Balzac, l'expression n'est pas particulièrement laudative. Cet ambitieux passionné admire peu les victimes, même volontaires. Parmi tous les êtres issus de son imagination, sa préférence va aux conquérants, aux dominateurs, tel le bandit Vautrin qui sait susciter les plus grands dévouements et pour qui, notamment, le colonel Franchessini « remettrait Jésus-Christ en croix ». Dans un de ses albums, Balzac traite de « vice » le sentiment paternel du père Goriot. Le mot s'applique parfaitement à l'idolâtrie que le vieil-

lard porte à la chair de sa chair. Il baise les
pieds de sa cadette Delphine, il hume avec délices les parfums de ses filles, se frotte contre
leurs robes, leur fait la cour de façon à la fois
fervente et fade. Son unique but est de servir
ses filles, d'être auprès d'elles et d'en recevoir
des témoignages de tendresse. Le seul souhait
qu'il forme à leur égard, c'est qu'elles soient heureuses, peu lui importe par quels moyens. Il
n'envisage d'ailleurs pour Anastasie et pour Delphine le bonheur que sous deux formes : argent
ou amants. Il est prêt à tuer ses gendres, à tuer
n'importe qui pour préserver la fortune et la
tranquillité de ses enfants. Fanatique, subjectif
à l'extrême, le reste du monde lui est indifférent; quand Rastignac l'informe que Vautrin a
été arrêté et le jeune Taillefer tué en duel, il
répond avec une affreuse candeur : Eh bien,
qu'est-ce que ça nous fait? Je dîne avec ma fille.

Ses petits-enfants mêmes ne comptent pas pour
lui. Comme il y a des « demeurés » de l'intelligence, Goriot est un demeuré de l'amour paternel, tout proche de l'animalité. Ses filles, qui
roulaient carrosse à quinze ans, n'ont jamais reçu
de lui que prodigalités, flatteries et câlineries :
rien de plus. Il n'y a guère moyen d'aimer qui
vous avilit; pourtant, Anastasie et Delphine font
assez souvent preuve d'affection envers l'auteur
de leurs jours, et surtout de patience. La com-

tesse *Anastasie de Restaud* et la baronne *Delphine de Nucingen* l'accueillent chez elles, supportent les humiliations que leur infligent devant les invités la bêtise et les mauvaises manières de l'ancien vermicellier. Ce n'est que parce que leurs maris l'exigent qu'elles finissent par se résoudre à ne plus voir leur père que dans le privé. Goriot vit dans la pauvreté et ses filles dans le luxe? Mais il a trouvé sa volupté à se dépouiller. Ici d'ailleurs se manifeste, comme en tant d'autres passages de la Comédie Humaine, la cohérence dans la création, qui est une des caractéristiques balzaciennes. Les deux sœurs ont de qui tenir; comme leur père, elles se ruinent pour l'être aimé : Anastasie dépense toute sa fortune, et va même jusqu'à vendre des diamants qui ne lui appartiennent pas, afin d'acquitter les dettes de Maxime de Trailles. Delphine entretiendra pendant quinze ans Eugène de Rastignac, jusqu'à ce que celui-ci la quitte pour une maîtresse encore plus avantageuse, la marquise d'Espard.

Comme à l'égard d'êtres réels, l'opinion, la postérité se montrent injustes envers *Anastasie* et *Delphine* : on ne leur pardonne pas de n'avoir point assisté leur père dans ses derniers moments. On oublie qu'elles n'en avaient guère la possibilité. Delphine était clouée au lit par la maladie, Anastasie retenue à la maison par le

chantage de son mari : braver le comte de Res-
taud eût été de sa part agir en mère dénaturée,
compromettre irrémédiablement l'avenir de ses
enfants. Balzac est trop épris d'une certaine
forme de vérité, la vérité psychologique, pour
jamais mettre en scène des monstres : les plus
noirs de ses personnages ne sont pas complète-
ment dépourvus du « lait de l'humaine ten-
dresse ». Quant à la scène fameuse des « deux
voitures armoriées, mais vides, celle du comte
de Restaud et celle du baron de Nucingen »
qui suivent le corbillard de Goriot jusqu'au
Père-Lachaise, elle a dû s'imposer à Balzac par
la magnificence de l'imagerie, par le besoin qu'il
éprouvait de finir en fanfare, sans se laisser
arrêter par les considérations du bon sens : pour-
quoi Restaud et Nucingen se compromet-
traient-ils inutilement et doublement, en s'affi-
chant à la fois comme les parents du pauvre
bonhomme, et comme ses parents indignes? Dans
cette trouvaille baroque, on sent percer la joie
triomphante de l'écrivain qui a mené à bien son
ouvrage. Ces quelques lignes contiennent d'ail-
leurs, sous le couvert du tragique, un symbo-
lisme facétieux et vengeur : bien des nobles ont
dû faire à notre Bourgeois Gentilhomme habité
par le génie l'effet de véhicules blasonnés et
vides.

Certains spécialistes de Balzac ont été frap-

*pés par son impassibilité morale : semblable
aux savants dont il se réclame, à Geoffroy-Saint-
Hilaire auquel est dédié* Le Père Goriot, *le
romancier se propose d'observer et de décrire
les êtres sans porter sur eux aucun jugement de
valeur. Pourtant, les choix qu'il opère presque
inconsciemment, pour être non conformistes,
n'en constituent pas moins une éthique. Le fait
qu'il s'identifie à certains de ses personnages et
non à d'autres trahit chez lui une hiérarchie
morale. Ainsi Balzac reste absolument distinct
de Goriot, presque en opposition avec lui. Le
seul moment où l'auteur ait prêté à son personnage une de ses tendances, et cela non sans un
humour amer, c'est lorsque le moribond projette
d'aller fabriquer des pâtes à Odessa : le lecteur
pense aussitôt à toutes les utopies financières et
commerciales du romancier, aux plantations
d'ananas dans la banlieue parisienne, à l'invention de l'irrigation perpétuelle, à la production
d'opium en Corse et au procédé infaillible pour
faire sauter les banques de Bade et de
Hambourg.*

*Alors qu'il considère sa créature Goriot du
haut d'une sorte d'Olympe, Balzac s'est pour
ainsi dire incarné en Vautrin. Le fait qu'Honoré
soit le neveu de l'assassin Louis Balssa ne suffit
pas à expliquer sa prédilection pour un criminel. Certes, il a utilisé, pour camper Vautrin,*

ce qu'il savait de Vidocq, l'ancien bandit devenu chef de la police, mais, derrière la ressemblance formelle entre le personnage et son modèle, on trouve une signification autobiographique : Balzac, lui aussi, s'est échappé d'un bagne, de la médiocrité à laquelle le destinait son milieu familial. La profession de foi de Vautrin est la sienne : « Je suis bon avec ceux qui me font du bien ou dont le cœur parle au mien... Mais... je suis méchant comme le diable avec ceux qui me tracassent ou qui ne me reviennent pas... J'ai lu les Mémoires de Benvenuto Cellini. J'ai appris de cet homme-là... à aimer le beau partout où il se trouve. N'est-ce pas d'ailleurs une belle partie à jouer que d'être seul contre tous les hommes et d'avoir la chance?... Je n'obéis à rien, est-ce clair?... Savez-vous comment on fait son chemin ici? par l'éclat du génie ou par l'adresse de la corruption... Je ne vous parle pas de ces pauvres ilotes qui partout font la besogne sans être jamais récompensés de leurs travaux, et que je nomme la confrérie des savates du bon Dieu. Certes, là est la vertu dans toute la fleur de sa bêtise, mais là est la misère. Je vois d'ici la grimace de ces braves gens si Dieu nous faisait la mauvaise plaisanterie de s'absenter au jugement dernier. Je n'accuse pas les riches en faveur du peuple : l'homme est le même en haut, en bas, au milieu. Il se ren-

contre par chaque million de ce haut bétail dix
lurons qui se mettent au-dessus de tout...! j'en
suis. »

*Comme son porte-parole, Balzac se déclarera
plus tard contre l'abolition de la traite des
Noirs. Certaines de ses lettres contiennent des
déclarations presque identiques à celles de son
héros. Vautrin dit à Rastignac :*

« Voyez si vous pourrez vous lever tous les
matins avec plus de volonté que vous n'en aviez
la veille. »

Et Balzac écrit à Mme Hanska : « Quand, pour
avoir la royauté littéraire, je me lève toutes les
nuits avec une volonté plus aiguë que celle de
la veille, je crois pouvoir me dire fort. » *L'écrivain et le forçat jettent l'un et l'autre* « leur
apparente bonhomie, leur constante complaisance et leur gaieté comme une barrière entre
les autres et eux ». *Les contemporains ne s'y
sont pas trompés :* « Cher Vautrin... » *écrivait
à Balzac son ami Gaspard de Pons.*

*L'auteur ne se contente pas de nourrir son
personnage de sa propre substance, il va plus
loin, remonte dans le temps et réalise une iden-
tification au second degré : l'intérêt de Vautrin
pour le jeune Rastignac ne s'explique pas seulement par l'appétit de lucre et l'homosexualité,
mais aussi parce que le quadragénaire se
retrouve et retrouve sa jeunesse chez cet ambi-*

tieux de vingt ans, à la veille de renoncer à ses scrupules pour réussir. Le centre apparent du livre, Goriot, ne coïncide pas avec son centre réel : Vautrin-Rastignac, et quand l'étudiant accompagne au Père-Lachaise le corps du pauvre homme, c'est surtout sa propre conscience morale qu'il enterre. Le créateur de la Comédie Humaine, comme les peuples dans leur folklore, écrit sur plusieurs registres à la fois. Il aime, il respecte le mystère. Les précisions descriptives dont il gratifie ses lecteurs parfois jusqu'à l'accablement, loin de les installer dans le réalisme, les précipitent en plein fantastique. Ce roué, en ne faisant grâce d'aucun détail, empêche de voir avec les yeux de tous les jours. Ses énumérations minutieuses et qu'il voudrait exhaustives ne restituent pas le monde matériel, elles le détruisent et y substituent un univers mythique où gestes et paroles ont une portée générale et durable. De temps à autre, le subterfuge éclate et Balzac, renonçant à sauver les apparences, se laissant aller à de splendides énormités, nous dépayse par les moyens les plus directs : Pension bourgeoise des deux sexes et autres, affiche Mme Vauquer au-dessus de la porte de son établissement, ce qui représente non seulement l'avantage de nous introduire dans une maison impérissable et transcendante, mais encore celui d'annoncer la sodomie de Vau-

trin. « Une statue représentant l'Amour »
s'élève sous un renfoncement qui n'existe pas,
un trompe-l'œil « peint en marbre vert par un
artiste du quartier ».

En ce qui concerne les événements, l'auteur
ne se laisse pas arrêter non plus par le souci de
la vraisemblance. Dans la vie, le manque d'ar-
gent ne l'empêche pas de mener grand train et
d'accumuler les objets coûteux; dans son œuvre
aussi, continuellement, il passe outre. Ainsi, tous
les pensionnaires de la maison Vauquer savent
de science infuse qu'aussitôt après la mort
de son fils, Taillefer appellera auprès de lui
Victorine, dont il a toujours nié qu'elle fût sa
fille. La victoire de Franchessini sur le jeune
Taillefer ne présente pas non plus l'ombre d'un
doute : Balzac ne se place pas dans le temps,
mais au-dessus. Il lui arrive aussi de jouer avec
la durée, d'accumuler dans le même moment un
nombre étonnant de faits étonnants. Le septua-
génaire Goriot pétrit les plats de vermeil comme
de la pâte à tarte, tandis qu'Eugène de Rasti-
gnac l'observe par le trou de la serrure. A peine
l'étrange ex-vermicellier s'est-il mis au lit en
disant à haute voix :

— Pauvre enfant!

que Vautrin et un inconnu, tous deux en
chaussons de lisière, pénètrent dans l'établisse-
ment malgré les portes verrouillées. On com-

prend un peu la stupeur du jeune Eugène :
« Voilà bien des mystères dans une pension
bourgeoise! » *se dit-il.*

Mais comment la sordide maison n'abonde-
rait-elle pas en énigmes, puisqu'elle est un
microcosme? D'ailleurs, sa fin soudaine et vio-
lente sera l'éclatement d'un astre : simultané-
ment Vautrin est arrêté, Victorine et sa protec-
trice s'envolent vers une destinée fastueuse,
l'espionne Michonneau, suivie du pâle Poiret,
est chassée par les autres pensionnaires; Goriot
et Rastignac s'apprêtent aussi à quitter la mai-
son pour une élégante garçonnière.

En plus de passages rocambolesques et lar-
moyants, Le Père Goriot *contient, comme la*
plupart des livres de Balzac, nombre de
« perles ». *Mais à tout bout de champ, en des*
éclairs d'une fulgurante poésie, un découvreur,
un grand aventurier des lettres nous fait part
de ce que l'intuition et l'observation lui ont
révélé. Ce cynique a su, bien mieux que les
auteurs dits édifiants, montrer que plus était en
l'être humain et qu'une position difficile pou-
vait communiquer momentanément aux mé-
diocres « les qualités des hommes d'élite ». A
la lumière de ce génie, les visages ternes ou tarés
de la table d'hôtes apparaissent semblables aux
faces des « écus démonétisés ». Cette usure
implique la valeur initiale, l'intégrité originelle.

*La vie ne se morcelle pas; à moins d'y re-
noncer, il faut l'apprécier pour le meilleur et
pour le pire. De même les œuvres de Balzac,
dans leur torrentielle précipitation, enrichies de
toutes leurs impuretés. Baudelaire fut le premier à reconnaître la grandeur de son contem-
porain. Comme le poète des* Fleurs du Mal *célé-
brant sa maîtresse, sachons dire :* « J'aime son
mauvais goût. »

Béatrix BECK.

MADAME VAUQUER, née de Conflans, est une vieille femme qui, depuis quarante ans, tient à Paris une pension bourgeoise établie rue Neuve-Sainte-Geneviève, entre le Quartier latin et le faubourg Saint-Marceau. Cette pension, connue sous le nom de la Maison Vauquer, admet également des hommes et des femmes, des jeunes gens et des vieillards, sans que jamais la médisance ait attaqué les mœurs de ce respectable établissement. Mais aussi depuis trente ans ne s'y était-il jamais vu de jeune personne, et pour qu'un jeune homme y demeure, sa famille doit-elle lui faire une bien maigre pension. Néanmoins, en 1819, époque à laquelle ce drame commence, il s'y trouvait une pauvre jeune fille. En quelque discrédit que soit tombé le mot drame par la manière abusive et tortionnaire dont il a été prodigué dans ces temps de douloureuse littérature, il est nécessaire de l'employer ici : non que cette histoire soit drama-

tique dans le sens vrai du mot; mais, l'œuvre
accomplie, peut-être aura-t-on versé quelques
larmes *intra muros* et *extra*. Sera-t-elle comprise au-delà de Paris? le doute est permis. Les
particularités de cette scène pleine d'observations et de couleurs locales ne peuvent être ap-
préciées qu'entre les buttes de Montmartre et
les hauteurs de Montrouge, dans cette illustre
vallée de plâtras incessamment près de tomber
et de ruisseaux noirs de boue; vallée remplie
de souffrances réelles, de joies souvent fausses,
et si terriblement agitée qu'il faut je ne sais quoi
d'exorbitant pour y produire une sensation de
quelque durée. Cependant il s'y rencontre çà et
là des douleurs que l'agglomération des vices et
des vertus rend grandes et solennelles : à leur
aspect, les égoïsmes, les intérêts s'arrêtent et
s'apitoient; mais l'impression qu'ils en reçoivent
est comme un fruit savoureux promptement dévoré. Le char de la civilisation, semblable à celui
de l'idole de Jaggernat, à peine retardé par un
cœur moins facile à broyer que les autres et qui
enraie sa roue, l'a brisé bientôt et continue sa
marche glorieuse. Ainsi ferez-vous, vous qui
tenez ce livre d'une main blanche, vous qui vous
enfoncez dans un moelleux fauteuil en vous
disant : Peut-être ceci va-t-il m'amuser. Après
avoir lu les secrètes infortunes du père Goriot,
vous dînerez avec appétit en mettant votre in-

sensibilité sur le compte de l'auteur, en le taxant d'exagération, en l'accusant de poésie. Ah! sachez-le : ce drame n'est ni une fiction, ni un roman. *All is true*, il est si véritable que chacun peut en reconnaître les éléments chez soi, dans son cœur peut-être.

La maison où s'exploite la pension bourgeoise appartient à Mme Vauquer. Elle est située dans le bas de la rue Neuve-Sainte-Geneviève, à l'endroit où le terrain s'abaisse vers la rue de l'Arbalète par une pente si brusque et si rude que les chevaux la montent ou la descendent rarement. Cette circonstance est favorable au silence qui règne dans ces rues serrées entre le dôme du Val-de-Grâce et le dôme du Panthéon, deux monuments qui changent les conditions de l'atmosphère en y jetant des tons jaunes, en y assombrissant tout par les teintes sévères que projettent leurs coupoles. Là, les pavés sont secs, les ruisseaux n'ont ni boue ni eau, l'herbe croît le long des murs. L'homme le plus insouciant s'y attriste comme tous les passants, le bruit d'une voiture y devient un événement, les maisons y sont mornes, les murailles y sentent la prison. Un Parisien égaré ne verrait là que des pensions bourgeoises ou des Institutions, de la misère ou de l'ennui, de la vieillesse qui meurt, de la joyeuse jeunesse contrainte à travailler. Nul quartier de Paris n'est plus horrible, ni,

disons-le, plus inconnu. La rue Neuve-Sainte-
Geneviève surtout est comme un cadre de
bronze, le seul qui convienne à ce récit, auquel
on ne saurait trop préparer l'intelligence par
des couleurs brunes, par des idées graves; ainsi
que, de marche en marche, le jour diminue et
le chant du conducteur se creuse, alors que le
voyageur descend aux Catacombes. Comparaison
vraie! Qui décidera de ce qui est plus horrible
à voir, ou des cœurs desséchés, ou des crânes
vides?

La façade de la pension donne sur un jardinet, en sorte que la façade tombe à angle droit
sur la rue Neuve-Sainte-Geneviève, où vous la
voyez coupée dans sa profondeur. Le long de
cette façade, entre la maison et le jardinet, règne
un cailloutis en cuvette, large d'une toise, devant lequel est une allée sablée, bordée de géra-
niums, de lauriers-roses et de grenadiers plantés
dans de grands vases en faïence bleue et blanche.
On entre dans cette allée par une porte bâtarde,
surmontée d'un écriteau sur lequel est écrit :
Maison Vauquer, et dessous : *Pension bourgeoise des deux sexes et autres*. Pendant le jour,
une porte à claire-voie, armée d'une sonnette
criarde, laisse apercevoir au bout du petit pavé,
sur le mur opposé à la rue, une arcade peinte
en marbre vert par un artiste du quartier. Sous
le renfoncement que simule cette peinture,

s'élève une statue représentant l'Amour. A voir le vernis écaillé qui la couvre, les amateurs de symboles y découvriraient peut-être un mythe de l'amour parisien qu'on guérit à quelques pas de là. Sous le socle, cette inscription à demi effacée rappelle le temps auquel remonte cet ornement par l'enthousiasme dont il témoigne pour Voltaire, rentré dans Paris en 1777 :

> Qui que tu sois, voici ton maître :
> Il l'est, le fut, ou le doit être.

A la nuit tombante, la porte à claire-voie est remplacée par une porte pleine. Le jardinet, aussi large que la façade est longue, se trouve encaissé par le mur de la rue et par le mur mitoyen de la maison voisine, le long de laquelle pend un manteau de lierre qui la cache entièrement, et attire les yeux des passants par un effet pittoresque dans Paris. Chacun de ces murs est tapissé d'espaliers et de vignes dont les fructifications grêles et poudreuses sont l'objet des craintes annuelles de Mme Vauquer et de ses conversations avec les pensionnaires. Le long de chaque muraille, règne une étroite allée qui mène à un couvert de tilleuls, mot que Mme Vauquer, quoique née de Conflans, prononce obstinément *tieuilles*, malgré les observations grammaticales de ses hôtes. Entre les deux allées latérales est un carré d'artichauts flanqué

d'arbres fruitiers en quenouille, et bordé
d'oseille, de laitue ou de persil. Sous le couvert de tilleuls est plantée une table ronde
peinte en vert, et entourée de sièges. Là, durant les jours caniculaires, les convives assez
riches pour se permettre de prendre du café,
viennent le savourer par une chaleur capable de
faire éclore des œufs. La façade, élevée de trois
étages et surmontée de mansardes, est bâtie en
moellons et badigeonnée avec cette couleur jaune
qui donne un caractère ignoble à presque toutes
les maisons de Paris. Les cinq croisées percées à
chaque étage ont de petits carreaux et sont gar-
nies de jalousies dont aucune n'est relevée de la
même manière, en sorte que toutes leurs lignes
jurent entre elles. La profondeur de cette maison comporte deux croisées qui, au rez-de-chaussée, ont pour ornement des barreaux en fer,
grillagés. Derrière le bâtiment est une cour large
d'environ vingt pieds, où vivent en bonne intelligence des cochons, des poules, des lapins, et au
fond de laquelle s'élève un hangar à serrer le
bois. Entre ce hangar et la fenêtre de la cuisine
se suspend le garde-manger, au-dessous duquel
tombent les eaux grasses de l'évier. Cette cour a
sur la rue Neuve-Sainte-Geneviève une porte
étroite par où la cuisinière chasse les ordures de
la maison en nettoyant cette sentine à grand ren-
fort d'eau, sous peine de pestilence.

Naturellement destiné à l'exploitation de la pension bourgeoise, le rez-de-chaussée se compose d'une première pièce éclairée par les deux croisées de la rue, et où l'on entre par une porte-fenêtre. Ce salon communique à une salle à manger qui est séparée de la cuisine par la cage d'un escalier dont les marches sont en bois et en carreaux mis en couleur et frottés. Rien n'est plus triste à voir que ce salon meublé de fauteuils et de chaises en étoffe de crin à raies alternativement mates et luisantes. Au milieu se trouve une table ronde à dessus de marbre Sainte-Anne, décorée de ce cabaret en porcelaine blanche ornée de filets d'or effacés à demi, que l'on rencontre partout aujourd'hui. Cette pièce, assez mal planchéiée, est lambrissée à hauteur d'appui. Le surplus des parois est tendu d'un papier verni représentant les principales scènes de Télémaque, et dont les classiques personnages sont coloriés. Le panneau d'entre les croisées grillagées offre aux pensionnaires le tableau du festin donné au fils d'Ulysse par Calypso. Depuis quarante ans cette peinture excite les plaisanteries des jeunes pensionnaires, qui se croient supérieurs à leur position en se moquant du dîner auquel la misère les condamne. La cheminée en pierre, dont le foyer toujours propre atteste qu'il ne s'y fait de feu que dans les grandes occasions, est ornée de deux vases pleins de fleurs artifi-

cielles, vieillies et encagées, qui accompagnent
une pendule en marbre bleuâtre du plus mauvais goût. Cette première pièce exhale une odeur
sans nom dans la langue, et qu'il faudrait appeler l'*odeur de pension*. Elle sent le renfermé, le
moisi, le rance; elle donne froid, elle est humide
au nez, elle pénètre les vêtements; elle a le goût
d'une salle où l'on a dîné; elle pue le service,
l'office, l'hospice. Peut-être pourrait-elle se décrire si l'on inventait un procédé pour évaluer
les quantités élémentaires et nauséabondes qu'y
jettent les atmosphères catarrhales et *sui generis*
de chaque pensionnaire, jeune ou vieux. Eh
bien, malgré ces plates horreurs, si vous le com-
pariez à la salle à manger, qui lui est contiguë,
vous trouveriez ce salon élégant et parfumé
comme doit l'être un boudoir. Cette salle, entièrement boisée, fut jadis peinte en une couleur indistincte aujourd'hui, qui forme un fond
sur lequel la crasse a imprimé ses couches de
manière à y dessiner des figures bizarres. Elle
est plaquée de buffets gluants sur lesquels sont
des carafes échancrées, ternies, des ronds de
moiré métallique, des piles d'assiettes en porcelaine épaisse, à bords bleus, fabriquées à Tour-
nai. Dans un angle est placée une boîte à cases
numérotées qui sert à garder les serviettes, ou
tachées ou vineuses, de chaque pensionnaire. Il
s'y rencontre de ces meubles indestructibles,

proscrits partout, mais placés là comme le sont
les débris de la civilisation aux Incurables. Vous
y verriez un baromètre à capucin qui sort quand
il pleut, des gravures exécrables qui ôtent l'appétit, toutes encadrées en bois noir verni à filets
dorés; un cartel en écaille incrustée de cuivre;
un poêle vert, des quinquets d'Argand où la
poussière se combine avec l'huile, une longue
table couverte d'une toile cirée assez grasse pour
qu'un facétieux externe y inscrive son nom en
se servant de son doigt comme de style des
chaises estropiées, de petits paillassons piteux en
sparterie qui se déroule toujours sans se perdre
jamais, puis des chaufferettes misérables à trous
cassés, à charnières défaites, dont le bois se car-
bonise. Pour expliquer combien ce mobilier est
vieux, crevassé, pourri, tremblant, rongé, man-
chot, borgne, invalide, expirant, il faudrait en
faire une description qui retarderait trop l'intérêt de cette histoire, et que les gens pressés ne
pardonneraient pas. Le carreau rouge est plein
de vallées produites par le frottement ou par
les mises en couleur. Enfin, là règne la misère
sans poésie; une misère économe, concentrée,
râpée. Si elle n'a pas de fange encore, elle a des
taches; si elle n'a ni trous ni haillons, elle va
tomber en pourriture.

Cette pièce est dans tout son lustre au moment où, vers sept heures du matin, le chat de

Mme Vauquer précède sa maîtresse; saute sur
les buffets, y flaire le lait que contiennent plusieurs jattes couvertes d'assiettes, et fait entendre
son *rourou* matinal. Bientôt la veuve se montre,
attifée de son bonnet de tulle sous lequel pend
un tour de faux cheveux mal mis, elle marche
en traînassant ses pantoufles grimacées. Sa face
vieillotte, grassouillette, du milieu de laquelle
sort un nez à bec de perroquet; ses petites mains
potelées, sa personne dodue comme un rat
d'église, son corsage trop plein et qui flotte, sont
en harmonie avec cette salle où suinte le
malheur, où s'est blottie la spéculation, et dont
Mme Vauquer respire l'air chaudement fétide
sans en être écœurée. Sa figure fraîche comme
une première gelée d'automne, ses yeux ridés,
dont l'expression passe du sourire prescrit aux
danseuses à l'amer renfrognement de l'escompteur, enfin toute sa personne explique la pension, comme la pension implique sa personne.
Le bagne ne va pas sans l'argousin, vous n'ima-
ginez pas l'un sans l'autre. L'embonpoint blafard de cette petite femme est le produit de
cette vie, comme le typhus est la conséquence
des exhalaisons d'un hôpital. Son jupon de laine
tricotée, qui dépasse sa première jupe faite avec
une vieille robe, et dont la ouate s'échappe par
les fentes de l'étoffe lézardée, résume le salon,
la salle à manger, le jardinet, annonce la cui-

sine et fait pressentir les pensionnaires. Quand elle est là, le spectacle est complet. Agée d'environ cinquante ans, Mme Vauquer ressemble à toutes les *femmes qui ont eu des malheurs*. Elle a l'œil vitreux, l'air innocent d'une entremetteuse qui va se gendarmer pour se faire payer plus cher, mais d'ailleurs prête à tout pour adoucir son sort, à livrer Georges ou Pichegru, si Georges ou Pichegru étaient encore à livrer. Néanmoins, elle est *bonne femme au fond,* disent les pensionnaires, qui la croient sans fortune en l'entendant geindre et tousser comme eux. Qu'avait été M. Vauquer? Elle ne s'expliquait jamais sur le défunt. Comment avait-il perdu sa fortune? Dans les malheurs, répondait-elle. Il s'était mal conduit envers elle, ne lui avait laissé que les yeux pour pleurer, cette maison pour vivre, et le droit de ne compatir à aucune infortune, parce que, disait-elle, elle avait souffert tout ce qu'il est possible de souffrir. En entendant trottiner sa maîtresse, la grosse Sylvie, la cuisinière, s'empressait de servir le déjeuner des pensionnaires internes.

Généralement les pensionnaires externes ne s'abonnaient qu'au dîner, qui coûtait trente francs par mois. A l'époque où cette histoire commence, les internes étaient au nombre de sept. Le premier étage contenait les deux meilleurs appartements de la maison. Mme Vauquer habitait le moins considérable, et l'autre appartenait à Mme Couture, veuve d'un commissaire-ordonnateur de la République française. Elle avait avec elle une très jeune personne, nommée Victorine Taillefer, à qui elle servait de mère. La pension de ces deux dames montait à dix-huit cents francs. Les deux appartements du second étaient occupés, l'un par un vieillard nommé Poiret; l'autre, par un homme âgé d'environ quarante ans, qui portait une perruque noire, se teignait les favoris, se disait ancien négociant, et s'appelait M. Vautrin. Le troisième étage se composait de quatre chambres, dont deux étaient louées, l'une par une vieille fille nommée Mlle Michonneau; l'autre, par un ancien fabricant de vermicelles, de pâtes d'Italie et d'amidon, qui se laissait nommer le Père Goriot. Les deux autres chambres étaient destinées aux oiseaux de passage, à ces infortunés étudiants qui, comme le père Goriot et Mlle Michonneau, ne pouvaient mettre que quarante-cinq francs par mois à leur nourriture et à leur logement; mais Mme Vauquer souhaitait peu leur présence et ne les prenait que quand elle ne trouvait pas mieux : ils mangeaient trop de pain. En ce moment, l'une de ces deux chambres appartenait à un jeune homme venu des environs d'Angoulême à Paris pour y faire son droit, et dont la nombreuse famille se soumettait aux plus

dures privations afin de lui envoyer douze cents
francs par an. Eugène de Rastignac, ainsi se
nommait-il, était un de ces jeunes gens façonnés
au travail par le malheur, qui comprennent dès
le jeune âge les espérances que leurs parents
placent en eux, et qui se préparent une belle
destinée en calculant déjà la portée de leurs
études, et les adaptant par avance au mouvement futur de la société, pour être les premiers
à la pressurer. Sans ses observations curieuses
et l'adresse avec laquelle il sut se produire dans
les salons de Paris, ce récit n'eût pas été coloré
des tons vrais qu'il devra sans doute à son esprit
sagace et à son désir de pénétrer les mystères
d'une situation épouvantable aussi soigneusement cachée par ceux qui l'avaient créée que
par celui qui la subissait.

Au-dessus de ce troisième étage étaient un grenier à étendre le linge et deux mansardes
où couchaient un garçon de peine, nommé
Christophe, et la grosse Sylvie, la cuisinière.
Outre les sept pensionnaires internes, Mme Vauquer avait, bon an, mal an, huit étudiants en
droit ou en médecine, et deux ou trois habitués
qui demeuraient dans le quartier, abonnés tous
pour le dîner seulement. La salle contenait à
dîner dix-huit personnes et pouvait en admettre
une vingtaine; mais le matin, il ne s'y trouvait
que sept locataires dont la réunion offrait pen-

dant le déjeuner l'aspect d'un repas de famille.
Chacun descendait en pantoufles, se permettait
des observations confidentielles sur la mise ou
sur l'air des externes, et sur les événements de
la soirée précédente, en s'exprimant avec la
confiance de l'intimité. Ces sept pensionnaires
étaient les enfants gâtés de Mme Vauquer, qui
leur mesurait avec une précision d'astronome
les soins et les égards, d'après le chiffre de leurs
pensions. Une même considération affectait ces
êtres rassemblés par le hasard. Les deux locataires du second ne payaient que soixante-douze
francs par mois. Ce bon marché, qui ne se rencontre que dans le faubourg Saint-Marcel, entre
la Bourbe et la Salpêtrière, et auquel Mme Couture faisait seule exception, annonce que ces
pensionnaires devaient être sous le poids de
malheurs plus ou moins apparents. Aussi le spectacle désolant que présentait l'intérieur de
cette maison se répétait-il dans le costume de
ses habitués, également délabrés. Les hommes
portaient des redingotes dont la couleur était
devenue problématique, des chaussures comme
il s'en jette au coin des bornes dans les quar-
tiers élégants, du linge élimé, des vêtements qui
n'avaient plus que l'âme. Les femmes avaient
des robes passées, reteintes, déteintes, de vieilles
dentelles raccommodées, des gants glacés par
l'usage, des collerettes toujours rousses et des

fichus éraillés. Si tels étaient les habits, presque
tous montraient des corps solidement charpen-
tés, des constitutions qui avaient résisté aux
tempêtes de la vie, des faces froides, dures, effa-
cées comme celles des écus démonétisés. Les
bouches flétries étaient armées de dents avides.
Ces pensionnaires faisaient pressentir des drames
accomplis ou en action; non pas de ces drames
joués à la lueur des rampes, entre des toiles
peintes, mais des drames vivants et muets, des
drames glacés qui remuaient chaudement le
cœur, des drames continus.

La vieille demoiselle Michonneau gardait sur
ses yeux fatigués un crasseux abat-jour en taffetas vert, cerclé par du fil d'archal qui aurait
effarouché l'ange de la Pitié. Son châle à franges
maigres et pleurardes semblait couvrir un sque-
lette, tant les formes qu'il cachait étaient angu-
leuses. Quel acide avait dépouillé cette créature
de ses formes féminines? elle devait avoir été
jolie et bien faite : était-ce le vice, le chagrin,
la cupidité? avait-elle trop aimé, avait-elle été
marchande à la toilette, ou seulement courtisane? Expiait-elle les triomphes d'une jeunesse
insolente au-devant de laquelle s'étaient rués les
plaisirs par une vieillesse que fuyaient les passants? Son regard blanc donnait froid, sa figure
rabougrie menaçait. Elle avait la voix clairette
d'une cigale criant dans son buisson aux ap-

proches de l'hiver. Elle disait avoir pris soin
d'un vieux monsieur affecté d'un catarrhe à la
vessie, et abandonné par ses enfants, qui
l'avaient cru sans ressource. Ce vieillard lui avait
légué mille francs de rente viagère, périodiquement disputés par les héritiers, aux calomnies desquels elle était en butte. Quoique le jeu
des passions eût ravagé sa figure, il s'y trouvait
encore certains vestiges d'une blancheur et
d'une finesse dans le tissu qui permettaient de
supposer que le corps conservait quelques restes
de beauté.

M. Poiret était une espèce de mécanique. En
l'apercevant s'étendre comme une ombre grise
le long d'une allée du Jardin des Plantes, la tête
couverte d'une vieille casquette flasque, tenant
à peine sa canne à pomme d'ivoire jauni dans
sa main, laissant flotter les pans flétris de sa redingote qui cachait mal une culotte presque
vide, et des jambes en bas bleus qui flageolaient
comme celles d'un homme ivre, montrant son
gilet blanc sale et son jabot de grosse mousseline recroquevillée qui s'unissait imparfaitement
à sa cravate cordée autour de son cou de dindon,
bien des gens se demandaient si cette ombre chi-
noise appartenait à la race audacieuse des fils
de Japhet qui papillonnent sur le boulevard
italien. Quel travail avait pu le ratatiner ainsi?
quelle passion avait bistré sa face bulbeuse, qui,

dessinée en caricature, aurait paru hors du vrai?
Ce qu'il avait été? mais peut-être avait-il été
employé au ministère de la Justice, dans le bureau où les exécuteurs des hautes-œuvres en-
voient leurs mémoires de frais, le compte des
fournitures de voiles noirs pour les parricides,
de son pour les paniers, de ficelle pour les couteaux. Peut-être avait-il été receveur à la porte
d'un abattoir, ou sous-inspecteur de salubrité.
Enfin, cet homme semblait avoir été l'un des
ânes de notre grand moulin social, l'un de ces
Ratons parisiens qui ne connaissent même pas
leurs Bertrands, quelque pivot sur lequel avaient
tourné les infortunes ou les saletés publiques,
enfin l'un de ces hommes dont nous disons, en
les voyant : *Il en faut pourtant comme ça.* Le
beau Paris ignore ces figures blêmes de souffrances morales ou physiques. Mais Paris est un
véritable océan. Jetez-y la sonde, vous n'en
connaîtrez jamais la profondeur. Parcourez-le,
décrivez-le? quelque soin que vous mettiez à le
parcourir, à le décrire; quelque nombreux et intéressés que soient les explorateurs de cette mer,
il s'y rencontrera toujours un lieu vierge, un
antre inconnu, des fleurs, des perles, des
monstres, quelque chose d'inouï, oublié par les
plongeurs littéraires. La maison Vauquer est une
de ces monstruosités curieuses.

Deux figures y formaient un contraste frap-

pant avec la masse des pensionnaires et des habitués. Quoique Mlle Victorine Taillefer eût une
blancheur maladive semblable à celle des jeunes
filles attaquées de chlorose, et qu'elle se ratta-
chât à la souffrance générale qui faisait le fond
de ce tableau, par une tristesse habituelle, par
une contenance gênée, par un air pauvre et
grêle, néanmoins son visage n'était pas vieux,
ses mouvements et sa voix étaient agiles. Ce
jeune malheur ressemblait à un arbuste aux
feuilles jaunies, fraîchement planté dans un terrain contraire. Sa physionomie roussâtre, ses cheveux d'un blond fauve, sa taille trop mince,
exprimaient cette grâce que les poètes modernes
trouvaient aux statuettes du moyen âge. Ses
yeux gris mélangés de noir exprimaient une
douceur, une résignation chrétiennes. Ses vêtements simples, peu coûteux, trahissaient des
formes jeunes. Elle était jolie par juxtaposition.
Heureuse, elle eût été ravissante : le bonheur
est la poésie des femmes, comme la toilette en
est le fard. Si la joie d'un bal eût reflété ses
teintes rosées sur ce visage pâle; si les douceurs
d'une vie élégante eussent rempli, eussent ver-
millonné ces joues déjà légèrement creusées; si
l'amour eût ranimé ces yeux tristes, Victorine
aurait pu lutter avec les plus belles jeunes filles.
Il lui manquait ce qui crée une seconde fois la
femme, les chiffons et les billets doux. Son his-

toire eût fourni le sujet d'un livre. Son père croyait avoir des raisons pour ne pas la reconnaître, refusait de la garder près de lui, ne lui accordait que six cents francs par an et avait dénaturé sa fortune, afin de pouvoir la transmettre en entier à son fils. Parente éloignée de la mère de Victorine, qui jadis était venue mourir de désespoir chez elle, Mme Couture prenait soin de l'orpheline comme de son enfant. Malheureusement la veuve du commissaire-ordonnateur des armées de la République ne possédait rien au monde que son douaire et sa pension; elle pouvait laisser un jour cette pauvre fille, sans expérience et sans ressources, à la merci du monde. La bonne femme menait Victorine à la messe tous les dimanches, à confesse tous les quinze jours, afin d'en faire à tout hasard une fille pieuse. Elle avait raison. Les sentiments religieux offraient un avenir à cet enfant désavoué, qui aimait son père, qui tous les ans s'acheminait chez lui pour y apporter le pardon de sa mère; mais qui, tous les ans, se cognait contre la porte de la maison paternelle, inexorablement fermée. Son frère, son unique médiateur, n'était pas venu la voir une seule fois en quatre ans, et ne lui envoyait aucun secours. Elle suppliait Dieu de dessiller les yeux de son père, d'attendrir le cœur de son frère, et priait pour eux sans les accuser.

Mme Couture et Mme Vauquer ne trouvaient pas assez de mots dans le dictionnaire des injures pour qualifier cette conduite barbare. Quand elles maudissaient ce millionnaire infâme, Victorine faisait entendre de douces paroles, semblables au chant du ramier blessé, dont le cri de douleur exprime encore l'amour.

Eugène de Rastignac avait un visage tout méridional, le teint blanc, des cheveux noirs, des yeux bleus. Sa tournure, ses manières, sa pose habituelle dénotaient le fils d'une famille noble, où l'éducation première n'avait comporté que des traditions de bon goût. S'il était ménager de ses habits, si les jours ordinaires il achevait d'user les vêtements de l'an passé, néanmoins il pouvait sortir quelquefois mis comme l'est un jeune homme élégant. Ordinairement il portait une vieille redingote, un mauvais gilet, la méchante cravate noire, flétrie, mal nouée de l'étudiant, un pantalon à l'avenant et des bottes ressemelées.

Entre ces deux personnages et les autres, Vautrin, l'homme de quarante ans, à favoris peints, servait de transition. Il était un de ces gens dont le peuple dit : « Voilà un fameux gaillard! » Il avait les épaules larges, le buste bien développé, les muscles apparents, des mains épaisses, carrées et fortement marquées aux phalanges par des bouquets de poils touffus et d'un roux ardent.

Sa figure, rayée par des rides prématurées, offrait des signes de dureté que démentaient ses manières souples et liantes. Sa voix de basse-taille, en harmonie avec sa grosse gaieté, ne déplaisait point. Il était obligeant et rieur. Si quelque serrure allait mal, il l'avait bientôt démontée, rafistolée, huilée, limée, remontée, en disant : « Ça me connaît. » Il connaissait tout d'ailleurs, les vaisseaux, la mer, la France, l'étranger, les affaires, les hommes, les événements, les lois, les hôtels et les prisons. Si quelqu'un se plaignait par trop, il lui offrait aussitôt ses services. Il avait prêté plusieurs fois de l'argent à Mme Vauquer et à quelques pensionnaires; mais ses obligés seraient morts plutôt que de ne pas le lui rendre, tant, malgré son air bonhomme, il imprimait de crainte par un certain regard profond et plein de résolution. A la manière dont il lançait un jet de salive, il annonçait un sang-froid imperturbable qui ne devait pas le faire reculer devant un crime pour sortir d'une position équivoque. Comme un juge sévère, son œil semblait aller au fond de toutes les questions, de toutes les consciences, de tous les sentiments. Ses mœurs consistaient à sortir après le déjeuner, à revenir pour dîner, à décamper pour toute la soirée, et à rentrer vers minuit à l'aide d'un passe-partout que lui avait confié Mme Vauquer. Lui seul jouissait de cette fa-

veur. Mais aussi était-il au mieux avec la veuve,
qu'il appelait maman en la saisissant par la
taille. flatterie peu comprise! La bonne femme
croyait la chose encore facile, tandis que Vautrin seul avait les bras assez longs pour presser
cette pesante circonférence. Un trait de son caractère était de payer généreusement quinze
francs par mois pour le *gloria* qu'il prenait au
dessert. Des gens moins superficiels que ne
l'étaient ces jeunes gens emportés par les tour-
billons de la vie parisienne, ou ces vieillards indifférents à ce qui ne les touchait pas directe-
ment, ne se seraient pas arrêtés à l'impression
douteuse que leur causait Vautrin. Il savait ou
devinait les affaires de ceux qui l'entouraient,
tandis que nul ne pouvait pénétrer ni ses pensées ni ses occupations. Quoiqu'il eût jeté son
apparente bonhomie, sa constante complaisance
et sa gaieté comme une barrière entre les autres
et lui, souvent il laissait percer l'épouvantable
profondeur de son caractère. Souvent une bou-
tade digne de Juvénal, et par laquelle il semblait se complaire à bafouer les lois, à fouetter
la haute société, à la convaincre d'inconséquence
avec elle-même, devait faire supposer qu'il
gardait rancune à l'état social, et qu'il y avait
au fond de sa vie un mystère soigneusement
enfoui.

Attirée. peut-être à son insu, par la force de

l'un ou par la beauté de l'autre, Mlle Taillefer
partageait ses regards furtifs, ses pensées secrètes,
entre ce quadragénaire et le jeune étudiant;
mais aucun d'eux ne paraissait songer à elle,
quoique d'un jour à l'autre le hasard pût changer sa position et la rendre un riche parti.
D'ailleurs aucune de ces personnes ne se donnait la peine de vérifier si les malheurs allégués
par l'une d'elles étaient faux ou véritables.
Toutes avaient les unes pour les autres une
indifférence mêlée de défiance qui résultait de
leurs situations respectives. Elles se savaient impuissantes à soulager leurs peines, et toutes
avaient en se les contant épuisé la coupe des
condoléances. Semblables à de vieux époux, elles
n'avaient plus rien à se dire. Il ne restait donc
entre elles que les rapports d'une vie mécanique,
le jeu de rouages sans huile. Toutes devaient
passer droit dans la rue devant un aveugle, écouter sans émotion le récit d'une infortune, et voir
dans une mort la solution d'un problème de
misère qui les rendait froides à la plus terrible
agonie. La plus heureuse de ces âmes désolées
était Mme Vauquer, qui trônait dans cet hospice libre. Pour elle seule ce petit jardin, que
le silence et le froid, le sec et l'humide faisaient
vaste comme une steppe, était un riant bocage.
Pour elle seule, cette maison jaune et morne,
qui sentait le vert-de-gris du comptoir, avait des

délices. Ces cabanons lui appartenaient. Elle
nourrissait ces forçats acquis à des peines per-
pétuelles, en exerçant sur eux une autorité res-
pectée. Où ces pauvres êtres auraient-ils trouvé
dans Paris, au prix où elle les donnait, des aliments sains, suffisants, et un appartement qu'ils
étaient maîtres de rendre, sinon élégant ou commode, du moins propre et salubre? Se fût-elle
permis une injustice criante, la victime l'aurait
supportée sans se plaindre.

Une réunion semblable devait offrir et offrait
en petit les éléments d'une société complète.
Parmi les dix-huit convives il se rencontrait,
comme dans les collèges, comme dans le monde,
une pauvre créature rebutée, un souffre-douleur
sur qui pleuvaient les plaisanteries. Au commencement de la seconde année, cette figure
devint pour Eugène de Rastignac la plus sail-
lante de toutes celles au milieu desquelles il
était condamné à vivre encore pendant deux ans.
Ce *Patiras* était l'ancien vermicellier, le père
Goriot, sur la tête duquel un peintre aurait,
comme l'historien, fait tomber toute la lumière
du tableau. Par quel hasard ce mépris à demi
haineux, cette persécution mélangée de pitié, ce
non-respect du malheur avaient-ils frappé le plus
ancien pensionnaire? Y avait-il donné lieu par
quelques-uns de ces ridicules ou de ces bizarreries que l'on pardonne moins qu'on ne par-

donne des vices? Ces questions tiennent de près
à bien des injustices sociales. Peut-être est-il dans
la nature humaine de tout faire supporter à qui
souffre tout par humilité vraie, par faiblesse ou
par indifférence. N'aimons-nous pas tous à prouver notre force aux dépens de quelqu'un ou de
quelque chose? L'être le plus débile, le gamin
sonne à toutes les portes quand il gèle, ou se
hisse pour écrire son nom sur un monument
vierge.

Le père Goriot, vieillard de soixante-neuf ans
environ, s'était retiré chez Mme Vauquer, en
1813, après avoir quitté les affaires. Il y
avait d'abord pris l'appartement occupé par
Mme Couture, et donnait alors douze cents
francs de pension, en homme pour qui cinq
louis de plus ou de moins étaient une bagatelle.
Mme Vauquer avait rafraîchi les trois chambres
de cet appartement moyennant une indemnité
préalable qui paya, dit-on, la valeur d'un méchant ameublement composé de rideaux en calicot jaune, de fauteuils en bois verni couverts de
velours d'Utrecht, de quelques peintures à la
colle, et de papiers que refusaient les cabarets
de la banlieue. Peut-être l'insouciante générosité que mit à se laisser attraper le père Goriot,
qui vers cette époque était respectueusement
nommé monsieur Goriot, le fit-elle considérer
comme un imbécile qui ne connaissait rien aux

affaires. Goriot vint muni d'une garde-robe bien
fournie, le trousseau magnifique du négociant
qui ne se refuse rien en se retirant du commerce. Mme Vauquer avait admiré dix-huit chemises de demi-hollande, dont la finesse était
d'autant plus remarquable que le vermicellier
portait sur son jabot dormant deux épingles
unies par une chaînette, et dont chacune était
montée d'un gros diamant. Habituellement vêtu
d'un habit bleu-barbeau, il prenait chaque jour
un gilet de piqué blanc, sous lequel fluctuait
son ventre piriforme et proéminent, qui faisait
rebondir une lourde chaîne d'or garnie de bre-
loques. Sa tabatière, également en or, contenait
un médaillon plein de cheveux qui le rendaient
en apparence coupable de quelques bonnes fortunes. Lorsque son hôtesse l'accusa d'être un
galantin, il laissa errer sur ses lèvres le gai sourire du bourgeois dont on a flatté le dada. Ses
ormoires (il prononçait ce mot à la manière du
menu peuple) furent remplies par la nombreuse
argenterie de son ménage. Les yeux de la veuve
s'allumèrent quand elle l'aida complaisamment
à déballer et ranger les louches, les cuillers à
ragoût, les couverts, les huiliers, les saucières,
plusieurs plats, les déjeuners en vermeil, enfin
des pièces plus ou moins belles, pesant un certain nombre de marcs, et dont il ne voulait pas
se défaire. Ces cadeaux lui rappelaient les solen-

nités de sa vie domestique. « Ceci, dit-il à Mme Vauquer en serrant un plat et une petite écuelle dont le couvercle représentait deux tourterelles qui se becquetaient, est le premier présent que m'a fait ma femme, le jour de notre anniversaire. Pauvre bonne! elle y avait consacré ses économies de demoiselle. Voyez-vous, madame? j'aimerais mieux gratter la terre avec mes ongles que de me séparer de cela. Dieu merci! je pourrai prendre dans cette écuelle mon café tous les matins durant le reste de mes jours. Je ne suis pas à plaindre, j'ai sur la planche du pain de cuit pour longtemps. » Enfin, Mme Vauquer avait bien vu, de son œil de pie, quelques inscriptions sur le grand-livre qui, vaguement additionnées, pouvaient faire à cet excellent Goriot un revenu d'environ huit à dix mille francs. Dès ce jour, Mme Vauquer, née de Conflans, qui avait alors quarante-huit ans effectifs et n'en acceptait que trente-neuf, eut des idées. Quoique le larmier des yeux de Goriot fût retourné, gonflé, pendant, ce qui l'obligeait à les essuyer assez fréquemment, elle lui trouva l'air agréable et comme il faut. D'ailleurs son mollet charnu, saillant, pronostiquait, autant que son long nez carré, des qualités morales auxquelles paraissait tenir la veuve, et que confirmait la face lunaire et naïvement niaise du bonhomme. Ce devait être une bête solide-

ment bâtie, capable de dépenser tout son esprit
en sentiment. Ses cheveux en ailes de pigeon,
que le coiffeur de l'Ecole polytechnique vint lui
poudrer tous les matin, dessinaient cinq pointes
sur son front bas, et décoraient bien sa figure.
Quoique un peu rustaud, il était si bien tiré à
quatre épingles, il prenait si richement son
tabac, il le humait en homme si sûr de toujours
avoir sa tabatière pleine de macouba, que le jour
où M. Goriot s'installa chez elle, Mme Vauquer
se coucha le soir en rôtissant comme une perdrix dans sa barde, au feu du désir qui la saisit
de quitter le suaire du Vauquer pour renaître
en Goriot. Se marier, vendre sa pension, donner
le bras à cette fine fleur de bourgeoisie, devenir
une dame notable dans le quartier, y quêter
pour les indigents, faire de petites parties le di-
manche à Choisy, Soissy, Gentilly; aller au spectacle à sa guise, en loge, sans attendre les billets
d'auteur que lui donnaient quelques-uns de ses
pensionnaires, au mois de juillet; elle rêva tout
l'Eldorado des petits ménages parisiens. Elle
n'avait avoué à personne qu'elle possédait quarante mille francs amassés sou à sou. Certes elle
se croyait, sous le rapport de la fortune, un
parti sortable. « Quant au reste, je vaux bien
le bonhomme! » se dit-elle en se retournant dans
son lit, comme pour s'attester à elle-même des
charmes que la grosse Sylvie trouvait chaque

matin moulés en creux. Dès ce jour, pendant
environ trois mois, la veuve Vauquer profita du
coiffeur de M. Goriot, et fit quelques frais de
toilette, excusés par la nécessité de donner à sa
maison un certain décorum en harmonie avec
les personnes honorables qui la fréquentaient.
Elle s'intrigua beaucoup pour changer le personnel de ses pensionnaires, en affichant la pré-
tention de n'accepter désormais que les gens les
plus distingués sous tous les rapports. Un étranger se présentait-il, elle lui vantait la préférence
que M. Goriot, un des négociants les plus no-
tables et les plus respectables de Paris, lui avait
accordée. Elle distribua des prospectus en tête
desquels se lisait : MAISON VAUQUER.
« C'était, disait-elle, une des plus anciennes et des
plus estimées pensions bourgeoises du pays latin. Il
y existait une vue des plus agréables sur la vallée
des Gobelins (on l'apercevait du troisième
étage), et un *joli* jardin, au bout duquel s'éten-
dait une ALLÉE de tilleuls. » Elle y parlait du
bon air et de la solitude. Ce prospectus lui
amena Mme la comtesse de l'Ambermesnil,
femme de trente-six ans, qui attendait la fin de
la liquidation et le règlement d'une pension qui
lui était due, en qualité de veuve d'un général
mort sur *les* champs de bataille. Mme Vauquer
soigna sa table, fit du feu dans les salons pendant près de six mois, et tint si bien les pro-

messes de son prospectus, qu'*elle y mit du sien*.
Aussi la comtesse disait-elle à Mme Vauquer,
en l'appelant *chère amie*, qu'elle lui procurerait
la baronne de Vaumerland et la veuve du colonel comte Picquoiseau, deux de ses amies, qui
achevaient au Marais leur terme dans une pension plus coûteuse que ne l'était la Maison Vauquer. Ces dames seraient d'ailleurs fort à leur
aise quand les Bureaux de la Guerre auraient
fini leur travail. « Mais, disait-elle, les Bureaux
ne terminent rien. » Les deux veuves montaient
ensemble après le dîner dans la chambre de
Mme Vauquer, et y faisaient de petites cau-
settes en buvant du cassis et mangeant des
friandises réservées pour la bouche de la maîtresse. Mme de l'Ambermesnil approuva beaucoup les vues de son hôtesse sur le Goriot, vues
excellentes, qu'elle avait d'ailleurs devinées dès
le premier jour; elle le trouvait un homme
parfait.

« Ah! ma chère dame, un homme sain comme
mon œil, lui disait la veuve, un homme parfaitement conservé, et qui peut encore donner bien
de l'agrément à une femme. »

La comtesse fit généreusement des observations à Mme Vauquer sur sa mise, qui n'était
pas en harmonie avec ses prétentions. — Il faut
vous mettre sur le pied de guerre, lui dit-elle.
Après bien des calculs, les deux veuves allèrent

ensemble au Palais-Royal, où elles achetèrent, aux Galeries de Bois, un chapeau à plumes et un bonnet. La comtesse entraîna son amie au magasin de La Petite Jeannette, où elles choisirent une robe et une écharpe. Quand ces munitions furent employées, et que la veuve fut sous les armes, elle ressembla parfaitement à l'enseigne du *Bœuf à la Mode*. Néanmoins elle se trouva si changée à son avantage, qu'elle se crut l'obligée de la comtesse, et, quoique peu *donnante,* elle la pria d'accepter un chapeau de vingt francs. Elle comptait, à la vérité, lui demander le service de sonder Goriot et de la faire valoir auprès de lui. Mme de l'Ambermesnil se prêta fort amicalement à ce manège, et cerna le vieux vermicellier avec lequel elle réussit à avoir une conférence; mais après l'avoir trouvé pudibond, pour ne pas dire réfractaire aux tentatives que lui suggéra son désir particulier de le séduire pour son propre compte, elle sortit révoltée de sa grossièreté.

« Mon ange, dit-elle à sa chère amie, vous ne tirerez rien de cet homme-là. Il est ridiculement défiant; c'est un grippe-sou, une bête, un sot, qui ne vous causera que du désagrément. »

Il y eut entre M. Goriot et Mme de l'Ambermesnil des choses telles que la comtesse ne voulut même plus se trouver avec lui. Le lendemain, elle partit en oubliant de payer six mois

de pension, et en laissant une défroque prisée
cinq francs. Quelque âpreté que Mme Vauquer
mît à ses recherches, elle ne put obtenir aucun
renseignement dans Paris sur la comtesse de
l'Ambermesnil. Elle parlait souvent de cette
déplorable affaire, en se plaignant de son trop
de confiance, quoiqu'elle fût plus méfiante que
ne l'est une chatte; mais elle ressemblait à beaucoup de personnes qui se défient de leurs
proches, et se livrent au premier venu. Fait moral, bizarre, mais vrai, dont la racine est facile
à trouver dans le cœur humain. Peut-être certaines gens n'ont-ils plus rien à gagner auprès des
personnes avec lesquelles ils vivent; après leur
avoir montré le vide de leur âme, ils se sentent
secrètement jugés par elles avec une sévérité
méritée; mais, éprouvant un indicible besoin de
flatteries qui leur manquent, ou dévorés par
l'envie de paraître posséder les qualités qu'ils
n'ont pas, ils espèrent surprendre l'estime ou le
cœur de ceux qui leur sont étrangers, au risque
d'en déchoir un jour. Enfin il est des individus
nés mercenaires qui ne font aucun bien à leurs
amis ou à leurs proches, parce qu'ils le doivent;
tandis qu'en rendant service à des inconnus, ils
en recueillent un gain d'amour-propre : plus le
cercle de leurs affections est près d'eux, moins
ils aiment; plus il s'étend, plus serviables ils
sont. Mme Vauquer tenait sans doute de ces

deux natures, essentiellement mesquines, fausses, exécrables.

« Si j'avais été ici, lui disait alors Vautrin, ce malheur ne serait pas arrivé! je vous aurais joliment dévisagé cette farceuse-là. Je connais leurs *frimousses*. »

Comme tous les esprits rétrécis, Mme Vauquer avait l'habitude de ne pas sortir du cercle des événements, et de ne pas juger leurs causes. Elle aimait à s'en prendre à autrui de ses propres fautes. Quand cette perte eut lieu, elle considéra l'honnête vermicellier comme le principe de son infortune, et commença dès lors, disait-elle, à se dégriser sur son compte. Lorsqu'elle eut reconnu l'inutilité de ses agaceries et de ses frais de représentation, elle ne tarda pas à en deviner la raison. Elle s'aperçut alors que son pensionnaire avait déjà, selon son expression, ses allures. Enfin il lui fut prouvé que son espoir si mignonnement caressé reposait sur une base chimérique, et qu'elle ne tirerait jamais rien de cet homme-là, suivant le mot énergique de la comtesse, qui paraissait être une connaisseuse. Elle alla nécessairement plus loin en aversion qu'elle n'était allée dans son amitié. Sa haine ne fut pas en raison de son amour, mais de ses espérances trompées. Si le cœur humain trouve des repos en montant les hauteurs de l'affection, il s'arrête rarement sur la pente

rapide des sentiments haineux. Mais M. Goriot
était son pensionnaire, la veuve fut donc obligée
de réprimer les explosions de son amour-propre
blessé, d'enterrer les soupirs que lui causa cette
déception, et de dévorer ses désirs de vengeance,
comme un moine vexé par son prieur. Les petits
esprits satisfont leurs sentiments, bons ou mauvais, par des petitesses incessantes. La veuve em-
ploya sa malice de femme à inventer de sourdes
persécutions contre sa victime. Elle commença
par retrancher les superfluités introduites dans
sa pension. « Plus de cornichons, plus d'anchois :
c'est des duperies! » dit-elle à Sylvie, le matin
où elle rentra dans son ancien programme.
M. Goriot était un homme frugal, chez qui la
parcimonie nécessaire aux gens qui font eux-
mêmes leur fortune était dégénérée en habitude.
La soupe, le bouilli, le plat de légumes,
avaient été, devaient toujours être son dîner de
prédilection. Il fut donc bien difficile à
Mme Vauquer de tourmenter son pensionnaire,
de qui elle ne pouvait en rien froisser les goûts.
Désespérée de rencontrer un homme inatta-
quable, elle se mit à le déconsidérer, et fit ainsi
partager son aversion pour Goriot par ses pensionnaires, qui, par amusement, servirent ses
vengeances. Vers la fin de la première année,
la veuve en était venue à un tel degré de mé-
fiance, qu'elle se demandait pourquoi ce négo-

ciant, riche de sept à huit mille livres de rente,
qui possédait une argenterie superbe et des bijoux aussi beaux que ceux d'une fille entretenue, demeurait chez elle, en lui payant une pension si modique relativement à sa fortune.
Pendant la plus grande partie de cette première
année, Goriot avait souvent dîné dehors une ou
deux fois par semaine; puis, insensiblement, il
en était arrivé à ne plus dîner en ville que deux
fois par mois. Les petites parties fines du sieur
Goriot convenaient trop bien aux intérêts de
Mme Vauquer pour qu'elle ne fût pas mécon-
tente de l'exactitude progressive avec laquelle
son pensionnaire prenait ses repas chez elle. Ces
changements furent attribués autant à une lente
diminution de fortune qu'au désir de contrarier
son hôtesse. Une des plus détestables habitudes
de ces esprits lilliputiens est de supposer leurs
petitesses chez les autres. Malheureusement, à la
fin de la deuxième année, M. Goriot justifia les
bavardages dont il était l'objet, en demandant
à Mme Vauquer de passer au second étage, et
de réduire sa pension à neuf cents francs. Il eut
besoin d'une si stricte économie qu'il ne fit plus
de feu chez lui pendant l'hiver. La veuve Vauquer voulut être payée d'avance; à quoi consentit M. Goriot, que dès lors elle nomma le père
Goriot. Ce fut à qui devinerait les causes de
cette décadence. Exploration difficile! Comme

l'avait dit la fausse comtesse, le père Goriot était
un sournois, un taciturne. Suivant la logique
des gens à tête vide, tous indiscrets parce qu'ils
n'ont que des riens à dire, ceux qui ne parlent
pas de leurs affaires en doivent faire de mauvaises. Ce négociant si distingué devint donc un
fripon, ce galantin fut un vieux drôle. Tantôt,
selon Vautrin, qui vint vers cette époque habiter la maison Vauquer, le père Goriot était un
homme qui allait à la Bourse et qui, suivant une
expression assez énergique de la langue finan-
cière, *carottait* sur les rentes après s'y être ruiné.
Tantôt c'était un de ces petits joueurs qui vont
hasarder et gagner tous les soirs dix francs
au jeu. Tantôt on en faisait un espion attaché à
la haute police; mais Vautrin prétendait qu'il
n'était pas assez rusé pour *en être*. Le père Goriot était encore un avare qui prêtait à la petite
semaine, un homme qui nourrissait des numéros à la loterie. On en faisait tout ce que le vice,
la honte, l'impuissance engendrent de plus
mystérieux. Seulement, quelque ignobles que
fussent sa conduite ou ses vices, l'aversion qu'il
inspirait n'allait pas jusqu'à le faire bannir : il
payait sa pension. Puis il était utile, chacun es-
suyait sur lui sa bonne ou mauvaise humeur par
des plaisanteries ou par des bourrades. L'opinion qui paraissait plus probable, et qui fut généralement adoptée, était celle de Mme Vau-

quer. A l'entendre, cet homme si bien conservé,
sain comme son œil et avec lequel on pouvait
avoir encore beaucoup d'agrément, était un
libertin qui avait des goûts étranges. Voici sur
quels faits la veuve Vauquer appuyait ses calomnies. Quelques mois après le départ de cette dé-
sastreuse comtesse qui avait su vivre pendant six
mois à ses dépens, un matin, avant de se lever,
elle entendit dans son escalier le froufrou d'une
robe de soie et le pas mignon d'une femme
jeune et légère qui filait chez Goriot, dont la
porte s'était intelligemment ouverte. Aussitôt la
grosse Sylvie vint dire à sa maîtresse qu'une fille
trop jolie pour être honnête, *mise comme une
divinité,* chaussée de brodequins de prunelle qui
n'étaient pas crottés, avait glissé comme une
anguille de la rue jusqu'à sa cuisine, et lui avait
demandé l'appartement de M. Goriot. Mme Vauquer et sa cuisinière se mirent aux écoutes,
et surprirent plusieurs mots tendrement pronon-
cés pendant la visite, qui dura quelque temps.
Quand M. Goriot reconduisit *sa dame,* la
grosse Sylvie prit aussitôt son panier, et feignit
d'aller au marché, pour suivre le couple amoureux.

« Madame, dit-elle à sa maîtresse en revenant,
il faut que M. Goriot soit diantrement riche
tout de même, pour les mettre sur ce pied-là.
Figurez-vous qu'il y avait au coin de l'Estrapade

un superbe équipage dans lequel *elle* est montée. »

Pendant le dîner, Mme Vauquer alla tirer un rideau, pour empêcher que Goriot ne fût incommodé par le soleil dont un rayon lui tombait sur les yeux.

« Vous êtes aimé des belles, monsieur Goriot, le soleil vous cherche, dit-elle en faisant allusion à la visite qu'il avait reçue. Peste! vous avez bon goût, elle était bien jolie.

— C'était ma fille », dit-il avec une sorte d'orgueil dans lequel les pensionnaires voulurent voir la fatuité d'un vieillard qui garde les apparences.

Un mois après cette visite, M. Goriot en reçut une autre. Sa fille qui, la première fois, était venue en toilette du matin, vint après le dîner et habillée comme pour aller dans le monde. Les pensionnaires, occupés à causer dans le salon, purent voir en elle une jolie blonde, mince de taille, gracieuse, et beaucoup trop distinguée pour être la fille d'un père Goriot.

« Et de deux! » dit la grosse Sylvie, qui ne la reconnut pas.

Quelques jours après, une autre fille, grande et bien faite, brune, à cheveux noirs et à l'œil vif, demanda M. Goriot.

« Et de trois! » dit Sylvie.

Cette seconde fille, qui la première fois était

aussi venue voir son père le matin, vint quelques jours après, le soir, en toilette de bal et en voiture.

« Et de quatre! » dirent Mme Vauquer et la grosse Sylvie, qui ne reconnurent dans cette grande dame aucun vestige de la fille simplement mise le matin où elle fit sa première visite.

Goriot payait encore douze cents francs de pension. Mme Vauquer trouva tout naturel qu'un homme riche eût quatre ou cinq maîtresses, et le trouva même fort adroit de les faire passer pour ses filles. Elle ne se formalisa point de ce qu'il les mandait dans la Maison Vauquer. Seulement, comme ces visites lui expliquaient l'indifférence de son pensionnaire à son égard, elle se permit, au commencement de la deuxième année, de l'appeler *vieux matou.* Enfin, quand son pensionnaire tomba dans les neuf cents francs, elle lui demanda fort insolemment ce qu'il comptait faire de sa maison, en voyant descendre une de ces dames. Le père Goriot lui répondit que cette dame était sa fille aînée.

« Vous en avez donc trente-six, des filles? dit aigrement Mme Vauquer.

— Je n'en ai que deux », répliqua le pensionnaire avec la douceur d'un homme ruiné qui arrive à toutes les docilités de la misère.

Vers la fin de la troisième année, le père Go-

riot réduisit encore ses dépenses, en montant au
troisième étage est en se mettant à quarante-cinq
francs de pension par mois. Il se passa de tabac,
congédia son perruquier et ne mit plus de
poudre. Quand le père Goriot parut pour la
première fois sans être poudré, son hôtesse laissa
échapper une exclamation de surprise en apercevant la couleur de ses cheveux, qui étaient
d'un gris sale et verdâtre. Sa physionomie, que
des chagrins secrets avaient insensiblement rendue plus triste de jour en jour, semblait la plus
désolée de toutes celles qui garnissaient la table.
Il n'y eut alors plus aucun doute. Le père Goriot était un vieux libertin dont les yeux
n'avaient été préservés de la maligne influence
des remèdes nécessités par ses maladies que par
l'habileté d'un médecin. La couleur dégoûtante
de ses cheveux provenait de ses excès et des
drogues qu'il avait prises pour les continuer.
L'état physique et moral du bonhomme donnait
raison à ces radotages. Quand son trousseau fut
usé, il acheta du calicot à quatorze sous l'aune
pour remplacer son beau linge. Ses diamants, sa
tabatière d'or, sa chaîne, ses bijoux, disparurent
un à un. Il avait quitté l'habit bleu-barbeau,
tout son costume cossu, pour porter, été comme
hiver, une redingote de drap marron grossier, un
gilet en poil de chèvre, et un pantalon gris en
cuir de laine. Il devint progressivement maigre;

ses mollets tombèrent; sa figure, bouffie par le
contentement d'un bonheur bourgeois, se rida
démesurément; son front se plissa, sa mâchoire
se dessina. Durant la quatrième année de son
établissement rue Neuve-Sainte-Geneviève, il ne
se ressemblait plus. Le bon vermicellier de
soixante-deux ans qui ne paraissait pas en avoir
quarante, le bourgeois gros et gras, frais de bêtise, dont la tenue égrillarde réjouissait les passants, qui avait quelque chose de jeune dans le
sourire, semblait être un septuagénaire hébété,
vacillant, blafard. Ses yeux bleus si vivaces
prirent des teintes ternes et gris-de-fer, ils avaient
pâli, ne larmoyaient plus, et leur bordure rouge
semblait pleurer du sang. Aux uns, il faisait
horreur; aux autres, il faisait pitié. De jeunes
étudiants en médecine, ayant remarqué l'abais-
sement de sa lèvre inférieure et mesuré le som-
met de son angle facial, le déclarèrent atteint
de crétinisme, après l'avoir longtemps hous-
pillé sans en rien tirer. Un soir, après le dîner,
Mme Vauquer lui avait dit en manière de raillerie : « Eh bien, elles ne viennent donc plus
vous voir, vos filles? » en mettant en doute sa
paternité, le père Goriot tressaillit comme si son
hôtesse l'eût piqué avec un fer.

« Elles viennent quelquefois, répondit-il d'une
voix émue.

— Ah! ah! vous les voyez encore quelquefois!

s'écrièrent les étudiants. Bravo, père Goriot! »

Mais le vieillard n'entendit pas les plaisanteries que sa réponse lui attirait, il était retombé
dans un état méditatif que ceux qui l'observaient superficiellement prenaient pour un en-
gourdissement sénile dû à son défaut d'intelligence. S'ils l'avaient bien connu, peut-être auraient-ils été vivement intéressés par le problème
que présentait sa situation physique et morale;
mais rien n'était plus difficile. Quoiqu'il fût
aisé de savoir si Goriot avait réellement été vermicellier, et quel était le chiffre de sa fortune,
les vieilles gens dont la curiosité s'éveilla sur son
compte ne sortaient pas du quartier et vivaient
dans la pension comme des huîtres sur un ro-
cher. Quant aux autres personnes, l'entraîne-
ment particulier de la vie parisienne leur faisait oublier, en sortant de la rue Neuve-Sainte-
Geneviève, le pauvre vieillard dont ils se mo-
quaient. Pour ces esprits étroits, comme pour ces
jeunes gens insouciants, la sèche misère du père
Goriot et sa stupide attitude étaient incompa-
tibles avec une fortune et une capacité quel-
conques. Quant aux femmes qu'il nommait ses
filles, chacun partageait l'opinion de Mme Vauquer, qui disait, avec la logique sévère que l'habitude de tout supposer donne aux vieilles
femmes occupées à bavarder pendant leurs soirées : « Si le père Goriot avait des filles aussi

riches que paraissaient l'être les dames qui sont
venues le voir, il ne serait pas dans ma maison,
au troisième, à quarante-cinq francs par mois,
et n'irait pas vêtu comme un pauvre. » Rien ne
pouvait démentir ces inductions. Aussi, vers la
fin du mois de novembre 1819, époque à laquelle éclata ce drame, chacun dans la pension
avait-il des idées bien arrêtées sur le pauvre vieillard. Il n'avait jamais eu ni fille ni femme;
l'abus des plaisirs en faisait un colimaçon, un
mollusque anthropomorphe à classer dans les
Casquettifères, disait un employé au Muséum,
un des habitués à cachet. Poiret était un aigle,
un gentleman auprès de Goriot. Poiret parlait,
raisonnait, répondait; il ne disait rien, à la vérité, en parlant, raisonnant ou répondant, car il
avait l'habitude de répéter en d'autres termes
ce que les autres disaient; mais il contribuait à
la conversation, il était vivant, il paraissait sensible; tandis que le père Goriot, disait encore
l'employé au Muséum, était constamment à zéro
de Réaumur.

Eugène de Rastignac était revenu dans une
disposition d'esprit que doivent avoir connue les
jeunes gens supérieurs, ou ceux auxquels une
position difficile communique momentanément
les qualités des hommes d'élite. Pendant sa première année de séjour à Paris, le peu de travail
que veulent les premiers grades à prendre dans

la Faculté l'avait laissé libre de goûter les délices visibles du Paris matériel. Un étudiant n'a pas trop de temps s'il veut connaître le répertoire de chaque théâtre, étudier les issues du labyrinthe parisien, savoir les usages, apprendre la langue et s'habituer aux plaisirs particuliers de la capitale; fouiller les bons et les mauvais endroits, suivre les Cours qui amusent, inventorier les richesses des musées. Un étudiant se passionne alors pour des niaiseries qui lui paraissent grandioses. Il a son grand homme, un professeur du collège de France, payé pour se tenir à la hauteur de son auditoire. Il rehausse sa cravate et se pose pour la femme des premières galeries de l'Opéra-Comique. Dans ces initiations successives, il se dépouille de son aubier, agrandit l'horizon de sa vie, et finit par concevoir la superposition des couches humaines qui composent la société. S'il a commencé par admirer les voitures au défilé des Champs-Elysées par un beau soleil, il arrive bientôt à les envier. Eugène avait subi cet apprentissage à son insu, quand il partit en vacances, après avoir été reçu bachelier ès lettres et bachelier en droit. Ses illusions d'enfance, ses idées de province avaient disparu. Son intelligence modifiée, son ambition exaltée lui firent voir juste au milieu du manoir paternel, au sein de la famille. Son père, sa mère, ses deux frères, ses deux sœurs, et une tante dont la fortune consistait en pensions, vivaient sur la petite terre de Rastignac. Ce domaine d'un revenu d'environ trois mille francs était soumis à l'incertitude qui régit le produit tout industriel de la vigne, et néanmoins il fallait en extraire chaque année douze cents francs pour lui. L'aspect de cette constante détresse qui lui était généreusement cachée, la comparaison qu'il fut forcé d'établir entre ses sœurs, qui lui semblaient si belles dans son enfance, et les femmes de Paris, qui lui avaient réalisé le type d'une beauté rêvée, l'avenir incertain de cette nombreuse famille qui reposait sur lui, la parcimonieuse attention avec laquelle il vit serrer les plus minces productions, la boisson faite pour sa famille avec les marcs du pressoir, enfin une foule de circonstances inutiles à consigner ici, décuplèrent son désir de parvenir et lui donnèrent soif des distinctions. Comme il arrive aux âmes grandes, il voulut ne rien devoir qu'à son mérite. Mais son esprit était éminemment méridional; à l'exécution, ses déterminations devaient donc être frappées de ces hésitations qui saisissent les jeunes gens quand ils se trouvent en pleine mer, sans savoir ni de quel côté diriger leurs forces, ni sous quel angle enfler leurs voiles. Si d'abord il voulut se jeter à corps perdu dans le travail, séduit bientôt par la nécessité de se créer des relations, il remarqua

combien les femmes ont d'influence sur la vie
sociale, et avisa soudain à se lancer dans le
monde, afin d'y conquérir des protectrices : de-
vaient-elles manquer à un jeune homme ardent
et spirituel dont l'esprit et l'ardeur étaient
rehaussés par une tournure élégante et par une
sorte de beauté nerveuse à laquelle les femmes
se laissent prendre volontiers? Ces idées l'assail-
lirent au milieu des champs, pendant les pro-
menades que jadis il faisait gaiement avec ses
sœurs, qui le trouvèrent bien changé. Sa tante,
Mme de Marcillac, autrefois présentée à la cour,
y avait connu les sommités aristocratiques. Tout
à coup le jeune ambitieux reconnut dans les
souvenirs dont sa tante l'avait si souvent bercé,
les éléments de plusieurs conquêtes sociales, au
moins aussi importantes que celles qu'il entre-
prenait à l'Ecole de droit; il la questionna sur
les liens de parenté qui pouvaient encore se
renouer. Après avoir secoué les branches de
l'arbre généalogique, la vieille dame estima que,
de toutes les personnes qui pouvaient servir son
neveu parmi la gent égoïste des parents riches,
Mme la vicomtesse de Beauséant serait la moins
récalcitrante. Elle écrivit à cette jeune femme
une lettre dans l'ancien style, et la remit à
Eugène, en lui disant que s'il réussissait auprès
de la vicomtesse, elle lui ferait retrouver ses
autres parents. Quelques jours après son arrivée,

Rastignac envoya la lettre de sa tante à Mme de Beauséant. La vicomtesse répondit par une invitation de bal pour le lendemain.

Telle était la situation générale de la pension bourgeoise à la fin du mois de novembre 1819. Quelques jours plus tard, Eugène, après être allé au bal de Mme de Beauséant, rentra vers deux heures dans la nuit. Afin de regagner le temps perdu, le courageux étudiant s'était promis, en dansant, de travailler jusqu'au matin. Il allait passer la nuit pour la première fois au milieu de ce silencieux quartier, car il s'était mis sous le charme d'une fausse énergie en voyant les splendeurs du monde. Il n'avait pas dîné chez Mme Vauquer. Les pensionnaires purent donc croire qu'il ne reviendrait du bal que le lendemain matin au petit jour, comme il était quelquefois rentré des fêtes du Prado ou des bals de l'Odéon, en crottant ses bas de soie et gauchissant ses escarpins. Avant de mettre les verrous à la porte, Christophe l'avait ouverte pour regarder dans la rue. Rastignac se présenta dans ce moment, et put monter à sa chambre sans faire de bruit, suivi de Christophe qui en faisait beaucoup. Eugène se déshabilla, se mit en pantoufles, prit une méchante redingote, alluma son feu de mottes, et se prépara lestement au travail, en sorte que Christophe couvrit encore par le tapage de ses gros souliers les ap-

prêts peu bruyants du jeune homme. Eugène
resta pensif pendant quelques moments avant
de se plonger dans ses livres de droit. Il venait
de reconnaître en Mme la vicomtesse de Beauséant l'une des reines de la mode à Paris, et
dont la maison passait pour être la plus agréable
du faubourg Saint-Germain. Elle était d'ailleurs,
et par son nom et par sa fortune, l'une des sommités du monde aristocratique. Grâce à sa tante
de Marcillac, le pauvre étudiant avait été bien
reçu dans cette maison, sans connaître l'étendue
de cette faveur. Etre admis dans ces salons dorés
équivalait à un brevet de haute noblesse. En se
montrant dans cette société, la plus exclusive
de toutes, il avait conquis le droit d'aller partout. Ebloui par cette brillante assemblée, ayant
à peine échangé quelques paroles avec la vicomtesse, Eugène s'était contenté de distinguer,
parmi la foule des déités parisiennes qui se pressaient dans ce raoût, une de ces femmes que
doit adorer tout d'abord un jeune homme. La
comtesse Anastasie de Restaud, grande et bien
faite, passait pour avoir l'une des plus jolies
tailles de Paris. Figurez-vous de grands yeux
noirs, une main magnifique, un pied bien dé-
coupé, du feu dans les mouvements, une femme
que le marquis de Ronquerolles nommait un
cheval de pur sang. Cette finesse de nerfs ne lui
ôtait aucun avantage; elle avait les formes

pleines et rondes, sans qu'elle pût être accusée de trop d'embonpoint. *Cheval de pur sang, femme de race,* ces locutions commençaient à remplacer les anges du ciel, les figures ossianiques, toute l'ancienne mythologie amoureuse repoussée par le dandysme. Mais pour Rastignac, Mme Anastasie de Restaud fut la femme désirable. Il s'était ménagé deux tours dans la liste des cavaliers écrite sur l'éventail, et avait pu lui parler pendant la première contredanse. « Où vous rencontrer désormais, madame? lui avait-il dit brusquement avec cette force de passion qui plaît tant aux femmes. — Mais, dit-elle, au Bois, aux Bouffons, chez moi, partout. » Et l'aventureux méridional s'était empressé de se lier avec cette délicieuse comtesse, autant qu'un jeune homme peut se lier avec une femme pendant une contredanse et une valse. En se disant cousin de Mme de Beauséant, il fut invité par cette femme, qu'il prit pour une grande dame, et eut ses entrées chez elle. Au dernier sourire qu'elle lui jeta, Rastignac crut sa visite nécessaire. Il avait eu le bonheur de rencontrer un homme qui ne s'était pas moqué de son ignorance, défaut mortel au milieu des illustres impertinents de l'époque, les Maulincourt, les Ronquerolles, les Maxime de Trailles, les de Marsay, les Adjuda-Pinto, les Vandenesse, qui étaient là dans la gloire de leurs fatuités et mêlés aux femmes les plus élégantes, Lady Brandon, la duchesse de Langeais, la comtesse de Kergarouët, Mme de Sérizy, la duchesse de Carigliano. la comtesse Ferraud. Mme de Lanty. la marquise d'Aiglemont. Mme Firmiani, la marquise de Listomère et la marquise d'Espard, la duchesse de Maufrigneuse et les Grandlieu. Heureusement donc, le naïf étudiant tomba sur le marquis de Montriveau, l'amant de la duchesse de Langeais, un général simple comme un enfant, qui lui apprit que la comtesse de Restaud demeurait rue du Helder. Etre jeune, avoir soif du monde, avoir faim d'une femme, et voir s'ouvrir pour soi deux maisons! mettre le pied au faubourg Saint-Germain chez la vicomtesse de Beauséant. le genou dans la Chaussée-d'Antin chez la comtesse de Restaud! plonger d'un regard dans les salons de Paris en enfilade. et se croire assez joli garçon pour y trouver aide et protection dans un cœur de femme! se sentir assez ambitieux pour donner un superbe coup de pied à la corde roide sur laquelle il faut marcher avec l'assurance du sauteur qui ne tombera pas, et avoir trouvé dans une charmante femme le meilleur des balanciers! Avec ces pensées et devant cette femme qui se dressait sublime auprès d'un feu de mottes, entre le Code et la misère, qui n'aurait comme Eugène sondé l'avenir par une méditation, qui ne l'au-

rait meublé de succès? Sa pensée vagabonde
escomptait si drûment ses joies futures qu'il se
croyait auprès de Mme de Restaud, quand un
soupir semblable à un *han* de saint Joseph troubla le silence de la nuit, retentit au cœur du
jeune homme de manière à le lui faire prendre
pour le râle d'un moribond. Il ouvrit doucement sa porte, et quand il fut dans le corridor, il aperçut une ligne de lumière tracée au
bas de la porte du père Goriot. Eugène craignit que son voisin ne se trouvât indisposé, il
approcha son œil de la serrure, regarda dans la
chambre, et vit le vieillard occupé de travaux
qui lui parurent trop criminels pour qu'il ne
crût pas rendre service à la société en exami-
nant bien ce que machinait nuitamment le soi-
disant vermicellier. Le père Goriot, qui sans
doute avait attaché sur la barre d'une table renversée un plat et une espèce de soupière en
vermeil, tournait une espèce de câble autour
de ces objets richement sculptés, en les serrant
avec une si grande force qu'il les tordait vrai-
semblablement pour les convertir en lingots.
« Peste! quel homme! se dit Rastignac en voyant
le bras nerveux du vieillard qui, à l'aide de
cette corde, pétrissait sans bruit l'argent doré,
comme une pâte. Mais serait-ce donc un voleur
ou un receleur qui, pour se livrer plus sûre-
ment à son commerce, affecterait la bêtise, l'im-

puissance, et vivrait en mendiant? » se dit Eugène en se relevant un moment. L'étudiant
appliqua de nouveau son œil à la serrure. Le
père Goriot, qui avait déroulé son câble, prit
la masse d'argent, la mit sur la table après y
avoir étendu sa couverture et l'y roula pour l'ar-
rondir en barre, opération dont il s'acquitta avec
une facilité merveilleuse. « Il serait donc aussi
fort que l'était Auguste, roi de Pologne? » se
dit Eugène quand la barre ronde fut à peu près
façonnée. Le père Goriot regarda tristement son
ouvrage, des larmes sortirent de ses yeux, il souf-
fla le rat-de-cave à la lueur duquel il avait tordu
ce vermeil, et Eugène l'entendit se coucher en
poussant un soupir. « Il est fou », pensa
l'étudiant.

« Pauvre enfant! » dit à haute voix le père
Goriot.

A cette parole, Rastignac jugea prudent de
garder le silence sur cet événement, et de ne
pas inconsidérément condamner son voisin. Il
allait rentrer quand il distingua soudain un
bruit assez difficile à exprimer, et qui devait
être produit par des hommes en chaussons de
lisière montant l'escalier. Eugène prêta l'oreille,
et reconnut en effet le son alternatif de la res-
piration de deux hommes. Sans avoir entendu
ni le cri de la porte ni les pas des hommes, il
vit tout à coup une faible lueur au second étage,

chez M. Vautrin. « Voilà bien des mystères dans une pension bourgeoise! » se dit-il. Il descendit quelques marches. se mit à écouter, et le son de l'or frappa son oreille. Bientôt la lumière fut éteinte. les deux respirations se firent entendre derechef sans que la porte eût crié. Puis, à mesure que les deux hommes descendirent, le bruit alla s'affaiblissant.

« Qui va là? cria Mme Vauquer en ouvrant la fenêtre de sa chambre.

— C'est moi qui rentre, maman Vauquer », dit Vautrin de sa grosse voix :

« C'est singulier! Christophe avait mis les verrous, se dit Eugène en rentrant dans sa chambre. Il faut veiller pour bien savoir ce qui se passe autour de soi, dans Paris. » Détourné par ces petits événements de sa méditation ambitieusement amoureuse, il se mit au travail. Distrait par les soupçons qui lui venaient sur le compte du père Goriot, plus distrait encore par la figure de Mme de Restaud, qui de moments en moments se posait devant lui comme la messagère d'une brillante destinée, il finit par se coucher et par dormir à poings fermés. Sur dix nuits promises au travail par les jeunes gens, ils en donnent sept au sommeil. Il faut avoir plus de vingt ans pour veiller.

Le lendemain matin régnait à Paris un de ces épais brouillards qui l'enveloppent et l'em-

brument si bien que les gens les plus exacts
sont trompés sur le temps. Les rendez-vous d'affaires se manquent. Chacun se croit à huit heures
quand midi sonne. Il était neuf heures et
demie. Mme Vauquer n'avait pas encore bougé
de son lit. Christophe et la grosse Sylvie, attar-
dés aussi, prenaient tranquillement leur café,
préparé avec les couches supérieures du lait destiné aux pensionnaires, et que Sylvie faisait
longtemps bouillir, afin que Mme Vauquer ne
s'aperçût pas de cette dîme illégalement levée.

« Sylvie, dit Christophe en mouillant sa première rôtie, M. Vautrin, qu'est un bon homme
tout de même, a encore vu deux personnes cette
nuit. Si madame s'en inquiétait, ne faudrait rien
lui dire.

— Vous a-t-il donné quelque chose?

— Il m'a donné cent sous pour son mois, une
manière de me dire : Tais-toi.

— Sauf lui et Mme Couture, qui ne sont pas
regardants, les autres voudraient nous retirer de
la main gauche ce qu'ils nous donnent de la
main droite au jour de l'an, dit Sylvie.

— Encore qu'est-ce qu'ils donnent! fit Christophe, une méchante pièce, *et* de cent sous. Voilà
depuis deux ans le père Goriot qui fait ses souliers lui-même. Ce *grigou* de Poiret se passe de
cirage, et le boirait plutôt que de le mettre à
ses savates. Quant au gringalet d'étudiant, il me

donne quarante sous. Quarante sous ne paient pas mes brosses, et il vend ses vieux habits, pardessus le marché. Qué baraque!

— Bah! fit Sylvie en buvant de petites gorgées de café, nos places sont encore les meilleures du quartier : on y vit bien. Mais, à propos du gros papa Vautrin, Christophe, vous a-t-on dit quelque chose?

— Oui. J'ai rencontré il y a quelques jours un monsieur dans la rue. qui m'a dit : « N'est-ce « pas chez vous que demeure un gros monsieur « qui a des favoris qu'il teint? » Moi j'ai dit : « Non. monsieur, il ne les teint pas. Un homme « gai comme lui, il n'en a pas le temps. » J'ai donc dit ça à M. Vautrin, qui m'a répondu : « Tu as bien fait, mon garçon! Réponds tou- « jours comme ça. Rien n'est plus désagréable « que de laisser connaître nos infirmités. Ça « peut faire manquer des mariages. »

— Eh bien. à moi, au marché, on a voulu m'englauder aussi pour me faire dire si je lui voyais passer sa chemise. C'te farce! Tiens, dit-elle en s'interrompant, voilà dix heures moins quart qui sonnent au Val-de-Grâce, et personne ne bouge.

— Ah! bah, ils sont tous sortis. Mme Couture et sa jeune personne sont allées manger le bon Dieu à Saint-Etienne dès huit heures. Le père Goriot est sorti avec un paquet. L'étudiant ne

reviendra qu'après son cours, à dix heures. Je
les ai vus partir en faisant mes escaliers; que le
père Goriot m'a donné un coup avec ce qu'il
portait, qu'était dur comme du fer. Qué qui
fait donc ce bonhomme-là? Les autres le font
aller comme une toupie, mais c'est un brave
homme tout de même, et qui vaut mieux qu'eux
tous. Il ne donne pas grand-chose; mais les dames
chez lesquelles il m'envoie quelquefois allongent
de fameux pourboires, et sont joliment ficelées.

— Celles qu'il appelle ses filles, hein? Elles
sont une douzaine.

— Je ne suis jamais allé que chez deux, les
mêmes qui sont venues ici.

— Voilà madame qui se remue; elle va faire
son sabbat : faut que j'y aille. Vous veillerez au
lait, Christophe, rapport au chat. »

Sylvie monta chez sa maîtresse.

« Comment, Sylvie, voilà dix heures quart
moins, vous m'avez laissée dormir comme une
marmotte! Jamais chose pareille n'est arrivée.

— C'est le brouillard, qu'est à couper au
couteau.

— Mais le déjeuner?

— Bah! vos pensionnaires avaient bien le
diable au corps; ils ont tous décanillé dès le pa-
tron-jacquette.

— Parle donc bien, Sylvie, reprit Mme Vauquer : on dit le patron-minette.

— Ah! madame, je dirai comme vous voudrez. Tant y a que vous pouvez déjeuner à dix heures. La Michonnette et le Poireau n'ont pas bougé. Il n'y a qu'eux qui soient dans la maison, et ils dorment comme des souches qui sont.

— Mais, Sylvie, tu les mets tous les deux ensemble, comme si...

— Comme si, quoi? reprit Sylvie en laissant échapper un gros rire bête. Les deux font la paire.

— C'est singulier, Sylvie : comment M. Vautrin est-il donc rentré cette nuit après que Christophe a eu mis les verrous?

— Bien au contraire, madame. Il a entendu M. Vautrin, et est descendu pour lui ouvrir la porte. Et voilà ce que vous avez cru...

— Donne-moi ma camisole, et va vite voir au déjeuner. Arrange le reste du mouton avec des pommes de terre, et donne des poires cuites, de celles qui coûtent deux liards la pièce. »

Quelques instants après, Mme Vauquer descendit au moment où son chat venait de renverser d'un coup de patte l'assiette qui couvrait un bol de lait, et le lapait en toute hâte.

« Mistigris! » s'écria-t-elle. Le chat se sauva, puis revint se frotter à ses jambes. « Oui, oui, fais ton capon, vieux lâche! lui dit-elle. Sylvie! Sylvie!

— Eh bien, quoi, madame?

— Voyez donc ce qu'a bu le chat.

— C'est la faute de cet animal de Christophe, à qui j'avais dit de mettre le couvert. Où est-il passé? Ne vous inquiétez pas, madame; ce sera le café du père Goriot. Je mettrai de l'eau dedans, il ne s'en apercevra pas. Il ne fait attention à rien, pas même à ce qu'il mange.

— Où donc est-il allé, ce chinois-là? dit Mme Vauquer en plaçant les assiettes.

— Est-ce qu'on sait? Il fait des trafics des cinq cents diables.

— J'ai trop dormi, dit Mme Vauquer.

— Mais aussi madame est-elle fraîche comme une rose... »

En ce moment la sonnette se fit entendre, et Vautrin entra dans le salon en chantant de sa grosse voix :

> J'ai longtemps parcouru le monde,
> Et l'on m'a vu de toute part...

« Oh! oh! bonjour, maman Vauquer, dit-il en apercevant l'hôtesse, qu'il prit galamment dans ses bras.

— Allons, finissez donc.

— Dites impertinent! reprit-il. Allons, dites-le. Voulez-vous bien le dire? Tenez, je vais mettre le couvert avec vous. Ah! je suis gentil, n'est-ce pas?

Courtiser la brune et la blonde,
Aimer, soupirer...

— Je viens de voir quelque chose de singulier.

.... au hasard.

— Quoi? dit la veuve.

— Le père Goriot était à huit heures et demie
rue Dauphine, chez l'orfèvre qui achète de
vieux couverts et des galons. Il lui a vendu pour
une bonne somme un ustensile de ménage en
vermeil, assez joliment tortillé pour un homme
qui n'est pas de la manique.

— Bah! vraiment?

— Oui. Je revenais par ici après avoir conduit
un de mes amis qui s'expatrie par les Messageries royales; j'ai attendu le père Goriot pour
voir : histoire de rire. Il a remonté dans ce
quartier-ci, rue des Grès, où il est entré dans la
maison d'un usurier connu, nommé Gobseck,
un fier drôle, capable de faire des dominos avec
les os de son père; un juif, un arabe, un grec,
un bohémien, un homme qu'on serait bien embarrassé de dévaliser, il met ses écus à la Banque.

— Qu'est-ce que fait donc ce père Goriot?

— Il ne fait rien, dit Vautrin, il défait. C'est
un imbécile assez bête pour se ruiner à aimer
les filles qui...

— Le voilà! dit Sylvie.

— Christophe, cria le père Goriot, monte avec moi. »

Christophe suivit le père Goriot, et redescendit bientôt.

« Où vas-tu? dit Mme Vauquer à son domestique.

— Faire une commission à M. Goriot.

— Qu'est-ce que c'est que ça? dit Vautrin en arrachant des mains de Christophe une lettre sur laquelle il lut : *A madame la comtesse Anastasie de Restaud*. Et tu vas? reprit-il en rendant la lettre à Christophe.

— Rue du Helder. J'ai ordre de ne remettre ceci qu'à Mme la comtesse.

— Qu'est-ce qu'il y a là-dedans? dit Vautrin en mettant la lettre au jour; un billet de banque? non. » Il entrouvrit l'enveloppe. « Un billet acquitté, s'écria-t-il. Fourche! il est galant, le roquentin. Va. vieux Lascar », dit-il en coiffant de sa large main Christophe, qu'il fit tourner sur lui-même comme un dé, « tu auras un bon pourboire. »

Le couvert était mis. Sylvie faisait bouillir le lait. Mme Vauquer allumait le poêle, aidée par Vautrin, qui fredonnait toujours :

> J'ai longtemps parcouru le monde.
> Et l'on m'a vu de toute part...

Quand tout fut prêt, Mme Couture et Mlle Taillefer rentrèrent.

« D'où venez-vous donc si matin, ma belle dame? dit Mme Vauquer à Mme Couture.

— Nous venons de faire nos dévotions à Saint-Etienne-du-Mont, ne devons-nous pas aller aujourd'hui chez M. Taillefer? Pauvre petite, elle tremble comme la feuille, reprit Mme Couture en s'asseyant devant le poêle à la bouche duquel elle présenta ses souliers qui fumèrent.

— Chauffez-vous donc, Victorine, dit Mme Vauquer.

— C'est bien, mademoiselle, de prier le bon Dieu d'attendrir le cœur de votre père, dit Vautrin en avançant une chaise à l'orpheline. Mais ça ne suffit pas. Il vous faudrait un ami qui se chargeât de dire son fait à ce marsouin-là, un sauvage qui a, dit-on, trois millions, et qui ne vous donne pas de dot. Une belle fille a besoin de dot dans ce temps-ci.

— Pauvre enfant, dit Mme Vauquer. Allez, mon chou, votre monstre de père attire le malheur à plaisir sur lui. »

A ces mots, les yeux de Victorine se mouillèrent de larmes, et la veuve s'arrêta sur un signe que lui fit Mme Couture.

« Si nous pouvions seulement le voir, si je pouvais lui parler, lui remettre la dernière lettre de sa femme, reprit la veuve du commissaire ordonnateur. Je n'ai jamais osé la risquer par la poste; il connaît mon écriture...

— *O femmes innocentes, malheureuses et persécutées*, s'écria Vautrin en interrompant, voilà donc où vous en êtes! D'ici à quelques jours je me mêlerai de vos affaires et tout ira bien.

— Oh! monsieur, dit Victorine en jetant un regard à la fois humide et brûlant à Vautrin, qui ne s'en émut pas, si vous saviez un moyen d'arriver à mon père, dites-lui bien que son affection et l'honneur de ma mère me sont plus précieux que toutes les richesses du monde. Si vous obteniez quelque adoucissement à sa rigueur, je prierais Dieu pour vous. Soyez sûr d'une reconnaissance...

— *J'ai longtemps parcouru le monde* », chanta Vautrin d'une voix ironique.

En ce moment, Goriot, Mlle Michonneau, Poiret descendirent, attirés peut-être par l'odeur du roux que faisait Sylvie pour accommoder les restes du mouton. A l'instant où les sept convives s'attablèrent en se souhaitant le bonjour, dix heures sonnèrent, l'on entendit dans la rue le pas de l'étudiant.

« Ah! bien, monsieur Eugène, dit Sylvie, aujourd'hui vous allez déjeuner avec tout le monde. »

L'étudiant salua les pensionnaires, et s'assit auprès du père Goriot.

« Il vient de m'arriver une singulière aventure, dit-il en se servant abondamment du mouton et se coupant un morceau de pain que Mme Vauquer mesurait toujours de l'œil.

— Une aventure! dit Poiret.

— Eh bien, pourquoi vous en étonneriez-vous, vieux chapeau? dit Vautrin à Poiret. Monsieur est bien fait pour en avoir. »

Mlle Taillefer coula timidement un regard sur le jeune étudiant.

« Dites-nous votre aventure, demanda Mme Vauquer.

— Hier, j'étais au bal chez Mme la vicomtesse de Beauséant, une cousine à moi, qui possède une maison magnifique, des appartements habillés de soie, enfin qui nous a donné une fête superbe, où je me suis amusé comme un roi...

— Telet, dit Vautrin en interrompant net.

— Monsieur, reprit vivement Eugène, que voulez-vous dire?

— Je dis *telet,* parce que les roitelets s'amusent beaucoup plus que les rois.

— C'est vrai : j'aimerais mieux être ce petit oiseau sans souci que roi, parce que... fit Poiret l'*idémiste.*

— Enfin, reprit l'étudiant en lui coupant la

parole, je danse avec une des plus belles femmes
du bal, une comtesse ravissante, la plus délicieuse créature que j'aie jamais vue. Elle était
coiffée avec des fleurs de pêcher, elle avait au
côté le plus beau bouquet de fleurs. des fleurs
naturelles qui embaumaient; mais, bah! il faudrait que vous l'eussiez vue, il est impossible de
peindre une femme animée par la danse. Eh
bien, ce matin j'ai rencontré cette divine comtesse, sur les neuf heures, à pied, rue des Grès.
Oh! le cœur m'a battu, je me figurais...

— Qu'elle venait ici, dit Vautrin en jetant
un regard profond à l'étudiant. Elle allait sans
doute chez le papa Gobseck, un usurier. Si jamais vous fouillez des cœurs de femmes à Paris,
vous y trouverez l'usurier avant l'amant. Votre
comtesse se nomme Anastasie de Restaud, et
demeure rue du Helder. »

A ce nom, l'étudiant regarda fixement Vautrin. Le père Goriot leva brusquement la tête.
il jeta sur les deux interlocuteurs un regard
lumineux et plein d'inquiétude qui surprit les
pensionnaires.

« Christophe arrivera trop tard, elle y sera
donc allée, s'écria douloureusement Goriot.

— J'ai deviné », dit Vautrin en se penchant
à l'oreille de Mme Vauquer.

Goriot mangeait machinalement et sans savoir
ce qu'il mangeait. Jamais il n'avait semblé plus

stupide et plus absorbé qu'il l'était en ce moment.

« Qui diable, monsieur Vautrin, a pu vous dire son nom? demanda Eugène.

— Ah! ah! voilà, répondit Vautrin. Le père Goriot le savait bien, lui! pourquoi ne le saurais-je pas?

— M. Goriot, s'écria l'étudiant.

— Quoi! dit le pauvre vieillard. Elle était donc bien belle hier?

— Qui?

— Mme de Restaud.

— Voyez-vous le vieux grigou, dit Mme Vauquer à Vautrin, comme ses yeux s'allument.

— Il l'entretiendrait donc? dit à voix basse Mlle Michonneau à l'étudiant.

— Oh! oui, elle était furieusement belle, reprit Eugène, que le père Goriot regardait avidement. Si Mme de Beauséant n'avait pas été là, ma divine comtesse eût été la reine du bal; les jeunes gens n'avaient d'yeux que pour elle, j'étais le douzième inscrit sur sa liste, elle dansait toutes les contredanses. Les autres femmes enrageaient. Si une créature a été heureuse hier, c'était bien elle. On a bien raison de dire qu'il n'y a rien de plus beau que frégate à la voile, cheval au galop et femme qui danse.

— Hier en haut de la roue, chez une duchesse, dit Vautrin; ce matin en bas de l'échelle,

chez un escompteur : voilà les Parisiennes. Si
leurs maris ne peuvent entretenir leur luxe
effréné. elles se vendent. Si elles ne savent pas
se vendre, elles éventreraient leurs mères pour
y chercher de quoi briller. Enfin elles font les
cent mille coups. Connu. connu! »

Le visage du père Goriot, qui s'était allumé
comme le soleil d'un beau jour en entendant
l'étudiant. devint sombre à cette cruelle observation de Vautrin.

« Eh bien. dit Mme Vauquer, où donc est
votre aventure? Lui avez-vous parlé? lui avez-
vous demandé si elle venait apprendre le
droit?

— Elle ne m'a pas vu, dit Eugène. Mais rencontrer une des plus jolies femmes de Paris rue
des Grès. à neuf heures, une femme qui a dû
rentrer du bal à deux heures du matin, n'est-ce
pas singulier? Il n'y a que Paris pour ces aven-
tures-là.

— Bah! il y en a de bien plus drôles », s'écria
Vautrin.

Mlle Taillefer avait à peine écouté, tant elle
était préoccupée par la tentative qu'elle allait
faire. Mme Couture lui fit signe de se lever
pour aller s'habiller. Quand les deux dames sortirent. le père Goriot les imita.

« Eh bien, l'avez-vous vu? dit Mme Vauquer
à Vautrin et à ses autres pensionnaires. Il

est clair qu'il s'est ruiné pour ces femmes-là.

— Jamais on ne me fera croire, s'écria l'étudiant, que la belle comtesse de Restaud appartienne au père Goriot.

— Mais, lui dit Vautrin en l'interrompant, nous ne tenons pas à vous le faire croire. Vous êtes encore trop jeune pour bien connaître Paris, vous saurez plus tard qu'il s'y rencontre ce que nous nommons des *hommes à passions*... (A ces mots, Mlle Michonneau regarda Vautrin d'un air intelligent.) Vous eussiez dit un cheval de régiment entendant le son de la trompette.

— Ah! ah! fit Vautrin en s'interrompant pour lui jeter un regard profond, *que* nous *n'avons néu* nos petites passions, nous? (La vieille fille baissa les yeux comme une religieuse qui voit des statues.) — Eh bien, reprit-il, ces gens-là chaussent une idée et n'en démordent pas. Ils n'ont soif que d'une certaine eau prise à une certaine fontaine, et souvent croupie; pour en boire, ils vendraient leurs femmes, leurs enfants; ils vendraient leur âme au diable. Pour les uns, cette fontaine est le jeu, la Bourse, une collection de tableaux ou d'insectes, la musique; pour d'autres, c'est une femme qui sait leur cuisiner des friandises. A ceux-là, vous leur offririez toutes les femmes de la terre, ils s'en moquent, ils ne veulent que celle qui satisfait leur passion. Souvent cette femme ne les aime pas du

tout, vous les rudoie, leur vend fort cher des
bribes de satisfactions; eh bien, mes farceurs ne
se lassent pas, et mettraient leur dernière couverture au mont-de-piété pour lui apporter leur
dernier écu. Le père Goriot est un de ces
gens-là. La comtesse l'exploite parce qu'il est
discret, et voilà le beau monde! Le pauvre
bonhomme ne pense qu'à elle. Hors de sa passion, vous le voyez, c'est une bête brute. Met-
tez-le sur ce chapitre-là, son visage étincelle
comme un diamant. Il n'est pas difficile de deviner ce secret-là. Il a porté ce matin du vermeil à la fonte, et je l'ai vu entrant chez le
papa Gobseck, rue des Grès. Suivez bien! En
revenant, il a envoyé chez la comtesse de Restaud ce niais de Christophe qui nous a montré
l'adresse de la lettre dans laquelle était un billet
acquitté. Il est clair que si la comtesse allait
aussi chez le vieil escompteur, il y avait urgence.
Le père Goriot a galamment financé pour elle.
Il ne faut pas coudre deux idées pour voir clair
là-dedans. Cela vous prouve, mon jeune étudiant, que, pendant que votre comtesse riait,
dansait, faisait ses singeries, balançait ses fleurs
de pêcher, et pinçait sa robe. elle était dans ses
petits souliers, comme on dit, en pensant à ses
lettres de change protestées, ou à celles de son
amant.

— Vous me donnez une furieuse envie de sa-

voir la vérité. J'irai demain chez Mme de Restaud, s'écria Eugène.

— Oui, dit Poiret, il faut aller demain chez
Mme de Restaud.

— Vous y trouverez peut-être le bonhomme
Goriot qui viendra toucher le montant de ses
galanteries.

— Mais, dit Eugène avec un air de dégoût,
votre Paris est donc un bourbier.

— Et un drôle de bourbier, reprit Vautrin.
Ceux qui s'y crottent en voiture sont d'honnêtes
gens, ceux qui s'y crottent à pied sont des fripons. Ayez le malheur d'y décrocher n'importe
quoi. vous êtes montré sur la place du Palais de
Justice comme une curiosité. Volez un million,
vous êtes marqué dans les salons comme une
vertu. Vous payez trente millions à la Gendarmerie et à la Justice pour maintenir cette mo-
rale-là. Joli!

— Comment, s'écria Mme Vauquer. le père
Goriot aurait fondu son déjeuner de vermeil?

— N'y avait-il pas deux tourterelles sur le
couvercle? dit Eugène.

— C'est bien cela.

— Il y tenait donc beaucoup, il a pleuré
quand il a eu pétri l'écuelle et le plat. Je l'ai
vu par hasard. dit Eugène.

— Il y tenait comme à sa vie, répondit la
veuve.

— Voyez-vous le bonhomme, combien il est passionné, s'écria Vautrin. Cette femme-là sait lui chatouiller l'âme. »

L'étudiant remonta chez lui. Vautrin sortit. Quelques instants après, Mme Couture et Victorine montèrent dans un fiacre que Sylvie alla leur chercher. Poiret offrit son bras à Mlle Michonneau, et tous deux allèrent se promener au Jardin des plantes, pendant les deux belles heures de la journée.

« Eh bien, les voilà donc quasiment mariés, dit la grosse Sylvie. Ils sortent ensemble aujourd'hui pour la première fois. Ils sont tous deux si secs que, s'ils se cognent, ils feront feu comme un briquet.

— Gare au châle de Mlle Michonneau, dit en riant Mme Vauquer, il prendra comme de l'amadou. »

A quatre heures du soir, quand Goriot rentra, il vit, à la lueur de deux lampes fumeuses, Victorine dont les yeux étaient rouges. Mme Vauquer écoutait le récit de la visite infructueuse faite à M. Taillefer pendant la matinée. Ennuyé de recevoir sa fille et cette vieille femme, Taillefer les avait laissées parvenir jusqu'à lui pour s'expliquer avec elles.

« Ma chère dame, disait Mme Couture à Mme Vauquer, figurez-vous qu'il n'a même pas fait asseoir Victorine, qu'est restée constamment

debout. A moi, il m'a dit, sans se mettre en colère, tout froidement, de nous épargner la peine
de venir chez lui; que mademoiselle, sans dire
sa fille, se nuisait dans son esprit en l'importu-
nant (une fois par an, le monstre!); que la mère
de Victorine ayant été épousée sans fortune, elle
n'avait rien à prétendre; enfin les choses les
plus dures, qui ont fait fondre en larmes cette
pauvre petite. La petite s'est jetée alors aux
pieds de son père, et lui a dit avec courage
qu'elle n'insistait autant que pour sa mère,
qu'elle obéirait à ses volontés sans murmure;
mais qu'elle le suppliait de lire le testament de
la pauvre défunte, elle a pris la lettre et la lui
a présentée en disant les plus belles choses du
monde et les mieux senties, je ne sais pas où
elle les a prises. Dieu les lui dictait, car la
pauvre enfant était si bien inspirée qu'en l'entendant, moi, je pleurais comme une bête. Savez-vous ce que faisait cette horreur d'homme,
il se coupait les ongles, il a pris cette lettre que
la pauvre Mme Taillefer avait trempée de
larmes, et l'a jetée sur la cheminée en disant :
« C'est bon! » Il a voulu relever sa fille qui lui
prenait les mains pour les lui baiser, mais il
les a retirées. Est-ce pas une scélératesse? Son
grand dadais de fils est entré sans saluer sa sœur.

— C'est donc des monstres? dit le père
Goriot.

— Et puis, dit Mme Couture sans faire attention à l'exclamation du bonhomme, le père et
le fils s'en sont allés en me saluant et en me
priant de les excuser, ils avaient des affaires pres-
santes. Voilà notre visite. Au moins il a vu sa
fille. Je ne sais pas comment il peut la renier,
elle lui ressemble comme deux gouttes d'eau. »

Les pensionnaires, internes et externes, arrivèrent les uns après les autres. en se souhaitant
mutuellement le bonjour, et se disant de ces
riens qui constituent, chez certaines classes parisiennes, un esprit drolatique dans lequel la bêtise entre comme élément principal, et dont le
mérite consiste particulièrement dans le geste
ou la prononciation. Cette espèce d'argot varie
continuellement. La plaisanterie qui en est le
principe n'a jamais un mois d'existence. Un événement politique, un procès en cour d'assises,
une chanson des rues, les farces d'un acteur,
tout sert à entretenir ce jeu d'esprit qui consiste
surtout à prendre les idées et les mots comme
des volants, et à se les renvoyer sur des ra-
quettes. La récente invention du Diorama, qui
portait l'illusion de l'optique à un plus haut
degré que dans les Panoramas, avait amené
dans quelques ateliers de peinture la plaisanterie de parler en *rama,* espèce de charge qu'un
jeune peintre. habitué de la pension Vauquer,
y avait inoculée.

« Eh bien, *monsieurre* Poiret, dit l'employé au Muséum, comment va cette *santérama?* » Puis, sans attendre sa réponse : « Mesdames, vous avez du chagrin, dit-il à Mme Couture et à Victorine.

— Allons-nous *dînaire?* s'écria Horace Bian-chon, un étudiant en médecine, ami de Rasti-gnac, ma petite estomac est descendue *usque ad talones.*

— Il fait un fameux *froitorama!* dit Vau-trin. Dérangez-vous donc, père Goriot! Que diable! votre pied prend toute la gueule du poêle.

— Illustre monsieur Vautrin, dit Bianchon, pourquoi dites-vous *froitorama?* il y a une faute, c'est *froidorama.*

— Non, dit l'employé du Muséum, c'est *froi-torama,* par la règle : j'ai froid aux pieds.

— Ah! ah!

— Voici son excellence le marquis de Rasti-gnac, docteur en droit-travers, s'écria Bianchon en saisissant Eugène par le cou et le serrant de manière à l'étouffer. Ohé! les autres, ohé! »

Mlle Michonneau entra doucement, salua les convives sans rien dire, et s'alla placer près des trois femmes.

« Elle me fait toujours grelotter, cette vieille chauve-souris, dit à voix basse Bianchon à Vau-trin en montrant Mlle Michonneau. Moi qui étudie le système de Gall, je lui trouve les bosses de Judas.

— Monsieur l'a connue? dit Vautrin.

— Qui ne l'a pas rencontrée! répondit Bianchon. Ma parole d'honneur, cette vieille fille blanche me fait l'effet de ces longs vers qui finissent par ronger une poutre.

— Voilà ce que c'est, jeune homme, dit le quadragénaire en peignant ses favoris.

Et rose, elle a vécu ce que vivent les roses,
L'espace d'un matin.

— Ah! ah! voici une fameuse *soupeaurama,* dit Poiret en voyant Christophe qui entrait en tenant respectueusement le potage.

— Pardonnez-moi, monsieur, dit Mme Vauquer, c'est une soupe aux choux. »

Tous les jeunes gens éclatèrent de rire.

« Enfoncé, Poiret!

— Poirrrrrette enfoncé!

— Marquez deux points à maman Vauquer, dit Vautrin.

— Quelqu'un a-t-il fait attention au brouillard de ce matin? dit l'employé.

— C'était, dit Bianchon, un brouillard frénétique et sans exemple, un brouillard lugubre, mélancolique, vert, poussif, un brouillard Goriot.

— Goriorama, dit le peintre, parce qu'on n'y voyait goutte.

— Hé, milord Gâôriotte, il être questiônne dé véaus. »

Assis au bas bout de la table, près de la porte par laquelle on servait, le père Goriot leva la tête en flairant un morceau de pain qu'il avait sous sa serviette, par une vieille habitude commerciale qui reparaissait quelquefois.

« Eh bien, lui cria aigrement Mme Vauquer d'une voix qui domina le bruit des cuillers, des assiettes et des voix, est-ce que vous ne trouvez pas le pain bon?

— Au contraire, madame, répondit-il, il est fait avec de la farine d'Etampes, première qualité.

— A quoi voyez-vous cela? lui dit Eugène.

— A la blancheur, au goût.

— Au goût du nez, puisque vous le sentez, dit Mme Vauquer. Vous devenez si économe que vous finirez par trouver le moyen de vous nourrir en humant l'air de la cuisine.

— Prenez alors un brevet d'invention, cria l'employé au Muséum, vous ferez une belle fortune.

— Laissez donc, il fait ça pour nous persuader qu'il a été vermicellier, dit le peintre.

— Votre nez est donc une cornue? demanda encore l'employé au Muséum.

— Cor quoi? fit Bianchon.

— Cor-nouille.

— Cor-nemuse.

— Cor-naline.

— Cor-niche.

— Cor-nichon.

— Cor-beau.

— Cor-nac.

— Cor-norama. »

Ces huit réponses partirent de tous les côtés de la salle avec la rapidité d'un feu de file, et prêtèrent d'autant plus à rire, que le pauvre père Goriot regardait les convives d'un air niais, comme un homme qui tâche de comprendre une langue étrangère.

« Cor? dit-il à Vautrin qui se trouvait près de lui.

— Cor aux pieds, mon vieux! » dit Vautrin en enfonçant le chapeau du père Goriot par une tape qu'il lui appliqua sur la tête et qui le lui fit descendre jusque sur les yeux.

Le pauvre vieillard, stupéfait de cette brusque attaque, resta pendant un moment immobile. Christophe emporta l'assiette du bonhomme, croyant qu'il avait fini sa soupe; en sorte que quand Goriot, après avoir relevé son chapeau, prit sa cuiller, il frappa sur la table. Tous les convives éclatèrent de rire.

« Monsieur, dit le vieillard, vous êtes un mauvais plaisant, et si vous vous permettez encore de me donner de pareils renfoncements...

— Eh bien, quoi, papa? dit Vautrin en l'interrompant.

— Eh bien! vous paierez cela bien cher quelque jour...

— En enfer, pas vrai? dit le peintre, dans ce petit coin noir où l'on met les enfants méchants!

— Eh bien, mademoiselle, dit Vautrin à Victorine, vous ne mangez pas. Le papa s'est donc montré récalcitrant?

— Une horreur, dit Mme Couture.

— Il faut le mettre à la raison, dit Vautrin.

— Mais, dit Rastignac, qui se trouvait assez près de Bianchon, mademoiselle pourrait intenter un procès sur la question des aliments, puisqu'elle ne mange pas. Eh! eh! voyez donc comme le père Goriot examine Mlle Victorine. »

Le vieillard oubliait de manger pour contempler la pauvre jeune fille dans les traits de laquelle éclatait une douleur vraie, la douleur de l'enfant méconnu qui aime son père.

« Mon cher, dit Eugène à voix basse, nous nous sommes trompés sur le père Goriot. Ce n'est ni un imbécile ni un homme sans nerfs. Applique-lui ton système de Gall, et dis-moi ce que tu en penseras. Je l'ai vu cette nuit tordre

un plat de vermeil, comme si c'eût été de la
cire, et dans ce moment l'air de son visage
trahit des sentiments extraordinaires. Sa vie me
paraît être trop mystérieuse pour ne pas valoir
la peine d'être étudiée. Oui, Bianchon, tu as
beau rire, je ne plaisante pas.

— Cet homme est un fait médical, dit Bianchon, d'accord; s'il veut, je le dissèque.

— Non, tâte-lui la tête.

— Ah! bien, sa bêtise est peut-être conta-
gieuse. »

Le lendemain Rastignac s'habilla fort élégamment, et alla, vers trois heures de l'après-midi,
chez Mme de Restaud en se livrant pendant la
route à ces espérances étourdiment folles qui
rendent la vie des jeunes gens si belle d'émotions : ils ne calculent alors ni les obstacles ni
les dangers, ils voient en tout le succès, poé-
tisent leur existence par le seul jeu de leur
imagination, et se font malheureux ou tristes
par le renversement de projets qui ne vivaient
encore que dans leurs désirs effrénés; s'ils
n'étaient pas ignorants et timides, le monde social serait impossible. Eugène marchait avec
mille précautions pour ne se point crotter, mais
il marchait en pensant à ce qu'il dirait à
Mme de Restaud, il s'approvisionnait d'esprit,
il inventait les reparties d'une conversation
imaginaire, il préparait ses mots fins, ses phrases

à la Talleyrand, en supposant de petites circonstances favorables à la déclaration sur laquelle il fondait son avenir. Il se crotta, l'étudiant, il fut forcé de faire cirer ses bottes et
brosser son pantalon au Palais-Royal. « Si j'étais
riche, se dit-il en changeant une pièce de
trente sous qu'il avait prise *en cas de malheur,*
je serais allé en voiture, j'aurais pu penser à
mon aise. » Enfin il arriva rue du Helder et
demanda la comtesse de Restaud. Avec la rage
froide d'un homme sûr de triompher un jour,
il reçut le coup d'œil méprisant des gens qui
l'avaient vu traversant la cour à pied, sans avoir
entendu le bruit d'une voiture à la porte. Ce
coup d'œil lui fut d'autant plus sensible qu'il
avait déjà compris son infériorité en entrant
dans cette cour, où piaffait un beau cheval richement attelé à l'un de ces cabriolets pimpants
qui affichent le luxe d'une existence dissipa-
trice, et sous-entendent l'habitude de toutes les
félicités parisiennes. Il se mit, à lui tout seul,
de mauvaise humeur. Les tiroirs ouverts dans
son cerveau et qu'il comptait trouver pleins
d'esprit se fermèrent, il devint stupide. En attendant la réponse de la comtesse, à laquelle
un valet de chambre allait dire les noms du
visiteur, Eugène se posa sur un seul pied devant
une croisée de l'antichambre, s'appuya le coude
sur une espagnolette, et regarda machinalement

dans la cour. Il trouvait le temps long, il s'en
serait allé s'il n'avait pas été doué de cette téna-
cité méridionale qui enfante des prodiges quand
elle va en ligne droite.

« Monsieur, dit le valet de chambre, madame
est dans son boudoir et fort occupée, elle ne
m'a pas répondu; mais, si monsieur veut passer
au salon, il y a déjà quelqu'un. »

Tout en admirant l'épouvantable pouvoir de
ces gens qui, d'un seul mot, accusent ou jugent
leurs maîtres, Rastignac ouvrit délibérément la
porte par laquelle était sorti le valet de
chambre, afin sans doute de faire croire à ces
insolents valets qu'il connaissait les êtres de la
maison; mais il déboucha fort étourdiment dans
une pièce où se trouvaient des lampes, des buffets, un appareil à chauffer des serviettes pour
le bain, et qui menait à la fois dans un corridor obscur et dans un escalier dérobé. Les rires
étouffés qu'il entendit dans l'antichambre
mirent le comble à sa confusion.

« Monsieur, le salon est par ici », lui dit le
valet de chambre avec ce faux respect qui
semble être une raillerie de plus.

Eugène revint sur ses pas avec une telle précipitation qu'il se heurta contre une baignoire,
mais il retint assez heureusement son chapeau
pour l'empêcher de tomber dans le bain. En
ce moment, une porte s'ouvrit au fond du long

corridor éclairé par une petite lampe, Rastignac y entendit à la fois la voix de Mme de
Restaud, celle du père Goriot et le bruit d'un
baiser. Il rentra dans la salle à manger, la traversa, suivit le valet de chambre, et rentra dans
un premier salon où il resta posé devant la fenêtre, en s'apercevant qu'elle avait vue sur la
cour. Il voulait voir si ce père Goriot était bien
réellement son père Goriot. Le cœur lui bat-
tait étrangement, il se souvenait des épouvan-
tables réflexions de Vautrin. Le valet de
chambre attendait Eugène à la porte du salon,
mais il en sortit tout à coup un élégant jeune
homme, qui dit impatiemment : « Je m'en vais,
Maurice. Vous direz à Mme la comtesse que je
l'ai attendue plus d'une demi-heure. » Cet impertinent, qui sans doute avait le droit de
l'être, chantonna quelque roulade italienne en
se dirigeant vers la fenêtre où stationnait Eugène, autant pour voir la figure de l'étudiant
que pour regarder dans la cour.

« Mais monsieur le comte ferait mieux d'attendre encore un instant, madame a fini », dit
Maurice en retournant à l'antichambre.

En ce moment, le père Goriot débouchait
près de la porte cochère par la sortie du petit
escalier. Le bonhomme tirait son parapluie et
se disposait à le déployer, sans faire attention
que la grande porte était ouverte pour donner

passage à un jeune homme décoré qui conduisait un tilbury. Le père Goriot n'eut que le
temps de se jeter en arrière pour n'être pas
écrasé. Le taffetas du parapluie avait effrayé le
cheval, qui fit un léger écart en se précipitant
vers le perron. Ce jeune homme détourna la
tête d'un air de colère, regarda le père Goriot,
et lui fit, avant qu'il ne sortît, un salut qui pei-
gnait la considération forcée que l'on accorde
aux usuriers dont on a besoin, ou ce respect
nécessaire exigé par un homme taré, mais dont
on rougit plus tard. Le père Goriot répondit
par un petit salut amical, plein de bonhomie.
Ces événements se passèrent avec la rapidité de
l'éclair. Trop attentif pour s'apercevoir qu'il
n'était pas seul, Eugène entendit tout à coup la
voix de la comtesse.

« Ah! Maxime, vous vous en alliez », dit-elle
avec un ton de reproche où se mêlait un peu
de dépit.

La comtesse n'avait pas fait attention à l'entrée du tilbury. Rastignac se retourna brusquement et vit la comtesse coquettement vêtue d'un
peignoir en cachemire blanc, à nœuds roses,
coiffée négligemment, comme le sont les femmes
de Paris au matin; elle embaumait, elle avait
sans doute pris un bain, et sa beauté, pour
ainsi dire assouplie, semblait plus voluptueuse;
ses yeux étaient humides. L'œil des jeunes sait

tout voir : leurs esprits s'unissent aux rayonnements de la femme comme une plante aspire
dans l'air des substances qui lui sont propres,
Eugène sentit donc la fraîcheur épanouie des
mains de cette femme sans avoir besoin d'y toucher. Il voyait, à travers le cachemire, les teintes
rosées du corsage que le peignoir, légèrement
entrouvert, laissait parfois à nu, et sur lequel
son regard s'étalait. Les ressources du busc
étaient inutiles à la comtesse, la ceinture mar-
quait seule sa taille flexible, son cou invitait à
l'amour, ses pieds étaient jolis dans les pantoufles. Quand Maxime prit cette main pour
la baiser, Eugène aperçut alors Maxime, et la
comtesse aperçut Eugène.

« Ah! c'est vous, monsieur de Rastignac, je
suis bien aise de vous voir », dit-elle d'un air
auquel savent obéir les gens d'esprit.

Maxime regardait alternativement Eugène et
la comtesse d'une manière assez significative
pour faire décamper l'intrus. « Ah çà, ma chère,
j'espère que tu vas me mettre ce petit drôle à
la porte! » Cette phrase était une traduction
claire et intelligible des regards du jeune
homme impertinemment fier que la comtesse
Anastasie avait nommé Maxime, et dont elle
consultait le visage de cette intention soumise
qui dit tous les secrets d'une femme sans qu'elle
s'en doute. Rastignac se sentit une haine vio-

lente pour ce jeune homme. D'abord les beaux
cheveux blonds et bien frisés de Maxime lui
apprirent combien les siens étaient horribles.
Puis Maxime avait des bottes fines et propres,
tandis que les siennes, malgré le soin qu'il avait
pris en marchant, s'étaient empreintes d'une
légère teinte de boue. Enfin Maxime portait
une redingote qui lui serrait élégamment la
taille et le faisait ressembler à une jolie femme,
tandis qu'Eugène avait à deux heures et demie
un habit noir. Le spirituel enfant de la Charente sentit la supériorité que la mise donnait
à ce dandy, mince et grand, à l'œil clair, au
teint pâle, un de ces hommes capables de ruiner
des orphelins. Sans attendre la réponse d'Eugène, Mme de Restaud se sauva comme à tire-
d'aile dans l'autre salon, en laissant flotter les
pans de son peignoir qui se roulaient et se déroulaient de manière à lui donner l'apparence
d'un papillon; et Maxime la suivit. Eugène
furieux suivit Maxime et la comtesse. Ces trois
personnages se trouvèrent donc en présence, à
la hauteur de la cheminée, au milieu du grand
salon. L'étudiant savait bien qu'il allait gêner
cet odieux Maxime; mais, au risque de déplaire
à Mme de Restaud, il voulut gêner le dandy.
Tout à coup, en se souvenant d'avoir vu ce
jeune homme au bal de Mme de Beauséant, il
devina ce qu'était Maxime pour Mme de Res-

taud; et avec cette audace juvénile qui fait
commettre de grandes sottises ou obtenir de
grands succès, il se dit : « Voilà mon rival, je
veux triompher de lui. » L'imprudent! il ignorait que le comte Maxime de Trailles se laissait insulter, tirait le premier et tuait son
homme. Eugène était un adroit chasseur, mais
il n'avait pas encore abattu vingt poupées sur
vingt-deux dans un tir. Le jeune comte se jeta
dans une bergère au coin du feu, prit les pincettes, et fouilla le foyer par un mouvement si
violent, si grimaud, que le beau visage d'Anastasie se chagrina soudain. La jeune femme se
tourna vers Eugène, et lui lança un de ces
regards froidement interrogatifs qui disent si
bien : Pourquoi ne vous en allez-vous pas? que
les gens bien élevés savent aussitôt faire de ces
phrases qu'il faudrait appeler des phrases de
sortie.

Eugène prit un air agréable et dit : « Madame, j'avais hâte de vous voir pour... »

Il s'arrêta tout court. Une porte s'ouvrit. Le
monsieur qui conduisait le tilbury se montra
soudain, sans chapeau, ne salua pas la comtesse,
regarda soucieusement Eugène, et tendit la main
à Maxime, en lui disant : « Bonjour », avec une
expression fraternelle qui surprit singulièrement Eugène. Les jeunes gens de province
ignorent combien est douce la vie à trois.

« Monsieur de Restaud », dit la comtesse à l'étudiant en lui montrant son mari.

Eugène s'inclina profondément.

« Monsieur, dit-elle en continuant et en présentant Eugène au comte de Restaud, est monsieur de Rastignac, parent de madame la vicomtesse de Beauséant par les Marcillac, et que j'ai eu le plaisir de rencontrer à son dernier bal. »

Parent de madame la vicomtesse de Beauséant par les Marcillac! ces mots, que la comtesse prononça presque emphatiquement, par suite de l'espèce d'orgueil qu'éprouve une maîtresse de maison à prouver qu'elle n'a chez elle que des gens de distinction, furent d'un effet magique, le comte quitta son air froidement cérémonieux et salua l'étudiant.

« Enchanté, dit-il, monsieur, de pouvoir faire votre connaissance. »

Le comte Maxime de Trailles lui-même jeta sur Eugène un regard inquiet et quitta tout à coup son air impertinent. Ce coup de baguette, dû à la puissante intervention d'un nom, ouvrit trente cases dans le cerveau du méridional, et lui rendit l'esprit qu'il avait préparé. Une soudaine lumière lui fit voir clair dans l'atmosphère de la haute société parisienne, encore ténébreuse pour lui. La maison Vauquer, le père Goriot étaient alors bien loin de sa pensée.

« Je croyais les Marcillac éteints? dit le comte de Restaud à Eugène.

— Oui, monsieur, répondit-il. Mon grand-oncle, le chevalier de Rastignac, a épousé l'héritière de la famille de Marcillac. Il n'a eu qu'une fille, qui a épousé le maréchal de Clarimbault, aïeul maternel de Mme de Beauséant. Nous sommes la branche cadette, branche d'autant plus pauvre que mon grand-oncle, vice-amiral, a tout perdu au service du roi. Le gouvernement révolutionnaire n'a pas voulu admettre nos créances dans la liquidation qu'il a faite de la compagnie des Indes.

— Monsieur votre grand-oncle ne commandait-il pas le *Vengeur* avant 1789?

— Précisément.

— Alors, il a connu mon grand-père, qui commandait le *Warwick*. »

Maxime haussa légèrement les épaules en regardant Mme de Restaud, et il eut l'air de lui dire : S'il se met à causer marine avec celui-là, nous sommes perdus. Anastasie comprit le regard de M. de Trailles. Avec cette admirable puissance que possèdent les femmes, elle se mit à sourire en disant : « Venez, Maxime; j'ai quelque chose à vous demander. Messieurs, nous vous laisserons naviguer de conserve sur le *Warwick* et sur le *Vengeur*. » Elle se leva et fit un signe plein de traîtrise railleuse à Maxime,

qui prit avec elle la route du boudoir. A peine
ce couple *morganatique,* jolie expression allemande qui n'a pas son équivalent en français,
avait-il atteint la porte, que le comte interrompit sa conversation avec Eugène.

« Anastasie! restez donc, ma chère, s'écria-t-il
avec humeur, vous savez bien que...

— Je reviens, je reviens, dit-elle en l'interrompant, il ne me faut qu'un moment pour
dire à Maxime ce dont je veux le charger. »

Elle revint promptement. Comme toutes les
femmes qui, forcées d'observer le caractère de
leurs maris pour pouvoir se conduire à leur fantaisie, savent reconnaître jusqu'où elles peuvent
aller afin de ne pas perdre une confiance pré-
cieuse, et qui alors ne les choquent jamais dans
les petites choses de la vie, la comtesse avait vu
d'après les inflexions de la voix du comte qu'il
n'y aurait aucune sécurité à rester dans le boudoir. Ces contretemps étaient dus à Eugène.
Aussi la comtesse montra-t-elle l'étudiant d'un
air et par un geste pleins de dépit à Maxime,
qui dit fort épigrammatiquement au comte, à
sa femme et à Eugène : « Ecoutez, vous êtes en
affaires, je ne veux pas vous gêner; adieu. » Il
se sauva.

« Restez donc, Maxime! cria le comte.

— Venez dîner », dit la comtesse qui laissant
encore une fois Eugène et le comte suivit

Maxime dans le premier salon où ils restèrent
assez de temps ensemble pour croire que M. de
Restaud congédierait Eugène.

Rastignac les entendait tour à tour éclatant
de rire, causant, se taisant; mais le malicieux
étudiant faisait de l'esprit avec M. de Restaud,
le flattait ou l'embarquait dans des discussions,
afin de revoir la comtesse et de savoir quelles
étaient ses relations avec le père Goriot. Cette
femme, évidemment amoureuse de Maxime;
cette femme, maîtresse de son mari, liée secrètement au vieux vermicellier, lui semblait tout
un mystère. Il voulait pénétrer ce mystère, espé-
rant ainsi pouvoir régner en souverain sur cette
femme si éminemment Parisienne.

« Anastasie, dit le comte appelant de nouveau
sa femme.

— Allons, mon pauvre Maxime, dit-elle au
jeune homme, il faut se résigner. A ce soir...

— J'espère, *Nasie*, lui dit-il à l'oreille, que
vous consignerez ce petit jeune homme dont les
yeux s'allumaient comme des charbons quand
votre peignoir s'entrouvrait. Il vous ferait des
déclarations, vous compromettrait, et vous me
forceriez à le tuer.

— Etes-vous fou, Maxime? dit-elle. Ces petits
étudiants ne sont-ils pas, au contraire, d'excellents paratonnerres? Je le ferai, certes, prendre
en grippe à Restaud. »

Maxime éclata de rire et sortit suivi de la comtesse, qui se mit à la fenêtre pour le voir montant en voiture, faisant piaffer son cheval, et agitant son fouet. Elle ne revint que quand la grande porte fut fermée.

« Dites donc, lui cria le comte quand elle rentra, ma chère, la terre où demeure la famille de monsieur n'est pas loin de Verteuil, sur la Charente. Le grand-oncle de monsieur et mon grand-père se connaissaient.

— Enchantée d'être en pays de connaissance, dit la comtesse distraite.

— Plus que vous ne le croyez, dit à voix basse Eugène.

— Comment? dit-elle vivement.

— Mais, reprit l'étudiant, je viens de voir sortir de chez vous un monsieur avec lequel je suis porte à porte dans la même pension, le père Goriot. »

A ce nom enjolivé du mot *père,* le comte, qui tisonnait, jeta les pincettes dans le feu, comme si elles lui eussent brûlé les mains, et se leva.

« Monsieur, vous auriez pu dire M. Goriot! » s'écria-t-il.

La comtesse pâlit d'abord en voyant l'impatience de son mari, puis elle rougit, et fut évidemment embarrassée; elle répondit d'une voix qu'elle voulut rendre naturelle, et d'un air faussement dégagé : « Il est impossible de

connaître quelqu'un que nous aimions
mieux... » Elle s'interrompit, regarda son piano,
comme s'il se réveillait en elle quelque fantaisie, et dit : « Aimez-vous la musique,
monsieur?

— Beaucoup, répondit Eugène devenu rouge
et bêtifié par l'idée confuse qu'il eut d'avoir
commis quelque lourde sottise.

— Chantez-vous? » s'écria-t-elle en s'en allant
à son piano dont elle attaqua vivement toutes
les touches en les remuant depuis l'ut d'en bas
jusqu'au fa d'en haut. Rrrrah!

« Non, madame. »

Le comte de Restaud se promenait de long
en large.

« C'est dommage, vous vous êtes privé d'un
grand moyen de succès. — *Ca-a-ro, ca-a-ro,
ca-a-a-ro, non dubita-re* », chanta la comtesse.

En prononçant le nom du père Goriot, Eugène avait donné un coup de baguette magique,
mais dont l'effet était l'inverse de celui
qu'avaient frappé ces mots : parent de Mme de
Beauséant. Il se trouvait dans la situation d'un
homme introduit par faveur chez un amateur
de curiosités, et qui, touchant par mégarde une
armoire pleine de figures sculptées, fait tomber
trois ou quatre têtes mal collées. Il aurait voulu
se jeter dans un gouffre. Le visage de Mme de
Restaud était sec, froid, et ses yeux devenus

indifférents fuyaient ceux du malencontreux
étudiant.

« Madame, dit-il, vous avez à causer avec
M. de Restaud, veuillez agréer mes hommages,
et me permettre...

— Toutes les fois que vous viendrez, dit précipitamment la comtesse en arrêtant Eugène par
un geste, vous êtes sûr de nous faire, à M. de
Restaud comme à moi, le plus vif plaisir. »

Eugène salua profondément le couple et sortit
suivi de M. de Restaud, qui, malgré ses
instances, l'accompagna jusque dans l'antichambre.

« Toutes les fois que monsieur se présentera,
dit le comte à Maurice, ni madame ni moi nous
n'y serons. »

Quand Eugène mit le pied sur le perron, il
s'aperçut qu'il pleuvait. « Allons, se dit-il, je
suis venu faire une gaucherie dont j'ignore la
cause et la portée, je gâterai par-dessus le marché mon habit et mon chapeau. Je devrais rester
dans un coin à piocher le droit, ne penser qu'à
devenir un rude magistrat. Puis-je aller dans le
monde quand, pour y manœuvrer convenablement, il faut un tas de cabriolets, de bottes
cirées, d'agrès indispensables, des chaînes d'or,
dès le matin des gants de daim blancs qui
coûtent six francs, et toujours des gants jaunes
le soir? Vieux drôle de père Goriot, va! »

Quand il se trouva sous la porte de la rue, le cocher d'une voiture de louage, qui venait sans doute de remiser de nouveaux mariés et qui ne demandait pas mieux que de voler à son maître quelques courses de contrebande, fit à Eugène un signe en le voyant sans parapluie, en habit noir, gilet blanc, gants jaunes et bottes cirées. Eugène était sous l'empire d'une de ces rages sourdes qui poussent un jeune homme à s'enfoncer de plus en plus dans l'abîme où il est entré, comme s'il espérait y trouver une heureuse issue. Il consentit par un mouvement de tête à la demande du cocher. Sans avoir plus de vingt-deux sous dans sa poche, il monta dans la voiture où quelques grains de fleurs d'oranger et des brins de cannetille attestaient le passage des mariés.

« Où monsieur va-t-il? demanda le cocher, qui n'avait déjà plus ses gants blancs.

— Parbleu! se dit Eugène, puisque je m'enfonce, il faut au moins que cela me serve à quelque chose! Allez à l'hôtel de Beauséant, ajouta-t-il à haute voix.

— Lequel? » dit le cocher.

Mot sublime qui confondit Eugène. Cet élégant inédit ne savait pas qu'il y avait deux hôtels de Beauséant, il ne connaissait pas combien il était riche en parents qui ne se souciaient pas de lui.

« Le vicomte de Beauséant, rue...

— De Grenelle, dit le cocher en hochant la tête et l'interrompant. Voyez-vous, il y a encore l'hôtel du comte et du marquis de Beauséant, rue Saint-Dominique, ajouta-t-il en relevant le marchepied.

— Je le sais bien, répondit Eugène d'un air sec. Tout le monde aujourd'hui se moque donc de moi! dit-il en jetant son chapeau sur les coussins de devant. Voilà une escapade qui va me coûter la rançon d'un roi. Mais au moins je vais faire ma visite à ma soi-disant cousine d'une manière solidement aristocratique. Le père Goriot me coûte déjà au moins dix francs, le vieux scélérat! Ma foi, je vais raconter mon aventure à Mme de Beauséant, peut-être la ferai-je rire. Elle saura sans doute le mystère des liaisons criminelles de ce vieux rat sans queue et de cette belle femme. Il vaut mieux plaire à ma cousine que de me cogner contre cette femme immorale, qui me fait l'effet d'être bien coûteuse. Si le nom de la belle vicomtesse est si puissant, de quel poids doit donc être sa personne? Adressons-nous en haut. Quand on s'attaque à quelque chose dans le ciel, il faut viser Dieu! »

Ces paroles sont la formule brève des mille et une pensées entre lesquelles il flottait. Il reprit un peu de calme et d'assurance en voyant

tomber la pluie. Il se dit que s'il allait
dissiper deux des précieuses pièces de cent sous
qui lui restaient, elles seraient heureusement
employées à la conservation de son habit, de ses
bottes et de son chapeau. Il n'entendit pas sans
un mouvement d'hilarité son cocher criant :
La porte, s'il vous plaît! Un suisse rouge et
doré fit grogner sur ses gonds la porte de l'hôtel,
et Rastignac vit avec une douce satisfaction sa
voiture passant sous le porche, tournant dans la
cour, et s'arrêtant sous la marquise du perron.
Le cocher à grosse houppelande bleue bordée de
rouge vint déplier le marchepied. En descendant de sa voiture, Eugène entendit des rires
étouffés qui partaient sous le péristyle. Trois
ou quatre valets avaient déjà plaisanté sur cet
équipage de mariée vulgaire. Leur rire éclaira
l'étudiant au moment où il compara cette voiture à l'un des plus élégants coupés de Paris,
attelé de deux chevaux fringants qui avaient
des roses à l'oreille, qui mordaient leur frein,
et qu'un cocher poudré, bien cravaté, tenait en
bride comme s'ils eussent voulu s'échapper. A
la Chaussée-d'Antin, Mme de Restaud avait
dans sa cour le fin cabriolet de l'homme de
vingt-six ans. Au faubourg Saint-Germain,
attendait le luxe d'un grand seigneur, un équipage que trente mille francs n'auraient pas
payé.

« Qui donc est là? se dit Eugène en comprenant un peu tardivement qu'il devait se rencontrer à Paris bien peu de femmes qui ne fussent occupées, et que la conquête d'une de ces reines coûtait plus que du sang. Diantre! ma cousine aura sans doute aussi son Maxime. »

Il monta le perron la mort dans l'âme. A son aspect la porte vitrée s'ouvrit; il trouva les valets sérieux comme des ânes qu'on étrille. La fête à laquelle il avait assisté s'était donnée dans les grands appartements de réception, situés au rez-de-chaussée de l'hôtel de Beauséant. N'ayant pas eu le temps, entre l'invitation et le bal, de faire une visite à sa cousine, il n'avait donc pas encore pénétré dans les appartements de Mme de Beauséant; il allait donc voir pour la première fois les merveilles de cette élégance personnelle qui trahit l'âme et les mœurs d'une femme de distinction. Etude d'autant plus curieuse que le salon de Mme de Restaud lui fournissait un terme de comparaison. A quatre heures et demie la vicomtesse était visible. Cinq minutes plus tôt, elle n'eût pas reçu son cousin. Eugène, qui ne savait rien des diverses étiquettes parisiennes, fut conduit par un grand escalier plein de fleurs, blanc de ton, à rampe dorée, à tapis rouge, chez Mme de Beauséant, dont il ignorait la biographie verbale, une de ces changeantes histoires qui se content tous les soirs d'oreille à oreille dans les salons de Paris.

La vicomtesse était liée depuis trois ans avec un des plus célèbres et des plus riches seigneurs portugais, le marquis d'Adjuda-Pinto. C'était une de ces liaisons innocentes qui ont tant d'attraits pour les personnes ainsi liées, qu'elles ne peuvent supporter personne en tiers. Aussi le vicomte de Beauséant avait-il donné lui-même l'exemple au public en respectant, bon gré, mal gré, cette union morganatique. Les personnes qui, dans les premiers jours de cette amitié, vinrent voir la vicomtesse à deux heures, y trouvaient le marquis d'Adjuda-Pinto. Mme de Beauséant, incapable de fermer sa porte, ce qui eût été fort inconvenant, recevait si froidement les gens et contemplait si studieusement sa corniche, que chacun comprenait combien il la gênait. Quand on sut dans Paris qu'on gênait Mme de Beauséant en venant la voir entre deux et quatre heures, elle se trouva dans la solitude la plus complète. Elle allait aux Bouffons ou à l'Opéra en compagnie de M. de Beauséant et de M. d'Adjuda-Pinto; mais, en homme qui sait vivre, M. de Beauséant quittait toujours sa femme et le Portugais après les y avoir installés. M. d'Adjuda devait se marier. Il épousait une demoiselle de

Rochefide. Dans toute la haute société une seule
personne ignorait encore ce mariage, cette
personne était Mme de Beauséant. Quelques-unes de ses amies lui en avaient bien parlé
vaguement; elle en avait ri, croyant que ses
amies voulaient troubler un bonheur jalousé.
Cependant les bans allaient se publier. Quoiqu'il fût venu pour notifier ce mariage à la
vicomtesse, le beau Portugais n'avait pas encore
osé dire un traître mot. Pourquoi? Rien sans
doute n'est plus difficile que de notifier à une
femme un semblable *ultimatum*. Certains
hommes se trouvent plus à l'aise, sur le terrain,
devant un homme qui leur menace le cœur avec
une épée, que devant une femme qui, après
avoir débité ses élégies pendant deux heures,
fait la morte et demande des sels. En ce moment
donc M. d'Adjuda-Pinto était sur les épines,
et voulait sortir, en se disant que Mme de Beauséant apprendrait cette nouvelle, il lui écrirait,
il serait plus commode de traiter ce galant
assassinat par correspondance que de vive voix.
Quand le valet de chambre de la vicomtesse
annonça M. Eugène de Rastignac, il fit tressaillir de joie le marquis d'Adjuda-Pinto. Sachez-le
bien, une femme aimante est encore plus ingé-
nieuse à se créer des doutes qu'elle n'est habile
à varier le plaisir. Quand elle est sur le point
d'être quittée, elle devine plus rapidement le

sens d'un geste que le coursier de Virgile ne flaire les lointains corpuscules qui lui annoncent l'amour. Aussi comptez que Mme de Beauséant surprit ce tressaillement involontaire, léger, mais naïvement épouvantable. Eugène ignorait qu'on ne doit jamais se présenter chez qui que ce soit à Paris sans s'être fait conter par les amis de la maison l'histoire du mari, celle de la femme ou des enfants, afin de n'y commettre aucune de ces balourdises dont on dit pittoresquement en Pologne : *Attelez cinq bœufs à votre char!* sans doute pour vous tirer du mauvais pas où vous vous embourbez. Si ces malheurs de la conversation n'ont encore aucun nom en France, on les y suppose sans doute impossibles, par suite de l'énorme publicité qu'y obtiennent les médisances. Après s'être embourbé chez Mme de Restaud, qui ne lui avait pas même laissé le temps d'atteler les cinq bœufs à son char, Eugène seul était capable de recommencer son métier de bouvier, en se présentant chez Mme de Beauséant. Mais s'il avait horriblement gêné Mme de Restaud et M. de Trailles, il tirait d'embarras M. d'Adjuda.

« Adieu, dit le Portugais en s'empressant de gagner la porte quand Eugène entra dans un petit salon coquet, gris et rose, où le luxe semblait n'être que de l'élégance.

— Mais à ce soir, dit Mme de Beauséant en retournant la tête et jetant un regard au marquis. N'allons-nous pas aux Bouffons?

— Je ne le puis », dit-il en prenant le bouton de la porte. Mme de Beauséant se leva, le rappela près d'elle, sans faire la moindre attention à Eugène, qui, debout, étourdi par les scintillements d'une richesse merveilleuse, croyait à la réalité des contes arabes, et ne savait où se fourrer en se trouvant en présence de cette femme sans être remarqué d'elle. La vicomtesse avait levé l'index de sa main droite, et par un joli mouvement désignait au marquis une place devant elle. Il y eut dans ce geste un si violent despotisme de passion que le marquis laissa le bouton de la porte et vint, Eugène le regarda non sans envie.

« Voilà, se dit-il, l'homme au coupé! Mais il faut donc avoir des chevaux fringants, des livrées et de l'or à flots pour obtenir le regard d'une femme de Paris? » Le démon du luxe le mordit au cœur, la fièvre du gain le prit, la soif de l'or lui sécha la gorge. Il avait cent trente francs pour son trimestre. Son père, sa mère, ses frères, ses sœurs, sa tante, ne dépensaient pas deux cents francs par mois, à eux tous. Cette rapide comparaison entre sa situation présente et le but auquel il fallait parvenir contribuèrent à le stupéfier.

« Pourquoi, dit la vicomtesse en riant, ne *pouvez-vous pas* venir aux Italiens?

— Des affaires! Je dîne chez l'ambassadeur d'Angleterre.

— Vous les quitterez. »

Quand un homme trompe, il est invinciblement forcé d'entasser mensonges sur mensonges. M. d'Adjuda dit alors en riant : « Vous l'exigez?

—— Oui, certes.

— Voilà ce que je voulais me faire dire », répondit-il en jetant un de ces fins regards qui auraient rassuré toute autre femme. Il prit la main de la vicomtesse, la baisa et partit.

Eugène passa la main dans ses cheveux, et se tortilla pour saluer en croyant que Mme de Beauséant allait penser à lui; tout à coup elle s'élance, se précipite dans la galerie, accourt à la fenêtre et regarde M. d'Adjuda pendant qu'il montait en voiture; elle prête l'oreille à l'ordre, et entend le chasseur répétant au cocher : « Chez M. de Rochefide. » Ces mots, et la manière dont d'Adjuda se plongea dans sa voiture, furent l'éclair et la foudre pour cette femme, qui revint en proie à de mortelles appréhensions. Les plus horribles catastrophes ne sont que cela dans le grand monde. La vicomtesse rentra dans sa chambre à coucher, se mit à table, et prit un joli papier.

Du moment, écrivait-elle, *où vous dînez chez les Rochefide, et non à l'ambassade anglaise, vous me devez une explication, je vous attends.*

Après avoir redressé quelques lettres défigurées par le tremblement convulsif de sa main, elle mit un C qui voulait dire Claire de Bourgogne, et sonna.

« Jacques, dit-elle à son valet de chambre qui vint aussitôt, vous irez à sept heures et demie chez M. de Rochefide, vous y demanderez le marquis d'Adjuda. Si M. le marquis y est, vous lui ferez parvenir ce billet sans demander de réponse; s'il n'y est pas, vous reviendrez et me rapporterez ma lettre.

— Madame la vicomtesse a quelqu'un dans son salon.

— Ah! c'est vrai », dit-elle en poussant la porte.

Eugène commençait à se trouver très mal à l'aise, il aperçut enfin la vicomtesse qui lui dit d'un ton dont l'émotion lui remua les fibres du cœur : « Pardon, monsieur, j'avais un mot à écrire, je suis maintenant tout à vous. » Elle ne savait ce qu'elle disait, car voici ce qu'elle pensait : « Ah! il veut épouser Mlle de Rochefide. Mais est-il donc libre? Ce soir ce mariage sera brisé, ou je... Mais il n'en sera plus question demain.

— Ma cousine... répondit Eugène.

— Hein? » fit la vicomtesse en lui jetant un regard dont l'impertinence glaça l'étudiant.

Eugène comprit ce hein. Depuis trois heures il avait appris tant de choses, qu'il s'était mis sur le qui-vive.

« Madame », reprit-il en rougissant. Il hésita, puis il dit en continuant : « Pardonnez-moi; j'ai besoin de tant de protection qu'un bout de parenté n'aurait rien gâté. »

Mme de Beauséant sourit, mais tristement : elle sentait déjà le malheur qui grondait dans son atmosphère.

« Si vous connaissiez la situation dans laquelle se trouve ma famille, dit-il en continuant, vous aimeriez à jouer le rôle d'une de ces fées fabuleuses qui se plaisaient à dissiper les obstacles autour de leurs filleuls.

— Eh bien, mon cousin, dit-elle en riant, à quoi puis-je vous être bonne?

— Mais le sais-je? Vous appartenir par un lien de parenté qui se perd dans l'ombre est déjà toute une fortune. Vous m'avez troublé, je ne sais plus ce que je venais vous dire. Vous êtes la seule personne que je connaisse à Paris. Ah! je voulais vous consulter en vous demandant de m'accepter comme un pauvre enfant qui désire se coudre à votre jupe, et qui saurait mourir pour vous.

— Vous tueriez quelqu'un pour moi?

— J'en tuerais deux, fit Eugène.

— Enfant! Oui, vous êtes un enfant, dit-elle en réprimant quelques larmes; vous aimeriez sincèrement, vous!

— Oh! » fit-il en hochant la tête.

La vicomtesse s'intéressa vivement à l'étudiant pour une réponse d'ambitieux. Le méridional en était à son premier calcul. Entre le boudoir bleu de Mme de Restaud et le salon rose de Mme de Beauséant, il avait fait trois années de ce *Droit parisien* dont on ne parle pas, quoiqu'il constitue une haute jurisprudence sociale qui, bien apprise et bien pratiquée, mène à tout.

« Ah! j'y suis, dit Eugène. J'avais remarqué Mme de Restaud à votre bal, je suis allé ce matin chez elle.

— Vous avez dû bien la gêner, dit en souriant Mme de Beauséant.

— Eh! oui, je suis un ignorant qui mettra contre lui tout le monde, si vous me refusez votre secours. Je crois qu'il est fort difficile de rencontrer à Paris une femme jeune, belle, riche, élégante qui soit inoccupée, et il m'en faut une qui m'apprenne ce que, vous autres femmes, vous savez si bien expliquer : la vie. Je trouverai partout un M. de Trailles. Je venais donc à vous pour vous demander le mot d'une énigme, et vous prier de me dire de quelle nature est la sottise que j'y ai faite. J'ai parlé d'un père...

— Madame la duchesse de Langeais, dit Jacques en coupant la parole à l'étudiant qui fit le geste d'un homme violemment contrarié.

— Si vous voulez réussir, dit la vicomtesse à voix basse, d'abord ne soyez pas aussi démonstratif.

— Eh, bonjour, ma chère », reprit-elle en se levant et allant au-devant de la duchesse dont elle pressa les mains avec l'effusion caressante qu'elle aurait pu montrer pour une sœur et à laquelle la duchesse répondit par les plus jolies câlineries.

« Voilà deux bonnes amies, se dit Rastignac. J'aurai dès lors deux protectrices; ces deux femmes doivent avoir les mêmes affections, et celle-ci s'intéressera sans doute à moi. »

« A quelle heureuse pensée dois-je le bonheur de te voir, ma chère Antoinette? dit Mme de Beauséant.

— Mais j'ai vu M. d'Adjuda-Pinto entrant chez M. de Rochefide, et j'ai pensé qu'alors vous étiez seule. »

Mme de Beauséant ne se pinça point les lèvres, elle ne rougit pas, son regard resta le même, son front parut s'éclaircir pendant que la duchesse prononçait ces fatales paroles.

« Si j'avais su que vous fussiez occupée...

ajouta la duchesse en se tournant vers Eugène.

— Monsieur est monsieur Eugène de Rastignac, un de mes cousins, dit la vicomtesse. Avez-
vous des nouvelles du général Montriveau?
fit-elle. Sérizy m'a dit hier qu'on ne le voyait
plus, l'avez-vous eu chez vous aujourd'hui? »

La duchesse, qui passait pour être abandonnée par M. de Montriveau de qui elle était
éperdument éprise, sentit au cœur la pointe de
cette question, et rougit en répondant : « Il
était hier à l'Elysée.

— De service, dit Mme de Beauséant.

— Clara, vous savez sans doute, reprit la duchesse en jetant des flots de malignité par ses
regards, que demain les bans de M. d'Adjuda-
Pinto et de Mlle de Rochefide se publient? »

Ce coup était trop violent, la vicomtesse pâlit
et répondit en riant : « Un de ces bruits dont
s'amusent les sots. Pourquoi M. d'Adjuda porte-
rait-il chez les Rochefide un des plus beaux
noms du Portugal? Les Rochefide sont des gens
anoblis d'hier.

— Mais Berthe réunira, dit-on, deux cent
mille livres de rente.

— M. d'Adjuda est trop riche pour faire de
ces calculs.

— Mais, ma chère, Mlle de Rochefide est
charmante.

— Ah!

— Enfin il y dîne aujourd'hui, les conditions sont arrêtées. Vous m'étonnez étrangement d'être si peu instruite.

— Quelle sottise avez-vous donc faite, monsieur? dit Mme de Beauséant. Ce pauvre enfant est si nouvellement jeté dans le monde, qu'il ne comprend rien, ma chère Antoinette, à ce que nous disons. Soyez bonne pour lui, remettons à causer de cela demain. Demain, voyez-vous, tout sera sans doute officiel, et vous pourrez être officieuse à coup sûr. »

La duchesse tourna sur Eugène un de ces regards impertinents qui enveloppent un homme des pieds à la tête, l'aplatissent et le mettent à l'état de zéro.

« Madame, j'ai, sans le savoir, plongé un poignard dans le cœur de Mme de Restaud. Sans le savoir, voilà ma faute, dit l'étudiant que son génie avait assez bien servi et qui avait découvert les mordantes épigrammes cachées sous les phrases affectueuses de ces deux femmes. Vous continuez à voir, et vous craignez peut-être les gens qui sont dans le secret du mal qu'ils vous font, tandis que celui qui blesse en ignorant la profondeur de sa blessure est regardé comme un sot, un maladroit qui ne sait profiter de rien, et chacun le méprise. »

Mme de Beauséant jeta sur l'étudiant un de ces regards fondants où les grandes âmes savent

mettre tout à la fois de la reconnaissance et de
la dignité. Ce regard fut comme un baume qui
calma la plaie que venait de faire au cœur de
l'étudiant le coup d'œil d'huissier-priseur par
lequel la duchesse l'avait évalué.

« Figurez-vous que je venais, dit Eugène en
continuant, de capter la bienveillance du comte
de Restaud; car, dit-il en se tournant vers la
duchesse d'un air à la fois humble et malicieux,
il faut vous dire, madame, que je ne suis encore
qu'un pauvre diable d'étudiant, bien seul, bien
pauvre...

— Ne dites pas cela. monsieur de Rastignac.
Nous autres femmes, nous ne voulons jamais de
ce dont personne ne veut.

— Bah! dit Eugène, je n'ai que vingt-deux
ans, il faut savoir supporter les malheurs de son
âge. D'ailleurs, je suis à confesse; et il est impossible de se mettre à genoux dans un plus joli
confessionnal : on y fait les péchés dont on s'accuse dans l'autre. »

La duchesse prit un air froid à ce discours
antireligieux, dont elle proscrivit le mauvais
goût en disant à la vicomtesse : « Monsieur
arrive... »

Mme de Beauséant se prit à rire franchement
et de son cousin et de la duchesse.

« Il arrive, ma chère, et cherche une institu-
trice qui lui enseigne le bon goût.

— Madame la duchesse, reprit Eugène,
n'est-il pas naturel de vouloir s'initier aux secrets de ce qui nous charme? (Allons, se dit-il
en lui-même, je suis sûr que je leur fais des
phrases de coiffeur.)

— Mais Mme de Restaud est, je crois, l'éco-
lière de M. de Trailles, dit la duchesse.

— Je n'en savais rien, madame, reprit l'étudiant. Aussi me suis-je étourdiment jeté entre
eux. Enfin, je m'étais assez bien entendu avec
le mari, je me voyais souffert pour un temps par
la femme, lorsque je me suis avisé de leur
dire que je connaissais un homme que je
venais de voir sortir par un escalier dérobé,
et qui avait au fond d'un couloir embrassé
la comtesse.

— Qui est-ce? dirent les deux femmes.

— Un vieillard qui vit à raison de deux louis
par mois, au fond du faubourg Saint-Marceau,
comme moi, pauvre étudiant; un véritable
malheureux dont tout le monde se moque, et
que nous appelons le père Goriot.

— Mais, enfant que vous êtes, s'écria la vicomtesse, Mme de Restaud est une demoiselle
Goriot.

— La fille d'un vermicellier, reprit la duchesse, une petite femme qui s'est fait présenter
le même jour qu'une fille de pâtissier. Ne vous
en souvenez-vous pas, Clara? Le roi s'est mis à

rire, et a dit en latin un bon mot sur la farine.
Des gens, comment donc? des gens...

— *Ejusdem farinæ,* dit Eugène.

— C'est cela, dit la duchesse.

— Ah! c'est son père, reprit l'étudiant en
faisant un geste d'horreur.

— Mais oui; ce bonhomme avait deux filles
dont il est quasi fou, quoique l'une et l'autre
l'aient à peu près renié.

— La seconde n'est-elle pas, dit la vicomtesse
en regardant Mme de Langeais, mariée à un
banquier dont le nom est allemand, un baron
de Nucingen? Ne se nomme-t-elle pas Delphine? N'est-ce pas une blonde qui a une loge
de côté à l'Opéra, qui vient aussi aux Bouffons,
et rit très haut pour se faire remarquer? »

La duchesse sourit en disant : « Mais, ma
chère, je vous admire. Pourquoi vous occupez-
vous donc tant de ces gens-là? Il a fallu être
amoureux fou, comme l'était Restaud, pour
s'être enfariné de Mlle Anastasie. Oh! il n'en
sera pas le bon marchand! Elle est entre les
mains de M. de Trailles, qui la perdra.

— Elles ont renié leur père, répétait Eugène.

— Eh bien, oui, leur père, le père, un père,
reprit la vicomtesse, un bon père qui leur a
donné, dit-on, à chacune cinq ou six cent mille
francs pour faire leur bonheur en les mariant
bien, et qui ne s'était réservé que huit à dix

mille livres de rente pour lui, croyant que ses
filles resteraient ses filles, qu'il s'était créé chez
elles deux existences, deux maisons où il serait
adoré, choyé. En deux ans, ses gendres l'ont
banni de leur société comme le dernier des
misérables... »

Quelques larmes roulèrent dans les yeux
d'Eugène, récemment rafraîchi par les pures et
saintes émotions de la famille, encore sous le
charme des croyances jeunes, et qui n'en était
qu'à sa première journée sur le champ de bataille de la civilisation parisienne. Les émotions
véritables sont si communicatives, que pendant
un moment ces trois personnes se regardèrent en
silence.

« Eh! mon Dieu, dit Mme de Langeais, oui.
cela semble bien horrible, et nous voyons cependant cela tous les jours. N'y a-t-il pas une cause
à cela? Dites-moi, ma chère, avez-vous jamais
pensé à ce qu'est un gendre? Un gendre est un
homme pour qui nous élèverons, vous ou moi,
une chère petite créature à laquelle nous tien-
drons par mille liens, qui sera pendant dix-sept
ans la joie de la famille, qui en est l'âme
blanche, dirait Lamartine, et qui en deviendra
la peste. Quand un homme nous l'aura prise,
il commencera par saisir son amour comme une
hache, afin de couper dans le cœur et au vif
de cet ange tous les sentiments par lesquels elle

s'attachait à sa famille. Hier, notre fille était
tout pour nous, nous étions tout pour elle; le
lendemain elle se fait notre ennemie. Ne
voyons-nous pas cette tragédie s'accomplissant
tous les jours? Ici, la belle-fille est de la dernière impertinence avec le beau-père, qui a tout
sacrifié pour son fils. Plus loin, un gendre met
sa belle-mère à la porte. J'entends demander ce
qu'il y a de dramatique aujourd'hui dans la
société; mais le drame du gendre est effrayant,
sans compter nos mariages qui sont devenus
de fort sottes choses. Je me rends parfaitement compte de ce qui est arrivé à ce vieux
vermicellier. Je crois me rappeler que ce
Foriot...

— Goriot, madame.

— Oui, ce Moriot a été président de sa section pendant la révolution; il a été dans le secret de la fameuse disette, et a commencé sa
fortune par vendre dans ce temps-là des farines
dix fois plus qu'elles ne lui coûtaient. Il en a
eu tant qu'il en a voulu. L'intendant de ma
grand-mère lui en a vendu pour des sommes
immenses. Ce Goriot partageait sans doute,
comme tous ces gens-là, avec le Comité de Salut
Public. Je me souviens que l'intendant disait à
ma grand-mère qu'elle pouvait rester en toute
sûreté à Grandvilliers, parce que ses blés étaient
une excellente carte civique. Eh bien, ce Lo-

riot, qui vendait du blé aux coupeurs de têtes,
n'a eu qu'une passion. Il adore, dit-on, ses filles.
Il a juché l'aînée dans la maison de Restaud,
et greffé l'autre sur le baron de Nucingen, un
riche banquier qui fait le royaliste. Vous comprenez bien que, sous l'Empire, les deux gendres
ne se sont pas trop formalisés d'avoir ce vieux
Quatre-vingt-treize chez eux; ça pouvait encore
aller avec Buonaparte. Mais quand les Bour-
bons sont revenus, le bonhomme a gêné M. de
Restaud, et plus encore le banquier. Les filles,
qui aimaient peut-être toujours leur père, ont
voulu ménager la chèvre et le chou, le père et
le mari; elles ont reçu le Goriot quand elles
n'avaient personne; elles ont imaginé des pré-
textes de tendresse. « Papa, venez, nous serons
« mieux, parce que nous serons seuls! » etc.
Moi, ma chère, je crois que les sentiments vrais
ont des yeux et une intelligence : le cœur de
ce pauvre Quatre-vingt-treize a donc saigné. Il
a vu que ses filles avaient honte de lui; que,
si elles aimaient leurs maris, il nuisait à ses
gendres. Il fallait donc se sacrifier. Il s'est sacrifié, parce qu'il était père : il s'est banni de lui-
même. En voyant ses filles contentes, il comprit
qu'il avait bien fait. Le père et les enfants ont
été complices de ce petit crime. Nous voyons
cela partout. Ce père Doriot n'aurait-il pas été
une tache de cambouis dans le salon de ses

filles? Il y aurait été gêné, il se serait ennuyé. Ce qui arrive à ce père peut arriver à la plus jolie femme avec l'homme qu'elle aimera le mieux : si elle l'ennuie de son amour, il s'en va, il fait des lâchetés pour la fuir. Tous les sentiments en sont là. Notre cœur est un trésor, videz-le d'un coup, vous êtes ruinés. Nous ne pardonnons pas plus à un sentiment de s'être montré tout entier qu'à un homme de ne pas avoir un sou à lui. Ce père avait tout donné. Il avait donné, pendant vingt ans, ses entrailles, son amour; il avait donné sa fortune en un jour. Le citron bien pressé, ses filles ont laissé le zeste au coin des rues.

— Le monde est infâme, dit la vicomtesse en effilant son châle et sans lever les yeux, car elle était atteinte au vif par les mots que Mme de Langeais avait dits, pour elle, en racontant cette histoire.

— Infâme! non, reprit la duchesse; il va son train, voilà tout. Si je vous en parle ainsi, c'est pour montrer que je ne suis pas la dupe du monde. Je pense comme vous, dit-elle en pressant la main de la vicomtesse. Le monde est un bourbier, tâchons de rester sur les hauteurs. » Elle se leva, embrassa Mme de Beauséant au front en lui disant : « Vous êtes bien belle en ce moment, ma chère. Vous avez les plus jolies couleurs que j'aie vues jamais. » Puis elle sortit après avoir légèrement incliné la tête en regardant le cousin.

« Le père Goriot est sublime! » dit Eugène en se souvenant de l'avoir vu tordant son vermeil la nuit.

Mme de Beauséant n'entendit pas, elle était pensive. Quelques moments de silence s'écoulèrent, et le pauvre étudiant, par une sorte de stupeur honteuse, n'osait ni s'en aller, ni rester, ni parler.

« Le monde est infâme et méchant, dit enfin la vicomtesse. Aussitôt qu'un malheur nous arrive, il se rencontre toujours un ami prêt à venir nous le dire, et à nous fouiller le cœur avec un poignard en nous faisant admirer le manche. Déjà le sarcasme, déjà les railleries! Ah! je me défendrai. » Elle releva la tête comme une grande dame qu'elle était, et des éclairs sortirent de ses yeux fiers. « Ah! fit-elle en voyant Eugène, vous êtes là!

— Encore, dit-il piteusement.

— Eh bien, monsieur de Rastignac, traitez ce monde comme il mérite de l'être. Vous voulez parvenir, je vous aiderai. Vous sonderez combien est profonde la corruption féminine, vous toiserez la largeur de la misérable vanité des hommes. Quoique j'aie bien lu dans ce livre du monde, il y avait des pages qui cependant m'étaient inconnues. Maintenant je sais tout.

Plus froidement vous calculerez, plus avant
vous irez. Frappez sans pitié, vous serez craint.
N'acceptez les hommes et les femmes que
comme des chevaux de poste que vous laisserez
crever à chaque relais, vous arriverez ainsi au
faîte de vos désirs. Voyez-vous, vous ne serez
rien ici si vous n'avez pas une femme qui s'inté-
resse à vous. Il vous la faut jeune, riche, élégante. Mais si vous avez un sentiment vrai,
cachez-le comme un trésor; ne le laissez jamais
soupçonner, vous seriez perdu. Vous ne seriez
plus le bourreau, vous deviendriez la victime.
Si jamais vous aimiez, gardez bien votre secret!
ne le livrez pas avant d'avoir bien su à qui vous
ouvrirez votre cœur. Pour préserver par avance
cet amour qui n'existe pas encore, apprenez à
vous méfier de ce monde-ci. Ecoutez-moi, Mi-
guel... (Elle se trompait naïvement de nom sans
s'en apercevoir.) Il existe quelque chose de plus
épouvantable que ne l'est l'abandon du père
par ses deux filles, qui le voudraient mort.
C'est la rivalité des deux sœurs entre elles. Restaud a de la naissance, sa femme a été adoptée,
elle a été présentée; mais sa sœur, sa riche sœur,
la belle Mme Delphine de Nucingen. femme
d'un homme d'argent, meurt de chagrin; la jalousie la dévore, elle est à cent lieues de sa
sœur; sa sœur n'est plus sa sœur; ces deux
femmes se renient entre elles comme elles

renient leur père. Aussi, Mme de Nucingen
laperait-elle toute la boue qu'il y a entre la rue
Saint-Lazare et la rue de Grenelle pour entrer
dans mon salon. Elle a cru que de Marsay la
ferait arriver à son but, et elle s'est faite l'es-
clave de de Marsay, elle assomme de Marsay.
De Marsay se soucie fort peu d'elle. Si vous me
la présentez, vous serez son Benjamin, elle vous
adorera. Aimez-la si vous pouvez après, sinon
servez-vous d'elle. Je la verrai une ou deux fois,
en grande soirée, quand il y aura cohue; mais
je ne la recevrai jamais le matin. Je la saluerai,
cela suffira. Vous vous êtes fermé la porte de la
comtesse pour avoir prononcé le nom du père
Goriot. Oui, mon cher, vous iriez vingt fois chez
Mme de Restaud, vingt fois vous la trouveriez
absente. Vous avez été consigné. Eh bien, que
le père `Goriot vous introduise près de
Mme Delphine de Nucingen. La belle Mme de
Nucingen sera pour vous une enseigne. Soyez
l'homme qu'elle distingue, les femmes raffole-
ront de vous. Ses rivales, ses amies, ses meilleures amies, voudront vous enlever à elle. Il
y a des femmes qui aiment l'homme déjà choisi
par une autre, il y a de pauvres bourgeoises
qui, en prenant nos chapeaux, espèrent avoir
nos manières. Vous aurez des succès. A Paris,
le succès est tout, c'est la clef du pouvoir. Si
les femmes vous trouvent de l'esprit, du talent,

les hommes vous le croiront, si vous ne les dé-
trompez pas. Vous pourrez alors tout vouloir,
vous aurez le pied partout. Vous saurez alors
ce qu'est le monde, une réunion de dupes et de
fripons. Je vous donne mon nom comme un fil
d'Ariane pour entrer dans ce labyrinthe. Ne le
compromettez pas, dit-elle en recourbant son
cou et jetant un regard de reine à l'étudiant,
rendez-le-moi blanc. Allez, laissez-moi. Nous
autres femmes, nous avons aussi nos batailles à
livrer.

— S'il vous fallait un homme de bonne volonté pour aller mettre le feu à une mine? dit
Eugène en l'interrompant.

— Eh bien? » dit-elle.

Il se frappa le cœur, sourit au sourire de sa
cousine, et sortit. Il était cinq heures. Eugène
avait faim, il craignit de ne pas arriver à temps
pour l'heure du dîner. Cette crainte lui fit
sentir le bonheur d'être rapidement emporté
dans Paris. Ce plaisir purement machinal le
laissa tout entier aux pensées qui l'assaillaient.
Lorsqu'un jeune homme de son âge est atteint
par le mépris, il s'emporte, il enrage, il menace
du poing la société tout entière, il veut se venger et doute aussi de lui-même. Rastignac était
en ce moment accablé par ces mots : *Vous vous
êtes fermé la porte de la comtesse.* — J'irai! se
disait-il, et si Mme de Beauséant a raison, si

je suis consigné... je... Mme de Restaud me trouvera dans tous les salons où elle va. J'apprendrai à faire des armes, à tirer le pistolet,
je lui tuerai son Maxime! Et de l'argent! lui
criait sa conscience, où donc en prendras-tu?
Tout à coup la richesse étalée chez la comtesse
de Restaud brilla devant ses yeux. Il avait vu
là le luxe dont une demoiselle Goriot devait
être amoureuse, des dorures, des objets de prix
en évidence, le luxe inintelligent du parvenu,
le gaspillage de la femme entretenue. Cette fas-
cinante image fut soudainement écrasée par le
grandiose hôtel de Beauséant. Son imagination,
transportée dans les hautes régions de la société
parisienne, lui inspira mille pensées mauvaises
au cœur, en lui élargissant la tête et la
conscience. Il vit le monde comme il est : les
lois et la morale impuissantes chez les riches,
et vit dans la fortune l'*ultima ratio mundi*.
« Vautrin a raison, la fortune est la vertu! »
se dit-il.

Arrivé rue Neuve-Sainte-Geneviève, il monta
rapidement chez lui, descendit pour donner
dix francs au cocher, et vint dans cette salle à
manger nauséabonde où il aperçut, comme des
animaux à un râtelier, les dix-huit convives en
train de se repaître. Le spectacle de ces misères
et l'aspect de cette salle lui furent horribles.
La transition était trop brusque, le contraste

trop complet, pour ne pas développer outre
mesure chez lui le sentiment de l'ambition. D'un
côté, les fraîches et charmantes images de la
nature sociale la plus élégante, des figures
jeunes, vives, encadrées par les merveilles de
l'art et du luxe, des têtes passionnées pleines de
poésie; de l'autre, de sinistres tableaux bordés
de fange, et des faces où les passions n'avaient
laissé que leurs cordes et leur mécanisme. Les
enseignements que la colère d'une femme
abandonnée avait arrachés à Mme de Beauséant, ses offres captieuses revinrent dans sa
mémoire, et la misère les commenta. Rastignac
résolut d'ouvrir deux tranchées parallèles pour
arriver à la fortune, de s'appuyer sur la science
et sur l'amour, d'être un savant docteur et un
homme à la mode. Il était encore bien enfant!
Ces deux lignes sont des asymptotes qui ne peuvent jamais se rejoindre.

« Vous êtes bien sombre, monsieur le
marquis, lui dit Vautrin, qui lui jeta un
de ces regards par lesquels cet homme semblait s'initier aux secrets les plus cachés du
cœur.

— Je ne suis plus disposé à souffrir les plaisanteries de ceux qui m'appellent monsieur le
marquis, répondit-il. Ici, pour être vraiment
marquis, il faut avoir cent mille livres de
rente, et quand on vit dans la Maison Vau-

quer on n'est pas précisément le favori de la Fortune. »

Vautrin regarda Rastignac d'un air paternel et méprisant, comme s'il eût dit : Marmot! dont je ne ferais qu'une bouchée! Puis il répondit : « Vous êtes de mauvaise humeur, parce que vous n'avez peut-être pas réussi auprès de la belle comtesse de Restaud.

— Elle m'a fermé sa porte pour lui avoir dit que son père mangeait à notre table », s'écria Rastignac.

Tous les convives s'entre-regardèrent. Le père Goriot baissa les yeux, et se retourna pour les essuyer.

« Vous m'avez jeté du tabac dans l'œil, dit-il à son voisin.

— Qui vexera le père Goriot s'attaquera désormais à moi, répondit Eugène en regardant le voisin de l'ancien vermicellier; il vaut mieux que nous tous. Je ne parle pas des dames », dit-il en se retournant vers Mlle Taillefer.

Cette phrase fut un dénouement, Eugène l'avait prononcée d'un air qui imposa silence aux convives. Vautrin seul lui dit en goguenardant : « Pour prendre le père Goriot à votre compte, et vous établir son éditeur responsable, il faut savoir bien tenir une épée et bien tirer le pistolet.

— Ainsi ferai-je, dit Eugène.

— Vous êtes donc entré en campagne aujour-d'hui?

— Peut-être, répondit Rastignac. Mais je ne dois compte de mes affaires à personne, attendu que je ne cherche pas à deviner celles que les autres font la nuit. »

Vautrin regarda Rastignac de travers.

« Mon petit, quand on ne veut pas être dupe des marionnettes, il faut entrer tout à fait dans la baraque, et ne pas se contenter de regarder par les trous de la tapisserie. Assez causé, ajouta-t-il en voyant Eugène près de se gendar-mer. Nous aurons ensemble un petit bout de conversation quand vous le voudrez. »

Le dîner devint sombre et froid. Le père Go-riot, absorbé par la profonde douleur que lui avait causée la phrase de l'étudiant, ne comprit pas que les dispositions des esprits étaient chan-gées à son égard, et qu'un jeune homme en état d'imposer silence à la persécution avait pris sa défense.

« Monsieur Goriot, dit Mme Vauquer à voix basse, serait donc le père d'une comtesse à c't' heure?

— Et d'une baronne, lui répliqua Rastignac.

— Il n'a que ça à faire, dit Bianchon à Ras-tignac, je lui ai pris la tête : il n'y a qu'une bosse, celle de la paternité, ce sera un Père *Eternel.* »

Eugène était trop sérieux pour que la plaisanterie de Bianchon le fît rire. Il voulait profiter des conseils de Mme de Beauséant, et se demandait où et comment il se procurerait de l'argent. Il devint soucieux en voyant les savanes du monde qui se déroulaient à ses yeux à la fois vides et pleines; chacun le laissa seul dans la salle à manger quand le dîner fut fini.

« Vous avez donc vu ma fille? » lui dit Goriot d'une voix émue.

Réveillé de sa méditation par le bonhomme, Eugène lui prit la main, et le contemplant avec une sorte d'attendrissement : « Vous êtes un brave et digne homme, répondit-il. Nous causerons de vos filles plus tard. » Il se leva sans vouloir écouter le père Goriot, et se retira dans sa chambre, où il écrivit à sa mère la lettre suivante :

Ma chère mère, vois si tu n'as pas une troisième mamelle à t'ouvrir pour moi. Je suis dans une situation à faire promptement fortune. J'ai besoin de douze cents francs, et il me les faut à tout prix. Ne dis rien de ma demande à mon père, il s'y opposerait peut-être, et si je n'avais pas cet argent je serais en proie à un désespoir qui me conduirait à me brûler la cervelle. Je t'expliquerai mes motifs aussitôt que je te verrai, car il faudrait t'écrire des volumes pour te

*faire comprendre la situation dans laquelle je
suis. Je n'ai pas joué, ma bonne mère, je ne dois
rien; mais si tu tiens à me conserver la vie que
tu m'as donnée, il faut me trouver cette somme.
Enfin, je vais chez la vicomtesse de Beauséant,
qui m'a pris sous sa protection. Je dois aller dans
le monde, et n'ai pas un sou pour avoir des
gants propres. Je saurai ne manger que du pain,
ne boire que de l'eau, je jeûnerai au besoin;
mais je ne puis me passer des outils avec lesquels on pioche la vigne dans ce pays-ci. Il s'agit
pour moi de faire mon chemin ou de rester
dans la boue. Je sais toutes les espérances que
vous avez mises en moi, et veux les réaliser
promptement. Ma bonne mère, vends quelques-uns de tes anciens bijoux, je te les rempla-
cerai bientôt. Je connais assez la situation de
notre famille pour savoir apprécier de tels sacrifices, et tu dois croire que je ne te demande
pas de les faire en vain, sinon je serais un
monstre. Ne vois dans ma prière que le cri
d'une impérieuse nécessité. Notre avenir est tout
entier dans ce subside, avec lequel je dois ouvrir
la campagne; car cette vie de Paris est un combat perpétuel. Si, pour compléter la somme, il
n'y a pas d'autres ressources que de vendre les
dentelles de ma tante, dis-lui que je lui en enverrai de plus belles. Etc.*

Il écrivit à chacune de ses sœurs en leur demandant leurs économies, et, pour les leur arracher sans qu'elles parlassent en famille du sacrifice qu'elles ne manqueraient pas de lui faire
avec bonheur, il intéressa leur délicatesse en
attaquant les cordes de l'honneur qui sont si
bien tendues et résonnent si fort dans de jeunes
cœurs. Quand il eut écrit ces lettres, il éprouva
néanmoins une trépidation involontaire : il pal-
pitait, il tressaillait. Ce jeune ambitieux
connaissait la noblesse immaculée de ces âmes
ensevelies dans la solitude, il savait quelles
peines il causerait à ses deux sœurs, et aussi
quelles seraient leurs joies; avec quel plaisir
elles s'entretiendraient en secret de ce frère
bien-aimé, au fond du clos. Sa conscience se
dressa lumineuse, et les lui montra comptant en
secret leur petit trésor : il les vit, déployant le
génie malicieux des jeunes filles pour lui envoyer *incognito* cet argent, essayant une première tromperie pour être sublimes. « Le cœur
d'une sœur est un diamant de pureté, un abîme
de tendresse! » se dit-il. Il avait honte d'avoir
écrit. Combien seraient puissants leurs vœux,
combien pur serait l'élan de leurs âmes vers le
Ciel! Avec quelles voluptés ne se sacrifie-
raient-elles pas? De quelle douleur serait
atteinte sa mère, si elle ne pouvait envoyer toute
la somme! Ces beaux sentiments, ces effroyables

sacrifices allaient lui servir d'échelon pour arriver à Delphine de Nucingen. Quelques larmes,
derniers grains d'encens jetés sur l'autel sacré
de la famille, lui sortirent des yeux. Il se pro-
mena dans une agitation pleine de désespoir.
Le père Goriot, le voyant ainsi par sa porte qui
était restée entrebâillée, entra et lui dit :
« Qu'avez-vous, monsieur?

— Ah! mon bon voisin, je suis encore fils et
frère comme vous êtes père. Vous avez raison
de trembler pour la comtesse Anastasie, elle est
à un M. Maxime de Trailles qui la perdra. »

Le père Goriot se retira en balbutiant
quelques paroles dont Eugène ne saisit pas le
sens. Le lendemain, Rastignac alla jeter ses
lettres à la poste. Il hésita jusqu'au dernier moment, mais il les lança dans la boîte en disant :
« Je réussirai! » Le mot du joueur, du grand
capitaine, mot fataliste qui perd plus d'hommes
qu'il n'en sauve. Quelques jours après, Eugène
alla chez Mme de Restaud et ne fut pas reçu.
Trois fois il y retourna, trois fois encore il
trouva la porte close, quoiqu'il se présentât à
des heures où le comte Maxime de Trailles n'y
était pas. La vicomtesse avait eu raison. L'étudiant n'étudia plus. Il allait aux Cours pour
y répondre à l'appel, et quand il avait attesté sa
présence, il décampait. Il s'était fait le raisonnement que se font la plupart des étudiants. Il

réservait ses études pour le moment où il s'agirait de passer ses examens; il avait résolu d'entasser ses inscriptions de seconde et troisième
année, puis d'apprendre le Droit sérieusement
et d'un seul coup au dernier moment. Il avait
ainsi quinze mois de loisirs pour naviguer sur
l'océan de Paris, pour s'y livrer à la traite des
femmes ou y pêcher la fortune. Pendant cette
semaine, il vit deux fois Mme de Beauséant,
chez laquelle il n'allait qu'au moment où sortait
la voiture du marquis d'Adjuda. Pour quelques
jours encore cette illustre femme, la plus poé-
tique figure du faubourg Saint-Germain, resta
victorieuse, et fit suspendre le mariage de
Mlle de Rochefide avec le marquis d'Adjuda-
Pinto. Mais ces derniers jours, que la crainte
de perdre son bonheur rendit les plus ardents
de tous, devaient précipiter la catastrophe. Le
marquis d'Adjuda, de concert avec les Rochefide, avait regardé cette brouille et ce raccom-
modement comme une circonstance heureuse :
ils espéraient que Mme de Beauséant s'accoutu-
merait à l'idée de ce mariage et finirait par sacrifier ses matinées à un avenir prévu dans la
vie des hommes. Malgré les plus saintes promesses renouvelées chaque jour, M. d'Adjuda
jouait donc la comédie, et la vicomtesse aimait
à être trompée. « Au lieu de sauter noblement
par la fenêtre, elle se laissait rouler dans les

escaliers », disait la duchesse de Langeais, sa
meilleure amie. Néanmoins, ces dernières
lueurs brillèrent assez longtemps pour que la
vicomtesse restât à Paris et y servît son jeune
parent auquel elle portait une sorte d'affection
superstitieuse. Eugène s'était montré pour elle
plein de dévouement et de sensibilité dans une
circonstance où les femmes ne voient de pitié,
de consolation vraie dans aucun regard. Si un
homme leur dit alors de douces paroles, il les dit
par spéculation.

Dans le désir de parfaitement bien connaître
son échiquier avant de tenter l'abordage de la
maison de Nucingen, Rastignac voulut se
mettre au fait de la vie antérieure du père Goriot, et recueillit des renseignements certains,
qui peuvent se réduire à ceci.

Jean-Joachim Goriot était, avant la Révolution, un simple ouvrier vermicellier, habile,
économe, et assez entreprenant pour avoir acheté
le fonds de son maître, que le hasard rendit
victime du premier soulèvement de 1789. Il
s'était établi rue de la Jussienne, près de la
Halle-aux-Blés, et avait eu le gros bon sens
d'accepter la présidence de sa section, afin de
faire protéger son commerce par les personnages les plus influents de cette dangereuse
époque. Cette sagesse avait été l'origine de sa
fortune qui commença dans la disette, fausse ou

vraie, par suite de laquelle les grains acquirent
un prix énorme à Paris. Le peuple se tuait à
la porte des boulangers, tandis que certaines
personnes allaient chercher sans émeute des
pâtes d'Italie chez les épiciers. Pendant cette
année, le citoyen Goriot amassa les capitaux qui
plus tard lui servirent à faire son commerce avec
toute la supériorité que donne une grande masse
d'argent à celui qui la possède. Il lui arriva
ce qui arrive à tous les hommes qui n'ont
qu'une capacité relative. Sa médiocrité le sauva.
D'ailleurs, sa fortune n'étant connue qu'au moment où il n'y avait plus de danger à être riche,
il n'excita l'envie de personne. Le commerce de
grains semblait avoir absorbé toute son intelligence. S'agissait-il de blés, de farines, de gre-
nailles, de reconnaître leurs qualités, les prove-
nances, de veiller à leur conservation, de pré-
voir les cours, de prophétiser l'abondance ou la
pénurie des récoltes, de se procurer les céréales
à bon marché, de s'en approvisionner en Sicile,
en Ukraine, Goriot n'avait pas son second. A
lui voir conduire ses affaires, expliquer les lois
sur l'exportation, sur l'importation des grains,
étudier leur esprit, saisir leurs défauts, un
homme l'eût jugé capable d'être ministre
d'Etat. Patient, actif, énergique, constant, rapide dans ses expéditions, il avait un coup d'œil
d'aigle, il devançait tout, prévoyait tout, savait

tout, cachait tout; diplomate pour concevoir, soldat pour marcher. Sorti de sa spécialité, de sa simple et obscure boutique sur le pas de laquelle il demeurait pendant ses heures d'oisiveté, l'épaule appuyée au montant de la porte, il redevenait l'ouvrier stupide et grossier, l'homme incapable de comprendre un raisonnement, insensible à tous les plaisirs de l'esprit, l'homme qui s'endormait au spectacle, un de ces Dolibans parisiens, forts seulement en bêtise. Ces natures se ressemblent presque toutes. A presque toutes, vous trouveriez un sentiment sublime au cœur. Deux sentiments exclusifs avaient rempli le cœur du vermicellier, en avaient absorbé l'humide, comme le commerce des grains employait toute l'intelligence de sa cervelle. Sa femme, fille unique d'un riche fermier de la Brie, fut pour lui l'objet d'une admiration religieuse, d'un amour sans bornes. Goriot avait admiré en elle une nature frêle et forte, sensible et jolie, qui contrastait vigoureusement avec la sienne. S'il est un sentiment inné dans le cœur de l'homme, n'est-ce pas l'orgueil de la protection exercée à tout moment en faveur d'un être faible? Joignez-y l'amour, cette reconnaissance vive de toutes les âmes franches pour le principe de leurs plaisirs, et vous comprendrez une foule de bizarreries morales. Après sept ans de bonheur sans nuages, Goriot,

malheureusement pour lui, perdit sa femme :
elle commençait à prendre de l'empire sur lui,
en dehors de la sphère des sentiments. Peut-
être eût-elle cultivé cette nature inerte, peut-être
y eût-elle jeté l'intelligence des choses du monde
et de la vie. Dans cette situation, le sentiment
de la paternité se développa chez Goriot jusqu'à
la déraison. Il reporta ses affections trompées
par la mort sur ses deux filles, qui, d'abord,
satisfirent pleinement tous ses sentiments.
Quelque brillantes que fussent les propositions
qui lui furent faites par des négociants ou des
fermiers jaloux de lui donner leurs filles, il
voulut rester veuf. Son beau-père, le seul
homme pour lequel il avait eu du penchant,
prétendait savoir pertinemment que Goriot
avait juré de ne pas faire d'infidélité à sa femme,
quoique morte. Les gens de la Halle, incapables
de comprendre cette sublime folie, en plaisan-
tèrent et donnèrent à Goriot quelque grotesque
sobriquet. Le premier d'entre eux qui, en buvant le vin d'un marché, s'avisa de le prononcer, reçut du vermicellier un coup de poing
sur l'épaule qui l'envoya, la tête la première,
sur une borne de la rue Oblin. Le dévouement
irréfléchi, l'amour ombrageux et délicat que
portait Goriot à ses filles était si connu, qu'un
jour un de ses concurrents, voulant le faire partir du marché pour rester maître du cours, lui

dit que Delphine venait d'être renversée par un cabriolet. Le vermicellier, pâle et blême, quitta aussitôt la Halle. Il fut malade pendant plusieurs jours par suite de la réaction des sentiments contraires auxquels le livra cette fausse alarme. S'il n'appliqua pas sa tape meurtrière sur l'épaule de cet homme, il le chassa de la Halle en le forçant, dans une circonstance critique, à faire faillite. L'éducation de ses deux filles fut naturellement déraisonnable. Riche de plus de soixante mille livres de rente, et ne dépensant pas douze cents francs pour lui, le bonheur de Goriot était de satisfaire les fantaisies de ses filles : les plus excellents maîtres furent chargés de les douer des talents qui signalent une bonne éducation; elles eurent une demoiselle de compagnie; heureusement pour elles, ce fut une femme d'esprit et de goût; elles allaient à cheval, elles avaient voiture, elles vivaient comme auraient vécu les maîtresses d'un vieux seigneur riche; il leur suffisait d'exprimer les plus coûteux désirs pour voir leur père s'empressant de les combler; il ne demandait qu'une caresse en retour de ses offrandes. Goriot mettait ses filles au rang des anges, et nécessairement au-dessus de lui, le pauvre homme! il aimait jusqu'au mal qu'elles lui faisaient. Quand ses filles furent en âge d'être mariées, elles purent choisir leurs maris suivant leurs goûts :

chacune d'elles devait avoir en dot la moitié de
la fortune de son père. Courtisée pour sa beauté
par le comte de Restaud, Anastasie avait des
penchants aristocratiques qui la portèrent à quitter la maison paternelle pour s'élancer dans les
hautes sphères sociales. Delphine aimait l'argent : elle épousa Nucingen, banquier d'origine
allemande qui devint baron du Saint-Empire.
Goriot resta vermicellier. Ses filles et ses gendres
se choquèrent bientôt de lui voir continuer ce
commerce, quoique ce fût toute sa vie. Après
avoir subi pendant cinq ans leurs instances, il
consentit à se retirer avec le produit de son
fonds, et les bénéfices de ces dernières années;
capital que Mme Vauquer, chez laquelle il était
venu s'établir, avait estimé rapporter de huit à
dix mille livres de rente. Il se jeta dans cette
pension par suite du désespoir qui l'avait saisi
en voyant ses deux filles obligées par leurs maris
de refuser non seulement de le prendre chez
elles, mais encore de l'y recevoir ostensiblement.

Ces renseignements étaient tout ce que savait
un monsieur Muret sur le compte du père Goriot, dont il avait acheté le fonds. Les suppo-
sitions que Rastignac avait entendu faire par la
duchesse de Langeais se trouvaient ainsi confir-
mées. Ici se termine l'exposition de cette
obscure, mais effroyable tragédie parisienne.

Vers la fin de cette première semaine du mois

de décembre, Rastignac reçut deux lettres, l'une
de sa mère, l'autre de sa sœur aînée. Ces écri-
tures si connues le firent à la fois palpiter d'aise
et trembler de terreur. Ces deux frêles papiers
contenaient un arrêt de vie ou de mort sur ses
espérances. S'il concevait quelque terreur en se
rappelant la détresse de ses parents, il avait trop
bien éprouvé leur prédilection pour ne pas
craindre d'avoir aspiré leurs dernières gouttes
de sang. La lettre de sa mère était ainsi conçue :

*Mon cher enfant, je t'envoie ce que tu m'as
demandé. Fais un bon emploi de cet argent, je
ne pourrais, quand il s'agirait de te sauver la
vie, trouver une seconde fois une somme si
considérable sans que ton père en fût instruit,
ce qui troublerait l'harmonie de notre ménage.
Pour nous la procurer, nous serions obligés de
donner des garanties sur notre terre. Il m'est impossible de juger le mérite de projets que je ne
connais pas; mais de quelle nature sont-ils donc
pour te faire craindre de me les confier? Cette
explication ne demandait pas des volumes, il
ne nous faut qu'un mot à nous autres mères, et
ce mot m'aurait évité les angoisses de l'incertitude. Je ne saurais te cacher l'impression douloureuse que ta lettre m'a causée. Mon cher fils,
quel est donc le sentiment qui t'a contraint
à jeter un tel effroi dans mon cœur? tu as bien*

dû souffrir en m'écrivant, car j'ai bien souffert
en te lisant. Dans quelle carrière t'engages-tu
donc? Ta vie, ton bonheur seraient attachés à
paraître ce que tu n'es pas, à voir un monde où
tu ne saurais aller sans faire des dépenses d'argent que tu ne peux soutenir, sans perdre un
temps précieux pour tes études? Mon bon Eugène, crois-en le cœur de ta mère, les voies tor-
tueuses ne mènent à rien de grand. La patience
et la résignation doivent être les vertus des
jeunes gens qui sont dans ta position. Je ne te
gronde pas, je ne voudrais communiquer à notre
offrande aucune amertume. Mes paroles sont
celles d'une mère aussi confiante que prévoyante. Si tu sais quelles sont tes obligations,
je sais, moi, combien ton cœur est pur, combien tes intentions sont excellentes. Aussi puis-je
te dire sans crainte : Va, mon bien-aimé,
marche! Je tremble parce que je suis mère; mais
chacun de tes pas sera tendrement accompagné
de nos vœux et de nos bénédictions. Sois prudent, cher enfant. Tu dois être sage comme un
homme, les destinées de cinq personnes qui te
sont chères reposent sur ta tête. Oui, toutes nos
fortunes sont en toi, comme ton bonheur est le
nôtre. Nous prions Dieu de te seconder dans tes
entreprises. Ta tante Marcillac a été, dans
cette circonstance, d'une bonté inouïe : elle
allait jusqu'à concevoir ce que tu me dis de tes

gants. Mais elle a un faible pour l'aîné, disait-elle gaiement. Mon Eugène, aime bien ta
tante, je ne te dirai ce qu'elle a fait pour toi
que quand tu auras réussi; autrement, son argent te brûlerait les doigts. Vous ne savez pas,
enfants, ce que c'est que de sacrifier des souvenirs! Mais que ne vous sacrifierait-on pas? Elle
me charge de te dire qu'elle te baise au front, et
voudrait te communiquer par ce baiser la force
d'être souvent heureux. Cette bonne et excellente femme t'aurait écrit si elle n'avait pas la
goutte aux doigts. Ton père va bien. La récolte
de 1819 passe nos espérances. Adieu, cher enfant. Je ne te dirai rien de tes sœurs : Laure
t'écrit. Je lui laisse le plaisir de babiller sur les
petits événements de la famille. Fasse le Ciel
que tu réussisses. Oh! oui, réussis, mon Eugène,
tu m'as fait connaître une douleur trop vive
pour que je puisse la supporter une seconde fois.
J'ai su ce que c'était que d'être pauvre, en dési-
rant la fortune pour la donner à mon enfant.
Allons, adieu. Ne nous laisse pas sans nouvelles,
et prends ici le baiser que ta mère t'envoie.

Quand Eugène eut achevé cette lettre. il était
en pleurs. il pensait au père Goriot tordant son
vermeil et le vendant pour aller payer la lettre
de change de sa fille. « Ta mère a tordu ses
bijoux! se disait-il. Ta tante a pleuré sans doute

en vendant quelques-unes de ses reliques! De
quel droit maudirais-tu Anastasie? tu viens
d'imiter pour l'égoïsme de ton avenir ce qu'elle
a fait pour son amant! Qui, d'elle ou de toi,
vaut mieux? » L'étudiant se sentit les entrailles
rongées par une sensation de chaleur intolé-
rable. Il voulait renoncer au monde, il voulait
ne pas prendre cet argent. Il éprouva ces nobles
et beaux remords secrets dont le mérite est rarement apprécié par les hommes quand ils
jugent leurs semblables, et qui font souvent
absoudre par les anges du ciel le criminel
condamné par les juristes de la terre. Rastignac
ouvrit la lettre de sa sœur, dont les expressions
innocemment gracieuses lui rafraîchirent le
cœur.

Ta lettre est venue bien à propos, cher frère.
Agathe et moi nous voulions employer notre
argent de tant de manières différentes, que nous
ne savions plus à quel achat nous résoudre. Tu
as fait comme le domestique du roi d'Espagne
quand il a renversé les montres de son maître,
tu nous as mises d'accord. Vraiment, nous étions
constamment en querelle pour celui de nos dé-
sirs auquel nous donnerions la préférence, et
nous n'avions pas deviné, mon bon Eugène, l'em-
ploi qui comprenait tous nos désirs. Agathe a
sauté de joie. Enfin, nous avons été comme deux

folles pendant toute la journée, à telles en-
seignes (*style de tante*) que ma mère nous disait
de son air sévère : « Mais qu'avez-vous donc,
« mesdemoiselles? » Si nous avions été grondées
un brin, nous en aurions été, je crois, encore
plus contentes. Une femme doit trouver bien
du plaisir à souffrir pour celui qu'elle aime!
Moi seule étais rêveuse et chagrine au milieu
de ma joie. Je ferai sans doute une mauvaise
femme, je suis trop dépensière. Je m'étais
acheté deux ceintures, un joli poinçon pour
percer les œillets de mes corsets, des niaiseries,
en sorte que j'avais moins d'argent que cette
grosse Agathe, qui est économe, et entasse ses
écus comme une pie. Elle avait deux cents
francs! Moi, mon pauvre ami, je n'ai que cinquante écus. Je suis bien punie, je voudrais jeter
ma ceinture dans le puits, il me sera toujours pénible de la porter. Je t'ai volé. Agathe a
été charmante. Elle m'a dit : « Envoyons les
trois cent cinquante francs à nous deux! » Mais
je n'ai pas tenu à te raconter les choses comme
elles se sont passées. Sais-tu comment nous avons
fait pour obéir à tes commandements, nous
avons pris notre glorieux argent, nous sommes
allées nous promener toutes deux, et quand une
fois nous avons eu gagné la grande route, nous
avons couru à Ruffec, où nous avons tout bonnement donné la somme à M. Grimbert, qui

tient le bureau des Messageries royales! Nous étions légères comme des hirondelles en revenant. Est-ce que le bonheur nous allégerait? me dit Agathe. Nous nous sommes dit mille choses que je ne vous répéterai pas, monsieur le Parisien, il était trop question de vous. Oh! cher frère, nous t'aimons bien, voilà tout en deux mots. Quant au secret, selon ma tante, de petites masques comme nous sont capables de tout, même de se taire. Ma mère est allée mystérieusement à Angoulême avec ma tante, et toutes deux ont gardé le silence sur la haute politique de leur voyage, qui n'a pas eu lieu sans de longues conférences d'où nous avons été bannies, ainsi que monsieur le baron. De grandes conjectures occupent les esprits dans l'état de Rastignac. La robe de mousseline semée de fleurs à jour que brodent les infantes pour sa majesté la reine avance dans le plus profond secret. Il n'y a plus que deux laizes à faire. Il a été décidé qu'on ne ferait pas de mur du côté de Verteuil, il y aura une haie. Le menu peuple y perdra des fruits, des espaliers, mais on y gagnera une belle vue pour les étrangers. Si l'héritier présomptif avait besoin de mouchoirs, il est prévenu que la douairière de Marcillac, en fouillant dans ses trésors et ses malles, désignées sous le nom de Pompéia et d'Herculanum, a découvert une pièce de belle

*toile de Hollande, qu'elle ne se connaissait
pas; les princesses Agathe et Laure mettent à
ses ordres leur fil, leur aiguille, et des mains
toujours un peu trop rouges. Les deux jeunes
princes don Henri et don Gabriel ont conservé
la funeste habitude de se gorger de raisiné, de
faire enrager leurs sœurs, de ne vouloir rien
apprendre, de s'amuser à dénicher des oiseaux,
de tapager et de couper, malgré les lois de
l'État, des osiers pour se faire des badines. Le
nonce du pape, vulgairement appelé monsieur
le curé, menace de les excommunier s'ils conti-
nuent à laisser les saints canons de la
grammaire pour les canons du sureau belli-
queux. Adieu, cher frère, jamais lettre n'a
porté tant de vœux faits pour ton bonheur, ni
tant d'amour satisfait. Tu auras donc bien des
choses à nous dire quand tu viendras! Tu me
diras tout, à moi, je suis l'aînée. Ma tante nous
a laissé soupçonner que tu avais des succès dans
le monde.*

L'on parle d'une dame et l'on se tait du reste.

*Avec nous s'entend! Dis donc, Eugène, si tu
voulais, nous pourrions nous passer de mouchoirs, et nous te ferions des chemises. Ré-
ponds-moi vite à ce sujet. S'il te fallait promptement de belles chemises bien cousues, nous
serions obligées de nous y mettre tout de suite;*

et s'il y avait à Paris des façons que nous ne connussions pas, tu nous enverrais un modèle, surtout pour les poignets. Adieu, adieu! Je t'embrasse au front du côté gauche, sur la tempe qui m'appartient exclusivement. Je laisse l'autre feuillet pour Agathe, qui m'a promis de ne rien lire de ce que je te dis. Mais, pour en être sûre, je resterai près d'elle pendant qu'elle t'écrira. Ta sœur qui t'aime.

LAURE DE RASTIGNAC.

« Oh! oui, se dit Eugène, oui, la fortune à tout prix! Des trésors ne paieraient pas ce dévouement. Je voudrais leur apporter tous les bonheurs ensemble. Quinze cent cinquante francs! se dit-il après une pause. Il faut que chaque pièce porte coup! Laure a raison. Nom d'une femme! je n'ai que des chemises de grosse toile. Pour le bonheur d'un autre, une jeune fille devient rusée autant qu'un voleur. Innocente pour elle et prévoyante pour moi, elle est comme l'ange du Ciel qui pardonne les fautes de la terre sans les comprendre. »

Le monde était à lui! Déjà son tailleur avait été convoqué, sondé, conquis. En voyant M. de Trailles, Rastignac avait compris l'influence qu'exercent les tailleurs sur la vie des jeunes gens. Hélas! il n'existe pas de moyenne entre ces deux termes : un tailleur est ou un ennemi

mortel, ou un ami donné par la facture. Eugène
rencontra dans le sien un homme qui avait
compris la paternité de son commerce, et qui
se considérait comme un trait d'union entre le
présent et l'avenir des jeunes gens. Aussi Rastignac reconnaissant a-t-il fait la fortune de cet
homme par un de ces mots auxquels il excella
plus tard. « Je lui connais, disait-il, deux pan-
talons qui ont fait faire des mariages de vingt
mille livres de rente. »

Quinze cents francs et des habits à discrétion!
En ce moment le pauvre Méridional ne douta
plus de rien, et descendit au déjeuner avec cet
air indéfinissable que donne à un jeune homme
la possession d'une somme quelconque. A l'instant où l'argent se glisse dans la poche d'un étudiant, il se dresse en lui-même une colonne fantastique sur laquelle il s'appuie. Il marche
mieux qu'auparavant, il se sent un point d'appui pour son levier, il a le regard plein, direct,
il a les mouvements agiles; la veille, humble et
timide, il aurait reçu des coups; le lendemain,
il en donnerait à un premier ministre. Il se
passe en lui des phénomènes inouïs : il veut
tout et peut tout, il désire à tort et à travers,
il est gai, généreux, expansif. Enfin, l'oiseau naguère sans ailes a retrouvé son envergure.
L'étudiant sans argent happe un brin de plaisir
comme un chien qui dérobe un os à travers

mille périls, il le casse, en suce la moelle, et court encore; mais le jeune homme qui fait mouvoir dans son gousset quelques fugitives pièces d'or déguste ses jouissances, il les détaille, il s'y complaît, il se balance dans le ciel, il ne sait plus ce que signifie le mot *misère*. Paris lui appartient tout entier. Age où tout est luisant, où tout scintille et flambe! âge de force joyeuse dont personne ne profite, ni l'homme, ni la femme! âge des dettes et des vives craintes qui décuplent tous les plaisirs! Qui n'a pas pratiqué la rive gauche de la Seine, entre la rue Saint-Jacques et la rue des Saints-Pères, ne connaît rien à la vie humaine! — « Ah! si les femmes de Paris savaient! se disait Rastignac en dévorant les poires cuites, à un liard la pièce, servies par Mme Vauquer, elles viendraient se faire aimer ici. » En ce moment un facteur des Messageries royales se présenta dans la salle à manger, après avoir fait sonner la porte à claire-voie. Il demanda M. Eugène de Rastignac, auquel il tendit deux sacs à prendre, et un registre à émarger. Rastignac fut alors sanglé comme d'un coup de fouet par le regard profond que lui lança Vautrin.

« Vous aurez de quoi payer des leçons d'armes et des séances au tir, lui dit cet homme.

— Les galions sont arrivés », dit Mme Vauquer en regardant les sacs.

Mlle Michonneau craignait de jeter les yeux sur l'argent, de peur de montrer sa convoitise.

« Vous avez une bonne mère, dit Mme Couture.

— Monsieur a une bonne mère, répéta Poiret.

— Oui, la maman s'est saignée, dit Vautrin. Vous pourrez maintenant faire vos farces, aller dans le monde, y pêcher des dots, et danser avec des comtesses qui ont des fleurs de pêcher sur la tête. Mais croyez-moi, jeune homme, fréquentez le tir. »

Vautrin fit le geste d'un homme qui vise son adversaire. Rastignac voulut donner pour boire au facteur, et ne trouva rien dans sa poche. Vautrin fouilla dans la sienne, et jeta vingt sous à l'homme.

« Vous avez bon crédit », reprit-il en regardant l'étudiant.

Rastignac fut forcé de le remercier, quoique depuis les mots aigrement échangés, le jour où il était revenu de chez Mme de Beauséant, cet homme lui fût insupportable. Pendant ces huit jours Eugène et Vautrin étaient restés silencieusement en présence, et s'observaient l'un l'autre. L'étudiant se demandait vainement pourquoi. Sans doute les idées se projettent en raison directe de la force avec laquelle elles se conçoivent, et vont frapper là où le cerveau les envoie, par une loi mathématique comparable à celle qui dirige les bombes au sortir du mortier. Divers en sont les effets. S'il est des natures tendres où les idées se logent et qu'elles ravagent, il est aussi des natures vigoureusement munies, des crânes à remparts d'airain sur lesquels les volontés des autres s'aplatissent et tombent comme les balles devant une muraille; puis il est encore des natures flasques et cotonneuses où les idées d'autrui viennent mourir comme des boulets s'amortissent dans la terre molle des redoutes. Rastignac avait une de ces têtes pleines de poudre qui sautent au moindre choc. Il était trop vivacement jeune pour ne pas être accessible à cette projection des idées, à cette contagion des sentiments dont tant de bizarres phénomènes nous frappent à notre insu. Sa vue morale avait la portée lucide de ses yeux de lynx. Chacun de ses doubles sens avait cette longueur mystérieuse, cette flexibilité d'aller et de retour qui nous émerveille chez les gens supérieurs, bretteurs habiles à saisir le défaut de toutes les cuirasses. Depuis un mois il s'était d'ailleurs développé chez Eugène autant de qualités que de défauts. Ses défauts, le monde et l'accomplissement de ses croissants désirs les lui avaient demandés. Parmi ses qualités se trouvait cette vivacité méridionale qui fait marcher droit à la difficulté pour la résoudre, et qui ne

permet pas à un homme d'outre-Loire de rester
dans une incertitude quelconque; qualité que
les gens du Nord nomment un défaut : pour
eux, si ce fut l'origine de la fortune de Murat,
ce fut aussi la cause de sa mort. Il faudrait
conclure de là que quand un Méridional sait
unir une fourberie du Nord à l'audace d'outre-
Loire, il est complet et reste roi de Suède. Rastignac ne pouvait donc pas demeurer longtemps
sous le feu des batteries de Vautrin sans
savoir si cet homme était un ami ou un ennemi.
De moment en moment, il lui semblait que ce
singulier personnage pénétrait ses passions et
lisait dans son cœur, tandis que chez lui tout
était si bien clos qu'il semblait avoir la profondeur immobile d'un sphinx qui sait, voit
tout, et ne dit rien. En se sentant le gousset
plein, Eugène se mutina.

« Faites-moi le plaisir d'attendre, dit-il à Vautrin qui se levait pour sortir après avoir savouré
les dernières gorgées de son café.

— Pourquoi? répondit le quadragénaire en
mettant son chapeau à larges bords et prenant
une canne en fer avec laquelle il faisait souvent
des moulinets en homme qui n'aurait pas craint
d'être assailli par quatre voleurs.

— Je vais vous rendre, reprit Rastignac qui
défit promptement un sac et compta cent quarante francs à Mme Vauquer. Les bons comptes

font les bons amis, dit-il à la veuve. Nous sommes quittes jusqu'à la Saint-Sylvestre. Changez-moi ces cent sous.

— Les bons amis font les bons comptes, répéta Poiret en regardant Vautrin.

— Voici vingt sous, dit Rastignac en tendant une pièce au sphinx en perruque.

— On dirait que vous avez peur de me devoir quelque chose? s'écria Vautrin en plongeant un regard divinateur dans l'âme du jeune homme auquel il jeta un de ces sourires goguenards et diogéniques desquels Eugène avait été sur le point de se fâcher cent fois.

— Mais... oui », répondit l'étudiant qui tenait ses deux sacs à la main et s'était levé pour monter chez lui.

Vautrin sortait par la porte qui donnait dans le salon, et l'étudiant se disposait à s'en aller par celle qui menait sur le carré de l'escalier.

« Savez-vous, monsieur le marquis de Rastignacorama, que ce que vous me dites n'est pas exactement poli », dit alors Vautrin en fouettant la porte du salon et venant à l'étudiant qui le regarda froidement.

Rastignac ferma la porte de la salle à manger, en emmenant avec lui Vautrin au bas de l'escalier, dans le carré qui séparait la salle à manger de la cuisine, où se trouvait une porte pleine donnant sur le jardin, et surmontée d'un

long carreau garni de barreaux de fer. Là, l'étudiant dit devant Sylvie qui déboucha de sa cuisine : « *Monsieur* Vautrin, je ne suis pas
marquis, et je ne m'appelle pas Rastignacorama.

— Ils vont se battre, dit Mlle Michonneau
d'un air indifférent.

— Se battre! répéta Poiret.

— Que non, répondit Mme Vauquer en ca-
ressant sa pile d'écus.

— Mais les voilà qui vont sous les tilleuls,
cria Mlle Victorine en se levant pour regarder
dans le jardin. Ce pauvre jeune homme a pourtant raison.

— Remontons, ma chère petite, dit Mme Couture, ces affaires-là ne nous regardent pas. »

Quand Mme Couture et Victorine se levèrent,
elles rencontrèrent à la porte la grosse Sylvie
qui leur barra le passage.

« Quoi qui n'y a donc? dit-elle. M. Vautrin
a dit à Eugène : « Expliquons-nous! » Puis il
l'a pris par le bras, et les voilà qui marchent
dans nos artichauts. »

En ce moment Vautrin parut. « Maman Vauquer, dit-il en souriant, ne vous effrayez de rien,
je vais essayer mes pistolets sous les tilleuls.

— Oh! monsieur, dit Victorine en joignant
les mains, pourquoi voulez-vous tuer M. Eugène? »

Vautrin fit deux pas en arrière et contempla Victorine.

« Autre histoire, s'écria-t-il d'une voix railleuse qui fit rougir la pauvre fille. Il est bien gentil, n'est-ce pas, ce jeune homme-là? reprit-il. Vous me donnez une idée. Je ferai votre bonheur à tous deux, ma belle enfant. »

Mme Couture avait pris sa pupille par le bras et l'avait entraînée en lui disant à l'oreille : « Mais, Victorine, vous êtes inconcevable ce matin.

— Je ne veux pas qu'on tire des coups de pistolet chez moi, dit Mme Vauquer. N'allez-vous pas effrayer tout le voisinage et amener la police, à c't'heure!

— Allons, du calme, maman Vauquer, répondit Vautrin. Là, là, tout beau, nous irons au tir. » Il rejoignit Rastignac, qu'il prit familièrement par le bras : « Quand je vous aurais prouvé qu'à trente-cinq pas je mets cinq fois de suite ma balle dans un as de pique, lui dit-il, cela ne vous ôterait pas votre courage. Vous m'avez l'air d'être un peu rageur, et vous vous feriez tuer comme un imbécile.

— Vous reculez, dit Eugène.

— Ne m'échauffez pas la bile, répondit Vautrin. Il ne fait pas froid ce matin, venez vous asseoir là-bas, dit-il en montrant les sièges peints en vert. Là, personne ne nous entendra. J'ai à

causer avec vous. Vous êtes un bon petit jeune
homme auquel je ne veux pas de mal. Je vous
aime, foi de Tromp... (mille tonnerres!), foi de
Vautrin. Pourquoi vous aimé-je, je vous le dirai.
En attendant, je vous connais comme si je vous
avais fait, et vais vous le prouver. Mettez vos
sacs là », reprit-il en lui montrant la table
ronde.

Rastignac posa son argent sur la table et
s'assit en proie à une curiosité que développa
chez lui au plus haut degré le changement soudain opéré dans les manières de cet homme,
qui, après avoir parlé de le tuer, se posait
comme son protecteur.

« Vous voudriez bien savoir qui je suis, ce
que j'ai fait, ou ce que je fais, reprit Vautrin.
Vous êtes trop curieux, mon petit. Allons, du
calme. Vous allez en entendre bien d'autres!
J'ai eu des malheurs. Ecoutez-moi d'abord, vous
me répondrez après. Voilà ma vie antérieure en
trois mots. Qui suis-je? Vautrin. Que fais-je? Ce
qui me plaît. Passons. Voulez-vous connaître
mon caractère? Je suis bon avec ceux qui me
font du bien ou dont le cœur parle au mien.
A ceux-là tout est permis, ils peuvent me donner des coups de pied dans les os des jambes
sans que je leur dise : *Prends garde!* Mais, nom
d'une pipe! je suis méchant comme le diable
avec ceux qui me tracassent, ou qui ne me

reviennent pas. Et il est bon de vous apprendre
que je me soucie de tuer un homme comme de
ça! dit-il en lançant un jet de salive. Seulement
je m'efforce de le tuer proprement, quand il le
faut absolument. Je suis ce que vous appelez un
artiste. J'ai lu les mémoires de Benvenuto Cellini, tel que vous me voyez, et en italien encore! J'ai appris de cet homme-là, qui était un
fier luron, à imiter la Providence qui nous tue
à tort et à travers, et à aimer le beau partout
où il se trouve. N'est-ce pas d'ailleurs une belle
partie à jouer que d'être seul contre tous les
hommes et d'avoir la chance? J'ai bien réfléchi
à la constitution actuelle de votre désordre social. Mon petit, le duel est un jeu d'enfant, une
sottise. Quand de deux hommes vivants, l'un
doit disparaître, il faut être imbécile pour s'en
remettre au hasard. Le duel? croix ou pile!
voilà. Je mets cinq balles de suite dans un as
de pique en renfonçant chaque nouvelle balle
sur l'autre, et à trente-cinq pas encore! Quand on
est doué de ce petit talent-là, l'on peut se
croire sûr d'abattre son homme. Eh bien, j'ai
tiré sur un homme à vingt pas, je l'ai manqué.
Le drôle n'avait jamais manié de sa vie un pistolet. Tenez! dit cet homme extraordinaire en
défaisant son gilet et montrant sa poitrine velue
comme le dos d'un ours, mais garnie d'un crin
fauve qui causait une sorte de dégoût mêlé d'ef-

froi, ce blanc-bec m'a roussi le poil, ajouta-t-il
en mettant le doigt de Rastignac sur un trou
qu'il avait au sein. Mais dans ce temps-là j'étais
un enfant, j'avais votre âge, vingt et un ans. Je
croyais encore à quelque chose, à l'amour d'une
femme, un tas de bêtises dans lesquelles vous
allez vous embarbouiller. Nous nous serions bat-
tus, pas vrai? Vous auriez pu me tuer. Supposez
que je sois en terre, où seriez-vous? Il faudrait
décamper, aller en Suisse, manger l'argent du
papa, qui n'en a guère. Je vais vous éclairer,
moi, la position dans laquelle vous êtes; mais
je vais le faire avec la supériorité d'un homme
qui, après avoir examiné les choses d'ici-bas, a
vu qu'il n'y avait que deux partis à prendre :
ou une stupide obéissance ou la révolte. Je
n'obéis à rien, est-ce clair? Savez-vous ce qu'il
vous faut, à vous, au train où vous allez? un
million, et promptement; sans quoi, avec notre
petite tête, nous pourrions aller flâner dans les
filets de Saint-Cloud, pour voir s'il y a un Être-
Suprême. Ce million, je vais vous le donner. »
Il fit une pause en regardant Eugène. « Ah! ah!
vous faites meilleure mine à votre petit papa
Vautrin. En entendant ce mot-là, vous êtes
comme une jeune fille à qui l'on dit : A ce soir,
et qui se toilette en se pourléchant comme un
chat qui boit du lait. A la bonne heure. Allons
donc! A nous deux! Voici votre compte, jeune

homme. Nous avons, là-bas, papa, maman, grand-tante, deux sœurs (dix-huit et dix-sept ans), deux petits frères (quinze et dix ans), voilà le contrôle de l'équipage. La tante élève vos sœurs. Le curé vient apprendre le latin aux deux frères. La famille mange plus de bouillie de marrons que de pain blanc, le papa ménage ses culottes, maman se donne à peine une robe d'hiver et une robe d'été, nos sœurs font comme elles peuvent. Je sais tout, j'ai été dans le Midi. Les choses sont comme cela chez vous, si l'on vous envoie douze cents francs par an, et que votre terrine ne rapporte que trois mille francs. Nous avons une cuisinière et un domestique, il faut garder le décorum, papa est baron. Quant à nous, nous avons de l'ambition, nous avons les Beauséant pour alliés et nous allons à pied, nous voulons la fortune et nous n'avons pas le sou, nous mangeons les *ratatouilles* de maman Vauquer et nous aimons les beaux dîners du faubourg Saint-Germain, nous couchons sur un grabat et nous voulons un hôtel. Je ne blâme pas vos vouloirs. Avoir de l'ambition, mon petit cœur, ce n'est pas donné à tout le monde. Demandez aux femmes quels hommes elles recherchent, les ambitieux. Les ambitieux ont les reins plus forts, le sang plus riche en fer, le cœur plus chaud que ceux des autres hommes. Et la femme se trouve si heureuse et si belle

aux heures où elle est forte, qu'elle préfère à
tous les hommes celui dont la force est énorme,
fût-elle en danger d'être brisée par lui. Je fais
l'inventaire de vos désirs afin de vous poser la
question. Cette question, la voici. Nous avons
une faim de loup, nos quenottes sont incisives,
comment nous y prendrons-nous pour approvisionner la marmite? Nous avons d'abord le Code
à manger, ce n'est pas amusant. et ça n'apprend
rien; mais il le faut. Soit. Nous nous faisons
avocat pour devenir président d'une cour d'assises, envoyer les pauvres diables qui valent
mieux que nous avec T. F. sur l'épaule, afin de
prouver aux riches qu'ils peuvent dormir tranquillement. Ce n'est pas drôle, et puis c'est long.
D'abord, deux années à droguer dans Paris, à
regarder, sans y toucher, les *nanans* dont nous
sommes friands. C'est fatigant de désirer toujours sans jamais se satisfaire. Si vous étiez pâle
et de la nature des mollusques, vous n'auriez
rien à craindre; mais nous avons le sang fié-
vreux des lions et un appétit à faire vingt sottises par jour. Vous succomberez donc à ce
supplice, le plus horrible que nous ayons aperçu
dans l'enfer du bon Dieu. Admettons que vous
soyez sage, que vous buviez du lait et que vous
fassiez des élégies; il faudra, généreux comme
vous l'êtes, commencer, après bien des ennuis
et des privations à rendre un chien enragé, par

devenir le substitut de quelque drôle, dans un
trou de ville où le gouvernement vous jettera
mille francs d'appointements, comme on jette
une soupe à un dogue de boucher. Aboie après
les voleurs, plaide pour le riche, fais guillotiner
des gens de cœur. Bien obligé! Si vous n'avez
pas de protections, vous pourrirez dans votre
tribunal de province. Vers trente ans, vous serez
juge à douze cents francs par an, si vous n'avez
pas encore jeté la robe aux orties. Quand vous
aurez atteint la quarantaine, vous épouserez
quelque fille de meunier, riche d'environ six
mille livres de rente. Merci. Ayez des protections, vous serez procureur du roi à trente ans,
avec mille écus d'appointements, et vous épouserez la fille du maire. Si vous faites quelques-unes de ces petites bassesses politiques,
comme de lire sur un bulletin Villèle au lieu
de Manuel (ça rime, ça met la conscience en
repos), vous serez, à quarante ans, procureur-
général, et pourrez devenir député. Remarquez,
mon cher enfant, que nous aurons fait des ac-
crocs à notre petite conscience, que nous aurons
eu vingt ans d'ennuis, de misères secrètes, et
que nos sœurs auront coiffé sainte Catherine.
J'ai l'honneur de vous faire observer de plus
qu'il n'y a que vingt procureurs généraux en
France, et que vous êtes vingt mille aspirants
au grade, parmi lesquels il se rencontre des far-

ceurs qui vendraient leur famille pour monter
d'un cran. Si le métier vous dégoûte, voyons
autre chose. Le baron de Rastignac veut-il être
avocat? Oh! joli. Il faut pâtir pendant dix ans,
dépenser mille francs par mois, avoir une biblio-
thèque, un cabinet, aller dans le monde, baiser
la robe d'un avoué pour avoir des causes, ba-
layer le palais avec sa langue. Si ce métier vous
menait à bien, je ne dirais pas non; mais trou-
vez-moi dans Paris cinq avocats qui, à cinquante
ans, gagnent plus de cinquante mille francs par
an? Bah! plutôt que de m'amoindrir ainsi
l'âme, j'aimerais mieux me faire corsaire. D'ailleurs, où prendre des écus? Tout ça n'est pas
gai. Nous avons une ressource dans la dot d'une
femme. Voulez-vous vous marier? ce sera vous
mettre une pierre au cou; puis, si vous vous
mariez pour de l'argent, que deviennent nos
sentiments d'honneur, notre noblesse! Autant
commencer aujourd'hui votre révolte contre les
conventions humaines. Ce ne serait rien que se
coucher comme un serpent devant une femme,
lécher les pieds de la mère, faire des bassesses
à dégoûter une truie, pouah! si vous trouviez au
moins le bonheur. Mais vous serez malheureux
comme les pierres d'égout avec une femme que
vous aurez épousée ainsi. Vaut encore mieux
guerroyer avec les hommes que de lutter avec
sa femme. Voilà le carrefour de la vie, jeune

homme, choisissez. Vous avez déjà choisi : vous
êtes allé chez notre cousin de Beauséant, et vous
y avez flairé le luxe. Vous êtes allé chez Mme de
Restaud. la fille du père Goriot, et vous y avez
flairé la Parisienne. Ce jour-là vous êtes revenu
avec un mot écrit sur votre front, et que j'ai
bien su lire : *Parvenir!* parvenir à tout prix.
Bravo! ai-je dit, voilà un gaillard qui me va.
Il vous a fallu de l'argent. Où en prendre? Vous
avez saigné vos sœurs. Tous les frères *flouent*
plus ou moins leurs sœurs. Vos quinze cents
francs arrachés, Dieu sait comme! dans un pays
où l'on trouve plus de châtaignes que de pièces
de cent sous, vont filer comme des soldats à la
maraude. Après, que ferez-vous? vous travail-
lerez? Le travail, compris comme vous le comprenez en ce moment, donne, dans les vieux
jours, un appartement chez maman Vauquer, à
des gars de la force de Poiret. Une rapide fortune est le problème que se proposent de résoudre en ce moment cinquante mille jeunes
gens qui se trouvent tous dans votre position.
Vous êtes une unité de ce nombre-là. Jugez des
efforts que vous avez à faire et de l'acharnement
du combat. Il faut vous manger les uns les
autres comme des araignées dans un pot, attendu
qu'il n'y a pas cinquante mille bonnes
places. Savez-vous comment on fait son chemin
ici? par l'éclat du génie ou par l'adresse de la

corruption. Il faut entrer dans cette masse
d'hommes comme un boulet de canon, ou s'y
glisser comme une peste. L'honnêteté ne sert à
rien. L'on plie sous le pouvoir du génie. on le
hait, on tâche de le calomnier, parce qu'il prend
sans partager; mais on plie s'il persiste; en un
mot, on l'adore à genoux quand on n'a pas pu
l'enterrer sous la boue. La corruption est en
force, le talent est rare. Ainsi, la corruption est
l'arme de la médiocrité qui abonde, et vous en
sentirez partout la pointe. Vous verrez des
femmes dont les maris ont six mille francs d'appointements pour tout potage, et qui dépensent
plus de dix mille francs à leur toilette. Vous
verrez des employés à douze cents francs acheter
des terres. Vous verrez des femmes se prostituer
pour aller dans la voiture du fils d'un pair de
France, qui peut courir à Longchamp sur la
chaussée du milieu. Vous avez vu le pauvre
bêta de père Goriot obligé de payer la lettre de
change endossée par sa fille, dont le mari a cinquante mille livres de rente. Je vous défie de
faire deux pas dans Paris sans rencontrer des
manigances infernales. Je parierais ma tête
contre un pied de cette salade que vous donnerez dans un guêpier chez la première femme qui
vous plaira, fût-elle riche, belle et jeune. Toutes
sont bricolées par les lois, en guerre avec leurs
maris à propos de tout. Je n'en finirais pas s'il

fallait vous expliquer les trafics qui se font pour
des amants, pour des chiffons, pour des enfants,
pour le ménage ou pour la vanité, rarement
par vertu, soyez-en sûr. Aussi l'honnête homme
est-il l'ennemi commun. Mais que croyez-vous
que soit l'honnête homme? A Paris, l'honnête
homme est celui qui se tait, et refuse de partager. Je ne vous parle pas de ces pauvres ilotes
qui partout font la besogne sans être jamais
récompensés de leurs travaux, et que je nomme
la confrérie des savates du bon Dieu. Certes, là
est la vertu dans toute la fleur de sa bêtise, mais
là est la misère. Je vois d'ici la grimace de ces
braves gens si Dieu nous faisait la mauvaise
plaisanterie de s'absenter au jugement dernier.
Si donc vous voulez promptement la fortune, il
faut être déjà riche ou le paraître. Pour s'enrichir, il s'agit ici de jouer de grands coups; autrement on carotte, et votre serviteur. Si dans
les cent professions que vous pouvez embrasser,
il se rencontre dix hommes qui réussissent vite,
le public les appelle des voleurs. Tirez vos
conclusions. Voilà la vie telle qu'elle est. Ça
n'est pas plus beau que la cuisine, ça pue tout
autant, et il faut se salir les mains si l'on veut
fricoter; sachez seulement vous bien débar-
bouiller : là est toute la morale de notre
époque. Si je vous parle ainsi du monde, il m'en
a donné le droit, je le connais. Croyez-vous que

je le blâme? du tout. Il a toujours été ainsi.
Les moralistes ne le changeront jamais.
L'homme est imparfait. Il est parfois plus ou
moins hypocrite, et les niais disent alors qu'il a
ou n'a pas de mœurs. Je n'accuse pas les riches
en faveur du peuple : l'homme est le même en
haut, en bas, au milieu. Il se rencontre par
chaque million de ce haut bétail dix lurons
qui se mettent au-dessus de tout, même des
lois : j'en suis. Vous, si vous êtes un homme
supérieur, allez en droite ligne et la tête haute.
Mais il faudra lutter contre l'envie, la calomnie,
la médiocrité, contre tout le monde. Napoléon a
rencontré un ministre de la guerre qui s'appelait Aubry, et qui a failli l'envoyer aux colo-
nies. Tâtez-vous! Voyez si vous pourrez vous
lever tous les matins avec plus de volonté que
vous n'en aviez la veille. Dans ces conjonctures,
je vais vous faire une proposition que personne
ne refuserait. Ecoutez bien. Moi, voyez-vous, j'ai
une idée. Mon idée est d'aller vivre de la vie
patriarcale au milieu d'un grand domaine, cent
mille arpents, par exemple, aux Etats-Unis, dans
le sud. Je veux m'y faire planteur, avoir
des esclaves, gagner quelques bons petits millions à vendre mes bœufs, mon tabac, mes bois,
en vivant comme un souverain, en faisant mes
volontés, en menant une vie qu'on ne conçoit
pas ici, où l'on se tapit dans un terrier de

plâtre. Je suis un grand poète. Mes poésies, je
ne les écris pas : elles consistent en actions et
en sentiments. Je possède en ce moment cinquante mille francs qui me donneraient à peine
quarante nègres. J'ai besoin de deux cent mille
francs, parce que je veux deux cents nègres,
afin de satisfaire mon goût pour la vie patriarcale. Des nègres, voyez-vous, c'est des enfants
tout venus dont on fait ce qu'on veut, sans
qu'un curieux de procureur du roi arrive vous
en demander compte. Avec ce capital noir, en
dix ans j'aurai trois ou quatre millions. Si je
réussis, personne ne me demandera : Qui es-tu?
Je serai monsieur Quatre-Millions, citoyen des
Etats-Unis. J'aurai cinquante ans, je ne serai pas
encore pourri, je m'amuserai à ma façon. En
deux mots, si je vous procure une dot d'un million, me donnerez-vous deux cent mille francs?
Vingt pour cent de commission, hein! est-ce trop
cher? Vous vous ferez aimer de votre petite
femme. Une fois marié, vous manifesterez des
inquiétudes, des remords, vous ferez le triste
pendant quinze jours. Une nuit, après quelques
singeries, vous déclarerez, entre deux baisers,
deux cent mille francs de dettes à votre femme,
en lui disant : Mon amour! Ce vaudeville est
joué tous les jours par les jeunes gens les plus
distingués. Une jeune femme ne refuse pas sa
bourse à celui qui lui prend le cœur. Croyez-

vous que vous y perdrez? Non. Vous trouverez
le moyen de regagner vos deux cent mille francs
dans une affaire. Avec votre argent et votre
esprit, vous amasserez une fortune aussi considérable que vous pourrez la souhaiter. *Ergo*
vous aurez fait, en six mois de temps, votre
bonheur, celui d'une femme aimable et celui
de votre papa Vautrin, sans compter celui de
votre famille qui souffle dans ses doigts, l'hiver,
faute de bois. Ne vous étonnez ni de ce que je
vous propose, ni de ce que je vous demande!
Sur soixante beaux mariages qui ont lieu dans
Paris, il y en a quarante-sept qui donnent lieu
à des marchés semblables. La Chambre des No-
taires a forcé monsieur...

— Que faut-il que je fasse? dit avidement
Rastignac en interrompant Vautrin.

— Presque rien, répondit cet homme en laissant échapper un mouvement de joie semblable
à la sourde expression d'un pêcheur qui sent
un poisson au bout de sa ligne. Ecoutez-moi
bien! Le cœur d'une pauvre fille malheureuse
et misérable est l'éponge la plus avide à se remplir d'amour, une éponge sèche qui se dilate
aussitôt qu'il y tombe une goutte de sentiment.
Faire la cour à une jeune personne qui se rencontre dans des conditions de solitude, de désespoir et de pauvreté sans qu'elle se doute de sa
fortune à venir! dam! c'est quinte et quatorze

en main, c'est connaître les numéros à la loterie.
c'est jouer sur les rentes en sachant les nouvelles. Vous construisez sur pilotis un mariage
indestructible. Viennent des millions à cette
jeune fille, elle vous les jettera aux pieds, comme
si c'étaient des cailloux. « Prends, mon bien-
« aimé! Prends, Adolphe! Alfred! Prends, Eu-
« gène! » dira-t-elle si Adolphe, Alfred ou
Eugène ont eu le bon esprit de se sacrifier pour
elle. Ce que j'entends par des sacrifices, c'est
vendre un vieil habit afin d'aller au Cadran-
Bleu manger ensemble des croûtes aux cham-
pignons; de là, le soir, à l'Ambigu-Comique;
c'est mettre sa montre au mont-de-piété pour
lui donner un châle. Je ne vous parle pas du
gribouillage de l'amour ni des fariboles auxs-
quelles tiennent tant les femmes, comme, par
exemple, de répandre des gouttes d'eau sur le
papier à lettre en manière de larmes quand on
est loin d'elles : vous m'avez l'air de connaître
parfaitement l'argot du cœur. Paris, voyez-vous,
est comme une forêt du Nouveau Monde, où
s'agitent vingt espèces de peuplades sauvages,
les Illinois, les Hurons, qui vivent du produit
que donnent les différentes chasses sociales; vous
êtes un chasseur de millions. Pour les prendre,
vous usez de pièges, de pipeaux, d'appeaux. Il
y a plusieurs manières de chasser. Les uns
chassent à la dot; les autres chassent à la liqui-

dation; ceux-ci pêchent des consciences, ceux-là vendent leurs abonnés pieds et poings liés. Celui qui revient avec sa gibecière bien garnie est salué, fêté, reçu dans la bonne société. Rendons justice à ce sol hospitalier, vous avez affaire à la ville la plus complaisante qui soit dans le monde. Si les fières aristocraties de toutes les capitales de l'Europe refusent d'admettre dans leurs rangs un millionnaire infâme, Paris lui tend les bras, court à ses fêtes, mange ses dîners et trinque avec son infamie.

— Mais où trouver une fille? dit Eugène.

— Elle est à vous, devant vous!

— Mlle Victorine?

— Juste!

— Eh! comment?

— Elle vous aime déjà, votre petite baronne de Rastignac!

— Elle n'a pas un sou, reprit Eugène étonné.

— Ah! nous y voilà. Encore deux mots, dit Vautrin, et tout s'éclaircira. Le père Taillefer est un vieux coquin qui passe pour avoir assassiné l'un de ses amis pendant la révolution. C'est un de mes gaillards qui ont de l'indépendance dans les opinions. Il est banquier, principal associé de la maison Frédéric Taillefer et compagnie. Il a un fils unique, auquel il veut laisser son bien, au détriment de Victorine. Moi, je n'aime pas ces injustices-là. Je suis comme

don Quichotte, j'aime à prendre la défense
du faible contre le fort. Si la volonté de Dieu
était de lui retirer son fils, Taillefer repren-
drait sa fille; il voudrait un héritier quelconque,
une bêtise qui est dans la nature, et il ne
peut plus avoir d'enfants, je le sais. Victorine
est douce et gentille, elle aura bientôt entor-
tillé son père, et le fera tourner comme une
toupie d'Allemagne avec le fouet du sentiment!
Elle sera trop sensible à votre amour pour vous
oublier, vous l'épouserez. Moi, je me charge du
rôle de la Providence, je ferai vouloir le bon
Dieu. J'ai un ami pour qui je me suis dévoué,
un colonel de l'armée de la Loire qui vient
d'être employé dans la garde royale. Il écoute
mes avis, et s'est fait ultra-royaliste : ce n'est
pas un de ces imbéciles qui tiennent à leurs
opinions. Si j'ai encore un conseil à vous donner, mon ange, c'est de ne pas plus tenir à vos
opinions qu'à vos paroles. Quand on vous les
demandera, vendez-les. Un homme qui se vante
de ne jamais changer d'opinion est un homme
qui se charge d'aller toujours en ligne droite,
un niais qui croit à l'infaillibilité. Il n'y a pas
de principes, il n'y a que des événements; il n'y
a pas de lois, il n'y a que des circonstances :
l'homme supérieur épouse les événements et les
circonstances pour les conduire. S'il y avait des
principes et des lois fixes, les peuples n'en chan-

geraient pas comme nous changeons de chemises. L'homme n'est pas tenu d'être plus sage
que toute une nation. L'homme qui a rendu
le moins de services à la France est un fétiche
vénéré pour avoir toujours vu en rouge, il est
tout au plus bon à mettre au Conservatoire,
parmi les machines, en l'étiquetant La Fayette;
tandis que le prince auquel chacun lance sa
pierre, et qui méprise assez l'humanité pour lui
cracher au visage autant de serments qu'elle en
demande, a empêché le partage de la France au
congrès de Vienne : on lui doit des couronnes,
on lui jette de la boue. Oh! je connais les
affaires, moi! J'ai les secrets de bien des
hommes! Suffit. J'aurai une opinion inébran-
lable le jour où j'aurai rencontré trois têtes
d'accord sur l'emploi d'un principe, et j'attendrai longtemps! L'on ne trouve pas dans les
tribunaux trois juges qui aient le même avis
sur un article de loi. Je reviens à mon homme.
Il remettrait Jésus-Christ en croix si je le lui
disais. Sur un seul mot de son papa Vautrin, il
cherchera querelle à ce drôle qui n'envoie pas
seulement cent sous à sa pauvre sœur, et... »
Ici Vautrin se leva, se mit en garde, et fit le
mouvement d'un maître d'armes qui se fend.
« Et, à l'ombre! ajouta-t-il.

— Quelle horreur! dit Eugène. Vous voulez
plaisanter. monsieur Vautrin?

— Là, là, là, du calme, reprit cet homme. Ne
faites pas l'enfant : cependant, si cela peut vous
amuser, courroucez-vous, emportez-vous! Dites
que je suis un infâme, un scélérat, un coquin,
un bandit, mais ne m'appelez ni escroc, ni
espion! Allez, dites, lâchez votre bordée! Je vous
pardonne, c'est si naturel à votre âge! J'ai été
comme ça, moi! Seulement, réfléchissez. Vous
ferez pis quelque jour. Vous irez coqueter chez
quelque jolie femme et vous recevrez de l'argent. Vous y avez pensé! dit Vautrin; car comment réussirez-vous, si vous n'escomptez pas
votre amour? La vertu, mon cher étudiant, ne
se scinde pas : elle est ou n'est pas. On nous
parle de faire pénitence de nos fautes. Encore
un joli système que celui en vertu duquel on
est quitte d'un crime avec un acte de contrition!
Séduire une femme pour arriver à vous poser sur tel bâton de l'échelle sociale, jeter la
zizanie entre les enfants d'une famille, enfin
toutes les infamies qui se pratiquent sous le
manteau d'une cheminée ou autrement dans un
but de plaisir ou d'intérêt personnel, croyez-
vous que ce soient des actes de foi, d'espérance
et de charité? Pourquoi deux mois de prison au
dandy qui, dans une nuit, ôte à un enfant la
moitié de sa fortune, et pourquoi le bagne au
pauvre diable qui vole un billet de mille francs
avec les circonstances aggravantes? Voilà vos

lois. Il n'y a pas un article qui n'arrive à l'ab-
surde. L'homme en gants et à paroles jaunes a
commis des assassinats où l'on ne verse pas de
sang, mais où l'on en donne; l'assassin a ouvert
une porte avec un monseigneur : deux choses
nocturnes! Entre ce que je vous propose et ce
que vous ferez un jour, il n'y a que le sang de
moins. Vous croyez à quelque chose de fixe dans
ce monde-là! Méprisez donc les hommes, et
voyez les mailles par où on peut passer à travers
le réseau du Code. Le secret des grandes fortunes sans cause apparente est un crime oublié,
parce qu'il a été proprement fait.

— Silence, monsieur, je ne veux pas en entendre davantage, vous me feriez douter de moi-
même. En ce moment le sentiment est toute
ma science.

— A votre aise, bel enfant. Je vous croyais
plus fort, dit Vautrin, je ne vous dirai plus rien.
Un dernier mot, cependant. » Il regarda fixement l'étudiant : « Vous avez mon secret, lui
dit-il.

— Un jeune homme qui vous refuse saura
bien l'oublier.

— Vous avez bien dit cela, ça me fait plaisir.
Un autre, voyez-vous, sera moins scrupuleux.
Souvenez-vous de ce que je veux faire pour vous.
Je vous donne quinze jours. C'est à prendre ou
à laisser. »

« Quelle tête de fer a donc cet homme! se dit Rastignac en voyant Vautrin s'en aller tranquillement, sa canne sous le bras. Il m'a dit crûment ce que Mme de Beauséant me disait en y mettant des formes. Il me déchirait le cœur avec des griffes d'acier. Pourquoi veux-je aller chez Mme de Nucingen? Il a deviné mes motifs aussitôt que je les ai conçus. En deux mots, ce brigand m'a dit plus de choses sur la vertu que ne m'en ont dit les hommes et les livres. Si la vertu ne souffre pas de capitulations, j'ai donc volé mes sœurs? » dit-il en jetant le sac sur la table. Il s'assit, et resta là plongé dans une étourdissante méditation. « Etre fidèle à la vertu, martyre sublime! Bah! tout le monde croit à la vertu; mais qui est vertueux? Les peuples ont la liberté pour idole; mais où est sur la terre un peuple libre? Ma jeunesse est encore bleue comme un ciel sans nuage : vouloir être grand ou riche, n'est-ce pas se résoudre à mentir, plier, ramper, se redresser, flatter, dissimuler? n'est-ce pas consentir à se faire le valet de ceux qui ont menti, plié, rampé? Avant d'être leur complice, il faut les servir. Eh bien, non. Je veux travailler noblement, saintement; je veux travailler jour et nuit, ne devoir ma fortune qu'à mon labeur. Ce sera la plus lente des fortunes, mais chaque jour ma tête reposera sur mon oreiller sans une pensée mauvaise. Qu'y a-t-il de plus

beau que de contempler sa vie et de la trouver
pure comme un lis? Moi et la vie, nous sommes
comme un jeune homme et sa fiancée. Vautrin
m'a fait voir ce qui arrive après dix ans de
mariage. Diable! ma tête se perd. Je ne veux
penser à rien, le cœur est un bon guide. »

Eugène fut tiré de sa rêverie par la voix de
la grosse Sylvie, qui lui annonça son tailleur,
devant lequel il se présenta, tenant à la main
ses deux sacs d'argent, et il ne fut pas fâché de
cette circonstance. Quand il eut essayé ses habits
du soir, il remit sa nouvelle toilette du matin,
qui le métamorphosait complètement. « Je vaux
bien M. de Trailles, se dit-il. Enfin j'ai l'air
d'un gentilhomme!

— Monsieur, dit le père Goriot en entrant
chez Eugène, vous m'avez demandé si je connaissais les maisons où va Mme de Nucingen?

— Oui!

— Eh bien, elle va lundi prochain au bal du
maréchal Carigliano. Si vous pouvez y être, vous
me direz si mes deux filles se sont bien amusées,
comment elles seront mises, enfin tout.

— Comment avez-vous su cela, mon bon père
Goriot? dit Eugène en le faisant asseoir à son
feu.

— Sa femme de chambre me l'a dit. Je sais
tout ce qu'elles font par Thérèse et par Constance », reprit-il d'un air joyeux. Le vieillard

ressemblait à un amant encore assez jeune pour
être heureux d'un stratagème qui le met en
communication avec sa maîtresse sans qu'elle
puisse s'en douter. « Vous les verrez, vous! dit-il
en exprimant avec naïveté une douloureuse
envie.

— Je ne sais pas, répondit Eugène. Je vais
aller chez Mme de Beauséant lui demander si elle peut me présenter à la maréchale. »

Eugène pensait avec une sorte de joie inté-
rieure à se montrer chez la vicomtesse mis
comme il le serait désormais. Ce que les moralistes nomment les abîmes du cœur humain sont
uniquement les décevantes pensées, les invo-
lontaires mouvements de l'intérêt personnel. Ces
péripéties. le sujet de tant de déclamations, ces
retours soudains sont des calculs faits au profit
de nos jouissances. En se voyant bien mis. bien
ganté, bien botté, Rastignac oublia sa vertueuse
résolution. La jeunesse n'ose pas se regarder au
miroir de la conscience quand elle verse du
côté de l'injustice, tandis que l'âge mûr s'y est
vu : là gît toute la différence entre ces deux
phases de la vie. Depuis quelques jours les deux
voisins, Eugène et le père Goriot, étaient devenus bons amis. Leur secrète amitié tenait aux
raisons psychologiques qui avaient engendré des
sentiments contraires entre Vautrin et l'étudiant. Le hardi philosophe qui voudra constater

les effets de nos sentiments dans le monde physique trouvera sans doute plus d'une preuve de
leur effective matérialité dans les rapports qu'ils
créent entre nous et les animaux. Quel phy-
siognomoniste est plus prompt à deviner un
caractère qu'un chien l'est à savoir si un inconnu
l'aime ou ne l'aime pas? *Les atomes cro-
chus,* expression proverbiale dont chacun se sert,
sont un de ces faits qui restent dans les lan-
gages pour démentir les niaiseries philoso-
phiques dont s'occupent ceux qui aiment à
vanner les épluchures des mots primitifs. On
se sent aimé. Le sentiment s'empreint en toutes
choses et traverse les espaces. Une lettre est une
âme, elle est un si fidèle écho de la voix qui
parle que les esprits délicats la comptent parmi
les plus riches trésors de l'amour. Le père Goriot, que son sentiment irréfléchi élevait jusqu'au sublime de sa nature canine, avait flairé
la compassion, l'admirative bonté, les sympathies
juvéniles qui s'étaient émues pour lui dans le
cœur de l'étudiant. Cependant cette union nais-
sante n'avait encore amené aucune confidence.
Si Eugène avait manifesté le désir de voir
Mme de Nucingen, ce n'était pas qu'il comptât
sur le vieillard pour être introduit par lui chez
elle; mais il espérait qu'une indiscrétion
pourrait le bien servir. Le père Goriot ne lui
avait parlé de ses filles qu'à propos de ce qu'il

s'était permis d'en dire publiquement le jour
de ses deux visites. « Mon cher monsieur, lui
avait-il dit le lendemain, comment avez-vous pu
croire que Mme de Restaud vous en ait voulu
d'avoir prononcé mon nom? Mes deux filles
m'aiment bien. Je suis un heureux père. Seulement, mes deux gendres se sont mal conduits
envers moi. Je n'ai pas voulu faire souffrir ces
chères créatures de mes dissensions avec leurs
maris, et j'ai préféré les voir en secret. Ce mystère me donne mille jouissances que ne comprennent pas les autres pères qui peuvent voir
leurs filles quand ils veulent. Moi, je ne le peux
pas, comprenez-vous? Alors je vais, quand il fait
beau, dans les Champs-Elysées, après avoir demandé aux femmes de chambre si mes filles
sortent. Je les attends au passage, le cœur me
bat quand les voitures arrivent, je les admire
dans leur toilette, elles me jettent en passant
un petit rire qui me dore la nature comme s'il
y tombait un rayon de quelque beau soleil. Et
je reste, elles doivent revenir. Je les vois encore!
l'air leur a fait du bien, elles sont roses. J'entends dire autour de moi : Voilà une belle
femme! Ça me réjouit le cœur. N'est-ce pas mon
sang? J'aime les chevaux qui les traînent, et je
voudrais être le petit chien qu'elles ont sur leurs
genoux. Je vis de leurs plaisirs. Chacun a sa
façon d'aimer, la mienne ne fait pourtant de

mal à personne, pourquoi le monde s'occupe-
t-il de moi? Je suis heureux à ma manière.
Est-ce contre les lois que j'aille voir mes filles,
le soir, au moment où elles sortent de leurs maisons pour se rendre au bal? Quel chagrin pour
moi si j'arrive trop tard, et qu'on me dise :
Madame est sortie. Un soir j'ai attendu jusqu'à
trois heures du matin pour voir Nasie, que je
n'avais pas vue depuis deux jours. J'ai manqué
crever d'aise! Je vous en prie, ne parlez de moi
que pour dire combien mes filles sont bonnes.
Elles veulent me combler de toutes sortes de
cadeaux; je les en empêche, je leur dis : « Gardez
« donc votre argent! Que voulez-vous que j'en
« fasse? Il ne me faut rien. » En effet, mon
cher monsieur, que suis-je? un méchant cadavre
dont l'âme est partout où sont mes filles. Quand
vous aurez vu Mme de Nucingen, vous me direz
celle des deux que vous préférez », dit le
bonhomme après un moment de silence en
voyant Eugène qui se disposait à partir pour
aller se promener aux Tuileries en attendant
l'heure de se présenter chez Mme de Beauséant.

Cette promenade fut fatale à l'étudiant.
Quelques femmes le remarquèrent. Il était si
beau, si jeune, et d'une élégance de si bon
goût! En se voyant l'objet d'une attention
presque admirative, il ne pensa plus à ses sœurs
ni à sa tante dépouillées, ni à ses vertueuses ré-

pugnances. Il avait vu passer au-dessus de sa tête
ce démon qu'il est si facile de prendre pour un
ange, ce Satan aux ailes diaprées, qui sème des
rubis, qui jette ses flèches d'or au front des
palais, empourpre les femmes, revêt d'un sot
éclat les trônes, si simples dans leur origine; il
avait écouté le dieu de cette vanité crépitante
dont le clinquant nous semble être un symbole
de puissance. La parole de Vautrin, quelque
cynique qu'elle fût, s'était logée dans son cœur
comme dans le souvenir d'une vierge se grave
le profil ignoble d'une vieille marchande à la
toilette, qui lui a dit : « Or et amours à flots! »
Après avoir indolemment flâné, vers cinq heures
Eugène se présenta chez Mme de Beauséant, et
il y reçut un de ces coups terribles contre lesquels les cœurs jeunes sont sans armes. Il avait
jusqu'alors trouvé la vicomtesse pleine de cette
aménité polie, de cette grâce melliflue donnée
par l'éducation aristocratique, et qui n'est complète que si elle vient du cœur.

Quand il entra, Mme de Beauséant fit un
geste sec, et lui dit d'une voix brève : « Monsieur de Rastignac, il m'est impossible de vous
voir, en ce moment du moins! je suis en
affaire... »

Pour un observateur, et Rastignac l'était devenu promptement, cette phrase, le geste, le
regard, l'inflexion de voix, étaient l'histoire du

caractère et des habitudes de la caste. Il aperçut la main de fer sous le gant de velours; la
personnalité, l'égoïsme, sous les manières; le
bois, sous le vernis. Il entendit enfin le MOI LE
ROI qui commence sous les panaches du trône
et finit sous le cimier du dernier gentilhomme.
Eugène s'était trop facilement abandonné sur
sa parole à croire aux noblesses de la femme.
Comme tous les malheureux, il avait signé de
bonne foi le pacte délicieux qui doit lier le bien-
faiteur à l'obligé, et dont le premier article
consacre entre les grands cœurs une complète
égalité. La bienfaisance, qui réunit deux êtres
en un seul, est une passion céleste aussi incom-
prise, aussi rare que l'est le véritable amour.
L'un et l'autre est la prodigalité des belles âmes.
Rastignac voulait arriver au bal de la duchesse
de Carigliano, il dévora cette bourrasque.

« Madame, dit-il d'une voix émue, s'il ne
s'agissait pas d'une chose importante, je ne
serais pas venu vous importuner; soyez assez gracieuse pour me permettre de vous voir plus tard,
j'attendrai.

— Eh bien, venez dîner avec moi », dit-elle un
peu confuse de la dureté qu'elle avait mise dans
ses paroles; car cette femme était vraiment aussi
bonne que grande.

Quoique touché de ce retour soudain, Eugène
se dit en s'en allant : « Rampe, supporte tout

Que doivent être les autres, si, dans un moment, la meilleure des femmes efface les promesses de son amitié, te laisse là comme un vieux sou-lier? Chacun pour soi, donc? Il est vrai que sa maison n'est pas une boutique, et que j'ai tort d'avoir besoin d'elle. Il faut, comme dit Vau-trin, se faire boulet de canon. » Les amères ré-flexions de l'étudiant furent bientôt dissipées par le plaisir qu'il se promettait en dînant chez la vicomtesse. Ainsi, par une sorte de fatalité, les moindres événements de sa vie conspiraient à le pousser dans la carrière où, suivant les observations du terrible sphinx de la maison Vauquer, il devait, comme sur un champ de ba-taille, tuer pour ne pas être tué, tromper pour ne pas être trompé; où il devait déposer à la barrière sa conscience, son cœur, mettre un masque, se jouer sans pitié des hommes, et, comme à Lacédémone, saisir sa fortune sans être vu, pour mériter la couronne. Quand il revint chez la vicomtesse, il la trouva pleine de cette bonté gracieuse qu'elle lui avait toujours témoi-gnée. Tous deux allèrent dans une salle à man-ger où le vicomte attendait sa femme, et où res-plendissait ce luxe de table qui sous la Res-tauration fut poussé, comme chacun le sait, au plus haut degré. M. de Beauséant, semblable à beaucoup de gens blasés, n'avait plus guère d'autres plaisirs que ceux de la bonne chère; il

était en fait de gourmandise de l'école de
Louis XVIII et du duc d'Escars. Sa table offrait
donc un double luxe, celui du contenant et
celui du contenu. Jamais semblable spectacle
n'avait frappé les yeux d'Eugène, qui dînait
pour la première fois dans une de ces maisons
où les grandeurs sociales sont héréditaires. La
mode venait de supprimer les soupers qui ter-
minaient parfois les bals de l'Empire, où les
militaires avaient besoin de prendre des forces
pour se préparer à tous les combats qui les at-
tendaient au-dedans comme au-dehors. Eugène
n'avait encore assisté qu'à des bals. L'aplomb
qui le distingua plus tard si éminemment, et
qu'il commençait à prendre, l'empêcha de
s'ébahir niaisement. Mais en voyant cette argenterie sculptée, et les mille recherches d'une
table somptueuse, en admirant pour la première
fois un service fait sans bruit, il était difficile
à un homme d'ardente imagination de ne pas
préférer cette vie constamment élégante à la vie
de privations qu'il voulait embrasser le matin.
Sa pensée le rejeta pendant un moment dans sa
pension bourgeoise; il en eut une si profonde
horreur qu'il se jura de la quitter au mois de
janvier, autant pour se mettre dans une maison
propre que pour fuir Vautrin, dont il sentait la
large main sur son épaule. Si l'on vient à songer
aux mille formes que prend à Paris la corrup-

tion, parlante ou muette, un homme de bon
sens se demande par quelle aberration l'Etat y
met des écoles, y assemble des jeunes gens, comment les jolies femmes y sont respectées, comment l'or étalé par les changeurs ne s'envole
pas magiquement de leurs sébiles. Mais si l'on
vient à songer qu'il est peu d'exemples de
crimes, voire même de délits commis par les
jeunes gens, de quel respect ne doit-on pas être
pris pour ces patients Tantales qui se com-
battent eux-mêmes, et sont presque toujours
victorieux! S'il était bien peint dans sa lutte
avec Paris, le pauvre étudiant fournirait un des
sujets les plus dramatiques de notre civilisation
moderne. Mme de Beauséant regardait vainement Eugène pour le convier à parler, il ne
voulut rien dire en présence du vicomte.

« Me menez-vous ce soir aux Italiens? demanda la vicomtesse à son mari.

— Vous ne pouvez douter du plaisir que j'aurais à vous obéir, répondit-il avec une galanterie moqueuse dont l'étudiant fut la dupe, mais
je dois aller rejoindre quelqu'un aux Variétés. »

« Sa maîtresse », se dit-elle.

« Vous n'avez donc pas d'Adjuda ce soir?
demanda le vicomte.

— Non, répondit-elle avec humeur.

— Eh bien, s'il vous faut absolument un bras,
prenez celui de M. de Rastignac. »

La vicomtesse regarda Eugène en souriant.

« Ce sera bien compromettant pour vous, dit-elle.

— *Le Français aime le péril, parce qu'il y trouve la gloire,* a dit M. de Chateaubriand », répondit Rastignac en s'inclinant.

Quelques moments après il fut emporté près de Mme de Beauséant, dans un coupé rapide, au théâtre à la mode, et crut à quelque féerie lorsqu'il entra dans une loge de face, et qu'il se vit le but de toutes les lorgnettes concurremment avec la vicomtesse, dont la toilette était délicieuse. Il marchait d'enchantements en enchantements.

« Vous avez à me parler, lui dit Mme de Beauséant. Ha! tenez, voici Mme de Nucingen à trois loges de la nôtre. Sa sœur et M. de Trailles sont de l'autre côté. »

En disant ces mots, la vicomtesse regardait la loge où devait être Mlle de Rochefide, et, n'y voyant pas M. d'Adjuda, sa figure prit un éclat extraordinaire.

« Elle est charmante, dit Eugène après avoir regardé Mme de Nucingen.

— Elle a les cils blancs.

— Oui, mais quelle jolie taille mince!

— Elle a de grosses mains.

— Les beaux yeux!

— Elle a le visage en long.

— Mais la forme longue a de la distinction.

— Cela est heureux pour elle qu'il y en ait là. Voyez comment elle prend et quitte son lorgnon! Le Goriot perce dans tous ses mouvements », dit la vicomtesse au grand étonnement d'Eugène.

En effet, Mme de Beauséant lorgnait la salle et semblait ne pas faire attention à Mme de Nucingen, dont elle ne perdait cependant pas un geste. L'assemblée était exquisement belle. Delphine de Nucingen n'était pas peu flattée d'occuper exclusivement le jeune, le beau, l'élégant cousin de Mme de Beauséant, il ne regardait qu'elle.

« Si vous continuez à la couvrir de vos regards, vous allez faire scandale, monsieur de Rastignac. Vous ne réussirez à rien, si vous vous jetez ainsi à la tête des gens.

— Ma chère cousine, dit Eugène, vous m'avez déjà bien protégé; si vous voulez achever votre ouvrage, je ne vous demande plus que de me rendre un service qui vous donnera peu de peine et me fera grand bien. Me voilà pris.

— Déjà?

— Oui.

— Et de cette femme?

— Mes prétentions seraient-elles donc écoutées ailleurs? dit-il en lançant un regard pénétrant à sa cousine. Mme la duchesse de Cari-

gliano est attachée à Mme la duchesse de Berry,
reprit-il après une pause, vous devez la voir, ayez
la bonté de me présenter chez elle et de m'amener au bal qu'elle donne lundi. J'y rencontrerai
Mme de Nucingen, et je livrerai ma première
escarmouche.

— Volontiers, dit-elle. Si vous vous sentez
déjà du goût pour elle, vos affaires vont très
bien. Voici de Marsay dans la loge de la princesse Galathionne. Mme de Nucingen est au
supplice, elle se dépite. Il n'y a pas de meilleur
moment pour aborder une femme, surtout une
femme de banquier. Ces dames de la Chaussée-
d'Antin aiment toutes la vengeance.

— Que feriez-vous donc, vous, en pareil cas?

— Moi, je souffrirais en silence. »

En ce moment le marquis d'Adjuda se présenta dans la loge de Mme de Beauséant.

« J'ai mal fait mes affaires afin de venir vous
retrouver, dit-il, et je vous en instruis pour que
ce ne soit pas un sacrifice. »

Les rayonnements du visage de la vicomtesse
apprirent à Eugène à reconnaître les expressions
d'un véritable amour, et à ne pas les confondre
avec les simagrées de la coquetterie parisienne.
Il admira sa cousine, devint muet et céda sa
place à M. d'Adjuda en soupirant. « Quelle
noble, quelle sublime créature est une femme
qui aime ainsi! se dit-il. Et cet homme la trahi-

rait pour une poupée! comment peut-on la
trahir? » Il se sentit au cœur une rage d'enfant. Il aurait voulu se rouler aux pieds de
Mme de Beauséant, il souhaitait le pouvoir des
démons afin de l'emporter dans son cœur,
comme un aigle enlève de la plaine dans son
aire une jeune chèvre blanche qui tette encore.
Il était humilié d'être dans ce grand Musée de
la beauté sans son tableau, sans une maîtresse
à lui. « Avoir une maîtresse est une position
quasi royale, se disait-il, c'est le signe de la puissance! » Et il regarda Mme de Nucingen comme
un homme insulté regarde son adversaire.
La vicomtesse se retourna vers lui pour lui
adresser sur sa discrétion mille remerciements
dans un clignement d'yeux. Le premier acte
était fini.

« Vous connaissez assez Mme de Nucingen
pour lui présenter M. de Rastignac? dit-elle au
marquis d'Adjuda.

— Mais elle sera charmée de voir monsieur »,
dit le marquis.

Le beau Portugais se leva, prit le bras de l'étudiant, qui en un clin d'œil se trouva auprès de
Mme de Nucingen.

« Madame la baronne, dit le marquis, j'ai
l'honneur de vous présenter le chevalier Eugène de Rastignac, un cousin de la vicomtesse
de Beauséant. Vous faites une si vive impres-

sion sur lui, que j'ai voulu compléter son
bonheur en le rapprochant de son idole. »

Ces mots furent dits avec un certain accent
de raillerie qui en faisait passer la pensée un
peu brutale, mais qui, bien sauvée, ne déplaît
jamais à une femme. Mme de Nucingen sourit,
et offrit à Eugène la place de son mari, qui
venait de sortir.

« Je n'ose pas vous proposer de rester près
de moi, monsieur, lui dit-elle. Quand on a le
bonheur d'être auprès de Mme de Beauséant,
on y reste.

— Mais, lui dit à voix basse Eugène, il me
semble, madame, que si je veux plaire à ma cousine, je demeurerai près de vous. Avant l'arrivée de M. le marquis, nous parlions de vous et
de la distinction de toute votre personne », dit-il
à haute voix.

M. d'Adjuda se retira.

« Vraiment, monsieur, dit la baronne, vous
allez me rester? Nous ferons donc connaissance.
Mme de Restaud m'avait déjà donné le plus vif
désir de vous voir.

— Elle est donc bien fausse, elle m'a fait
consigner à sa porte.

— Comment?

— Madame, j'aurai la conscience de vous en
dire la raison; mais je réclame toute votre in-
dulgence en vous confiant un pareil secret. Je

suis le voisin de monsieur votre père. J'igno-
rais que Mme de Restaud fût sa fille. J'ai eu
l'imprudence d'en parler fort innocemment, et
et j'ai fâché madame votre sœur et son mari.
Vous ne sauriez croire combien Mme la duchesse
de Langeais et ma cousine ont trouvé cette apos-
tasie filiale de mauvais goût. Je leur ai raconté la scène, elles en ont ri comme des
folles. Ce fut alors qu'en faisant un parallèle
entre vous et votre sœur, Mme de Beauséant
me parla de vous en fort bons termes, et me dit
combien vous étiez excellente pour mon voisin,
M. Goriot. Comment, en effet, ne l'aimeriez-
vous pas? il vous adore si passionnément que
j'en suis déjà jaloux. Nous avons parlé de vous
ce matin pendant deux heures. Puis, tout plein
de ce que votre père m'a raconté, ce soir en
dînant avec ma cousine, je lui disais que vous
ne pouviez pas être aussi belle que vous étiez
aimante. Voulant sans doute favoriser une si
chaude admiration, Mme de Beauséant m'a
amené ici, en me disant avec sa grâce habituelle
que je vous y verrais.

— Comment, monsieur, dit la femme du banquier, je vous dois déjà de la reconnaissance?
Encore un peu, nous allons être de vieux amis.

— Quoique l'amitié doive être près de vous
un sentiment peu vulgaire, dit Rastignac, je ne
veux jamais être votre ami. »

Ces sottises stéréotypées à l'usage des débu-
tants paraissent toujours charmantes aux
femmes, et ne sont pauvres que lues à froid. Le
geste, l'accent, le regard d'un jeune homme,
leur donnent d'incalculables valeurs. Mme de
Nucingen trouva Rastignac charmant. Puis,
comme toutes les femmes, ne pouvant rien
dire à des questions aussi drûment posées que
l'était celle de l'étudiant, elle répondit à autre
chose.

« Oui, ma sœur se fait tort par la manière
dont elle se conduit avec ce pauvre père, qui
vraiment a été pour nous un dieu. Il a fallu
que M. de Nucingen m'ordonnât positivement
de ne voir mon père que le matin, pour que
je cédasse sur ce point. Mais j'en ai longtemps
été bien malheureuse. Je pleurais. Ces violences,
venues après les brutalités du mariage, ont été
l'une des raisons qui troublèrent le plus mon
ménage. Je suis certes la femme de Paris la plus
heureuse aux yeux du monde, la plus malheureuse en réalité. Vous allez me trouver folle de
vous parler ainsi. Mais vous connaissez mon
père, et, à ce titre, vous ne pouvez pas m'être
étranger.

— Vous n'aurez jamais rencontré personne,
lui dit Eugène, qui soit animé d'un plus vif
désir de vous appartenir. Que cherchez-vous
toutes? le bonheur, reprit-il d'une voix qui allait

à l'âme. Eh bien, si, pour une femme, le bonheur est d'être aimée, adorée, d'avoir un ami à qui elle puisse confier ses désirs, ses fantaisies, ses chagrins, ses joies; se montrer dans la nudité de son âme, avec ses jolis défauts et ses belles qualités, sans craindre d'être trahie; croyez-moi, ce cœur dévoué, toujours ardent, ne peut se rencontrer que chez un homme jeune, plein d'illusions, qui peut mourir sur un seul de vos signes, qui ne sait rien encore du monde et n'en veut rien savoir, parce que vous devenez le monde pour lui. Moi, voyez-vous, vous allez rire de ma naïveté, j'arrive du fond d'une province, entièrement neuf, n'ayant connu que de belles âmes, et je comptais rester sans amour. Il m'est arrivé de voir ma cousine, qui m'a mis trop près de son cœur; elle m'a fait deviner les mille trésors de la passion; je suis, comme Chérubin, l'amant de toutes les femmes, en attendant que je puisse me dévouer à quelqu'une d'entre elles. En vous voyant, quand je suis entré, je me suis senti porté vers vous comme par un courant. J'avais déjà tant pensé à vous! Mais je ne vous avais pas rêvée aussi belle que vous l'êtes en réalité. Mme de Beauséant m'a ordonné de ne pas vous tant regarder. Elle ne sait pas ce qu'il y a d'attrayant à voir vos jolies lèvres rouges, votre teint blanc, vos yeux si doux. Moi aussi, je vous dis des folies, mais laissez-les-moi dire. »

Rien ne plaît plus aux femmes que de s'entendre débiter ces douces paroles. La plus sévère dévote les écoute, même quand elle ne doit pas y répondre. Après avoir ainsi commencé, Rastignac défila son chapelet d'une voix coquettement sourde; et Mme de Nucingen encourageait Eugène par des sourires en regardant de temps en temps de Marsay, qui ne quittait pas la loge de la princesse Galathionne. Rastignac resta près de Mme de Nucingen jusqu'au moment où son mari vint la chercher pour l'emmener.

« Madame, lui dit Eugène, j'aurai le plaisir de vous aller voir avant le bal de la duchesse de Carigliano.

— *Puisqui matame fous encache,* dit le baron, épais Alsacien dont la figure ronde annonçait une dangereuse finesse, *fous êtes sir d'êdre pien ressi.* »

« Mes affaires sont en bon train, car elle ne s'est pas bien effarouchée en m'entendant lui dire : M'aimerez-vous bien? Le mors est mis à ma bête, sautons dessus et gouvernons-la », se dit Eugène en allant saluer Mme de Beauséant qui se levait et se retirait avec d'Adjuda. Le pauvre étudiant ne savait pas que la baronne était distraite, et attendait de de Marsay une de ces lettres décisives qui déchirent l'âme. Tout heureux de son faux succès, Eugène accompagna

la vicomtesse jusqu'au péristyle, où chacun
attend sa voiture.

« Votre cousin ne se ressemble plus à lui-même,
dit le Portugais en riant à la vicomtesse quand
Eugène les eut quittés. Il va faire sauter la
banque. Il est souple comme une anguille, et je
crois qu'il ira loin. Vous seule avez pu lui trier
sur le volet une femme au moment où il faut
la consoler.

— Mais, dit Mme de Beauséant, il faut savoir
si elle aime encore celui qui l'abandonne. »

L'étudiant revint à pied du Théâtre-Italien à
la rue Neuve-Sainte-Geneviève, en faisant les
plus doux projets. Il avait bien remarqué l'attention avec laquelle Mme de Restaud l'avait
examiné, soit dans la loge de la vicomtesse, soit
dans celle de Mme de Nucingen, et il présuma
que la porte de la comtesse ne lui serait plus
fermée. Ainsi déjà quatre relations majeures,
car il comptait bien plaire à la maréchale,
allaient lui être acquises au cœur de la haute
société parisienne. Sans trop s'expliquer les
moyens, il devinait par avance que, dans le jeu
compliqué des intérêts de ce monde, il devait
s'accrocher à un rouage pour se trouver en haut
de la machine, et il se sentait la force d'en
enrayer la roue. « Si Mme de Nucingen s'inté-
resse à moi, je lui apprendrai à gouverner son
mari. Ce mari fait des affaires d'or, il pourra

m'aider à ramasser tout d'un coup une fortune. » Il ne se disait pas cela crûment, il
n'était pas encore assez politique pour chiffrer
une situation, l'apprécier et la calculer; ces idées
flottaient à l'horizon sous la forme de légers
nuages, et, quoiqu'elles n'eussent pas l'âpreté
de celles de Vautrin, si elles avaient été sou-
mises au creuset de la conscience elles n'auraient rien donné de bien pur. Les hommes
arrivent, par une série de transactions de ce
genre, à cette morale relâchée que professe
l'époque actuelle, où se rencontrent plus rarement que dans aucun temps ces hommes rectan-
gulaires, ces belles volontés qui ne se plient
jamais au mal, à qui la moindre déviation de la
ligne droite semble être un crime : magnifiques
images de la probité qui nous ont valu deux
chefs-d'œuvre, Alceste de Molière, puis récemment Jenny Deans et son père, dans l'œuvre de
Walter Scott. Peut-être l'œuvre opposée, la peinture des sinuosités dans lesquelles un homme
du monde, un ambitieux fait rouler sa
conscience, en essayant de côtoyer le mal, afin
d'arriver à son but en gardant les apparences,
ne serait-elle ni moins belle, ni moins dramatique. En atteignant le seuil de sa pension, Rastignac s'était épris de Mme de Nucingen, elle
lui avait paru svelte, fine comme une hirondelle.
L'enivrante douceur de ses yeux, le tissu délicat

et soyeux de sa peau sous laquelle il avait cru voir couler le sang, le son enchanteur de sa voix, ses blonds cheveux, il se rappelait tout; et peut-être la marche, en mettant son sang en mouvement, aidait-elle à cette fascination. L'étudiant frappa rudement à la porte du père Goriot.

« Mon voisin, dit-il, j'ai vu Mme Delphine.

— Où?

— Aux Italiens.

— S'amusait-elle bien? Entrez donc. » Et le bonhomme, qui s'était levé en chemise, ouvrit sa porte et se recoucha promptement. « Parlez-moi donc d'elle », demanda-t-il.

Eugène, qui se trouvait pour la première fois chez le père Goriot, ne fut pas maître d'un mouvement de stupéfaction en voyant le bouge où vivait le père, après avoir admiré la toilette de la fille. La fenêtre était sans rideaux; le papier de tenture collé sur les murailles s'en détachait en plusieurs endroits par l'effet de l'humidité, et se recroquevillait en laissant apercevoir le plâtre jauni par la fumée. Le bonhomme gisait sur un mauvais lit, n'avait qu'une maigre couverture et un couvre-pied ouaté fait avec les bons morceaux des vieilles robes de Mme Vauquer. Le carreau était humide et plein de poussière. En face de la croisée se voyait une de ces vieilles commodes en bois de rose à ventre renflé, qui ont des mains en

cuivre tordu en façon de sarments décorés de
feuilles ou de fleurs; un vieux meuble à tablette
de bois sur lequel était un pot à eau dans sa
cuvette et tous les ustensiles nécessaires pour
se faire la barbe. Dans un coin, les souliers; à
la tête du lit, une table de nuit sans porte ni
marbre; au coin de la cheminée, où il n'y avait
pas trace de feu, se trouvait la table carrée,
en bois de noyer, dont la barre avait servi au
père Goriot à dénaturer son écuelle en vermeil.
Un méchant secrétaire sur lequel était le chapeau du bonhomme, un fauteuil foncé de paille
et deux chaises complétaient ce mobilier misérable. La flèche du lit, attachée au plancher
par une loque, soutenait une mauvaise bande
d'étoffe à carreaux rouges et blancs. Le plus
pauvre commissionnaire était certes moins mal
meublé dans son grenier, que ne l'était le père
Goriot chez Mme Vauquer. L'aspect de cette
chambre donnait froid et serrait le cœur, elle
ressemblait au plus triste logement d'une prison.
Heureusement Goriot ne vit pas l'expression
qui se peignit sur la physionomie d'Eugène
quand celui-ci posa sa chandelle sur la table de
nuit. Le bonhomme se tourna de son côté en
restant couvert jusqu'au menton.

« Eh bien, qui aimez-vous mieux de Mme de
Restaud ou de Mme de Nucingen?

— Je préfère Mme Delphine, répondit

l'étudiant, parce qu'elle vous aime mieux. »

A cette parole chaudement dite, le bonhomme sortit son bras du lit et serra la main d'Eugène.

« Merci, merci, répondit le vieillard ému. Que vous a-t-elle donc dit de moi? »

L'étudiant répéta les paroles de la baronne en les embellissant, et le vieillard l'écouta comme s'il eût entendu la parole de Dieu.

« Chère enfant! oui, oui, elle m'aime bien. Mais ne la croyez pas dans ce qu'elle vous a dit d'Anastasie. Les deux sœurs se jalousent, voyez-vous? c'est encore une preuve de leur tendresse. Mme de Restaud m'aime bien aussi. Je le sais. Un père est avec ses enfants comme Dieu est avec nous, il va jusqu'au fond des cœurs, et juge les intentions. Elles sont toutes deux aussi aimantes. Oh! si j'avais eu de bons gendres, j'aurais été trop heureux. Il n'est sans doute pas de bonheur complet ici-bas. Si j'avais vécu chez elles! mais rien que d'entendre leurs voix, de les savoir là, de les voir aller, sortir, comme quand je les avais chez moi, ça m'eût fait ca-brioler le cœur. Etaient-elles bien mises?

— Oui, dit Eugène. Mais, monsieur Goriot, comment, en ayant des filles aussi richement établies que sont les vôtres, pouvez-vous demeurer dans un taudis pareil?

— Ma foi, dit-il, d'un air en apparence insou-ciant, à quoi cela me servirait-il d'être mieux?

Je ne puis guère vous expliquer ces choses-là;
je ne sais pas dire deux paroles de suite comme
il faut. Tout est là, ajouta-t-il en se frappant le
cœur. Ma vie, à moi, est dans mes deux filles.
Si elles s'amusent, si elles sont heureuses, bra-
vement mises, si elles marchent sur des tapis,
qu'importe de quel drap je sois vêtu, et comment est l'endroit où je me couche? Je n'ai
point froid si elles ont chaud, je ne m'ennuie
jamais si elles rient. Je n'ai de chagrins que les
leurs. Quand vous serez père, quand vous vous
direz, en oyant gazouiller vos enfants : C'est
sorti de moi! que vous sentirez ces petites créatures tenir à chaque goutte de votre sang, dont
elles ont été la fine fleur, car c'est ça! vous vous
croirez attaché à leur peau, vous croirez être
agité vous-même par leur marche. Leur voix
me répond partout. Un regard d'elles, quand il
est triste, me fige le sang. Un jour vous saurez
que l'on est bien plus heureux de leur bonheur
que du sien propre. Je ne peux pas vous expliquer ça : c'est des mouvements intérieurs qui
répandent l'aise partout. Enfin, je vis trois fois.
Voulez-vous que je vous dise une drôle de
chose? Eh bien, quand j'ai été père, j'ai compris
Dieu. Il est tout entier partout, puisque la
création est sortie de lui. Monsieur, je suis ainsi
avec mes filles. Seulement j'aime mieux mes
filles que Dieu n'aime le monde, parce que le

monde n'est pas si beau que Dieu, et que mes
filles sont plus belles que moi. Elles me tiennent
si bien à l'âme, que j'avais idée que vous les
verriez ce soir. Mon Dieu! un homme qui ren-
drait ma petite Delphine aussi heureuse qu'une
femme l'est quand elle est bien aimée; mais je
lui cirerais ses bottes, je lui ferais ses commis-
sions. J'ai su par sa femme de chambre que ce
petit M. de Marsay est un mauvais chien. Il
m'a pris des envies de lui tordre le cou. Ne
pas aimer un bijou de femme, une voix de ros-
signol, et faite comme un modèle! Où a-t-elle
eu les yeux d'épouser cette grosse souche d'Alsacien? Il leur fallait à toutes deux de jolis
jeunes gens bien aimables. Enfin, elles ont fait
à leur fantaisie. »

Le père Goriot était sublime. Jamais Eugène
ne l'avait pu voir illuminé par les feux de sa
passion paternelle. Une chose digne de remarque est la puissance d'infusion que possèdent les sentiments. Quelque grossière que soit
une créature, dès qu'elle exprime une affection forte et vraie, elle exhale un fluide particulier qui modifie la physionomie, anime le
geste, colore la voix. Souvent l'être le plus stupide arrive, sous l'effet de la passion, à la plus
haute éloquence dans l'idée. si ce n'est dans le
langage, et semble se mouvoir dans une sphère
lumineuse. Il y avait en ce moment dans la voix,

dans le geste de ce bonhomme, la puissance communicative qui signale le grand acteur. Mais nos beaux sentiments ne sont-ils pas les poésies de la volonté?

« Eh bien, vous ne serez peut-être pas fâché d'apprendre, lui dit Eugène, qu'elle va rompre sans doute avec ce de Marsay. Ce beau-fils l'a quittée pour s'attacher à la princesse Galathionne. Quant à moi, ce soir, je suis tombé amoureux de Mme Delphine.

— Bah! dit le père Goriot.

— Oui. Je ne lui ai pas déplu. Nous avons parlé amour pendant une heure, et je dois aller la voir après-demain samedi.

— Oh! que je vous aimerais, mon cher monsieur, si vous lui plaisiez. Vous êtes bon, vous ne la tourmenteriez point. Si vous la trahissiez, je vous couperais le cou, d'abord. Une femme n'a pas deux amours, voyez-vous? Mon Dieu! mais je dis des bêtises, monsieur Eugène. Il fait froid ici pour vous. Mon Dieu! vous l'avez donc entendue, que vous a-t-elle dit pour moi?

— Rien, se dit en lui-même Eugène. Elle m'a dit, répondit-il à haute voix, qu'elle vous envoyait un bon baiser de fille.

— Adieu, mon voisin, dormez bien, faites de beaux rêves; les miens sont tout faits avec ce mot-là. Que Dieu vous protège dans tous vos désirs! Vous avez été pour moi ce soir comme un bon ange, vous me rapportez l'air de ma fille. »

« Le pauvre homme, se dit Eugène en se couchant, il y a de quoi toucher des cœurs de marbre. Sa fille n'a pas plus pensé à lui qu'au Grand-Turc. »

Depuis cette conversation, le père Goriot vit dans son voisin un confident inespéré, un ami. Il s'était établi entre eux les seuls rapports par lesquels ce vieillard pouvait s'attacher à un autre homme. Les passions ne font jamais de faux calculs. Le père Goriot se voyait un peu plus près de sa fille Delphine, il s'en voyait mieux reçu, si Eugène devenait cher à la baronne. D'ailleurs il lui avait confié l'une de ses douleurs. Mme de Nucingen, à laquelle mille fois par jour il souhaitait le bonheur, n'avait pas connu les douceurs de l'amour. Certes, Eugène était, pour se servir de son expression, un des jeunes gens les plus gentils qu'il eût jamais vus, et il semblait pressentir qu'il lui donnerait tous les plaisirs dont elle avait été privée. Le bonhomme se prit donc pour son voisin d'une amitié qui alla croissant, et sans laquelle il eût été sans doute impossible de connaître le dénouement de cette histoire.

Le lendemain matin, au déjeuner, l'affectation avec laquelle le père Goriot regardait Eugène, près duquel il se plaça, les quelques paroles qu'il lui dit, et le changement de sa physio-

nomie, ordinairement semblable à un masque
de plâtre, surprirent les pensionnaires. Vautrin,
qui revoyait l'étudiant pour la première fois
depuis leur conférence, semblait vouloir lire
dans son âme. En se souvenant du projet de cet
homme, Eugène, qui, avant de s'endormir, avait,
pendant la nuit, mesuré le vaste champ qui
s'ouvrait à ses regards, pensa nécessairement à
la dot de Mlle Taillefer, et ne put s'empêcher de regarder Victorine comme le plus vertueux jeune homme regarde une riche héritière.
Par hasard, leurs yeux se rencontrèrent. La
pauvre fille ne manqua pas de trouver Eugène
charmant dans sa nouvelle tenue. Le coup d'œil
qu'ils échangèrent fut assez significatif pour que
Rastignac ne doutât pas d'être pour elle l'objet
de ces confus désirs qui atteignent toutes les
jeunes filles et qu'elles rattachent au premier
être séduisant. Une voix lui criait : Huit cent
mille francs! Mais tout à coup il se rejeta dans
ses souvenirs de la veille, et pensa que sa passion de commande pour Mme de Nucingen
était l'antidote de ses mauvaises pensées invo-
lontaires.

« L'on donnait hier aux Italiens *Le Barbier
de Séville* de Rossini. Je n'avais jamais entendu
de si délicieuse musique, dit-il. Mon Dieu!
est-on heureux d'avoir une loge aux Italiens. »
Le père Goriot saisit cette parole au vol

comme un chien saisit un mouvement de son maître.

« Vous êtes comme des coqs-en-pâte, dit Mme Vauquer, vous autres hommes, vous faites tout ce qui vous plaît.

— Comment êtes-vous revenu? demanda Vautrin.

— A pied, répondit Eugène.

— Moi, reprit le tentateur, je n'aimerais pas de demi-plaisirs; je voudrais aller là dans ma voiture, dans ma loge, et revenir bien commodément. Tout ou rien! voilà ma devise.

— Et qui est bonne, reprit Mme Vauquer.

— Vous irez peut-être voir Mme de Nucingen, dit Eugène à voix basse à Goriot. Elle vous recevra, certes, à bras ouverts; elle voudra savoir de vous mille petits détails sur moi. J'ai appris qu'elle ferait tout au monde pour être reçue chez ma cousine, Mme la vicomtesse de Beauséant. N'oubliez pas de lui dire que je l'aime trop pour ne pas penser à lui procurer cette satisfaction. »

Rastignac s'en alla promptement à l'Ecole de Droit, il voulait rester le moins de temps possible dans cette odieuse maison. Il flâna pendant presque toute la journée, en proie à cette fièvre de tête qu'ont connue les jeunes gens affectés de trop vives espérances. Les raisonnements de Vautrin le faisaient réfléchir à la vie sociale, au moment où il rencontra son ami Bianchon dans le jardin du Luxembourg.

« Où as-tu pris cet air grave? lui dit l'étudiant en médecine en lui prenant le bras pour se promener dans le palais.

— Je suis tourmenté par de mauvaises idées.

— En quel genre? Ça se guérit, les idées.

— Comment?

— En y succombant.

— Tu ris sans savoir de quoi il s'agit. As-tu lu Rousseau?

— Oui.

— Te souviens-tu de ce passage où il demande à son lecteur ce qu'il ferait au cas où il pourrait s'enrichir en tuant à la Chine par sa seule volonté un vieux mandarin, sans bouger de Paris.

— Oui.

— Eh bien?

— Bah! J'en suis à mon trente-troisième mandarin.

— Ne plaisante pas. Allons, s'il t'était prouvé que la chose est possible et qu'il te suffit d'un signe de tête, le ferais-tu?

— Est-il vieux, le mandarin? Mais, bah! jeune ou vieux, paralytique ou bien portant, ma foi... Diantre! Eh bien, non.

— Tu es un brave garçon, Bianchon. Mais

si tu aimais une femme à te mettre pour elle
l'âme à l'envers, et qu'il lui fallût de l'argent,
beaucoup d'argent pour sa toilette, pour sa voiture, pour toutes ses fantaisies enfin?

— Mais tu m'ôtes la raison, et tu veux que je
raisonne.

— Eh bien, Bianchon, je suis fou, guéris-moi.
J'ai deux sœurs qui sont des anges de bonté, de
candeur, et je veux qu'elles soient heureuses.
Où prendre deux cent mille francs pour leur
dot d'ici à cinq ans? Il est, vois-tu, des circonstances dans la vie où il faut jouer gros jeu
et ne pas user son bonheur à gagner des sous.

— Mais tu poses la question qui se trouve
à l'entrée de la vie pour tout le monde, et tu
veux couper le nœud gordien avec l'épée. Pour
agir ainsi, mon cher, il faut être Alexandre,
sinon l'on va au bagne. Moi, je suis heureux de
la petite existence que je me créerai en province, où je succéderai tout bêtement à mon
père. Les affections de l'homme se satisfont dans
le plus petit cercle aussi pleinement que dans
une immense circonférence. Napoléon ne dînait
pas deux fois, et ne pouvait pas avoir plus de
maîtresses qu'en prend un étudiant en médecine
quand il est interne aux Capucins. Notre
bonheur, mon cher, tiendra toujours entre la
plante de nos pieds et notre occiput; et, qu'il
coûte un million par an ou cent louis, la per-

ception intrinsèque en est la même au-dedans
de nous. Je conclus à la vie du Chinois.

— Merci, tu m'as fait du bien, Bianchon!
nous serons toujours amis.

— Dis donc, reprit l'étudiant en médecine,
en sortant du cours de Cuvier au Jardin des
plantes je viens d'apercevoir la Michonneau et
le Poiret causant sur un banc avec un monsieur
que j'ai vu dans les troubles de l'année dernière
aux environs de la Chambre des Députés, et
qui m'a fait l'effet d'être un homme de la police
déguisé en honnête bourgeois vivant de ses
rentes. Etudions ce couple-là : je te dirai pourquoi. Adieu, je vais répondre à mon appel de
quatre heures. »

Quand Eugène revint à la pension, il trouva
le père Goriot qui l'attendait.

« Tenez, dit le bonhomme, voilà une lettre
d'elle. Hein, la jolie écriture! »

Eugène décacheta la lettre et lut.

*Monsieur, mon père m'a dit que vous aimiez
la musique italienne. Je serais heureuse si vous
vouliez me faire le plaisir d'accepter une place
dans ma loge. Nous aurons samedi la Fodor et
Pellegrini, je suis sûre alors que vous ne me refuserez pas. M. de Nucingen se joint à moi pour
vous prier de venir dîner avec nous sans cérémonie. Si vous acceptez, vous le rendrez bien*

content de n'avoir pas à s'acquitter de sa corvée
conjugale en m'accompagnant. Ne me répondez
pas, venez, et agréez mes compliments.

D. DE N.

« Montrez-la-moi, dit le bonhomme à Eugène
quand il eut lu la lettre. Vous irez, n'est-ce pas?
ajouta-t-il après avoir flairé le papier. Cela
sent-il bon! Ses doigts ont touché ça, pourtant! »

« Une femme ne se jette pas ainsi à la tête
d'un homme, se disait l'étudiant. Elle veut se
servir de moi pour ramener de Marsay. Il n'y
a que le dépit qui fasse faire de ces choses-là. »

« Eh bien, dit le père Goriot, à quoi pensez-
vous donc? »

Eugène ne connaissait pas le délire de vanité
dont certaines femmes étaient saisies en ce moment, et ne savait pas que, pour s'ouvrir une
porte dans le faubourg Saint-Germain, la femme
d'un banquier était capable de tous les sacrifices. A cette époque, la mode commençait à
mettre au-dessus de toutes les femmes celles qui
étaient admises dans la société du faubourg
Saint-Germain, dites les dames du Petit-Château,
parmi lesquelles Mme de Beauséant, son amie
la duchesse de Langeais et la duchesse de Maufrigneuse tenaient le premier rang. Rastignac
seul ignorait la fureur dont étaient saisies les
femmes de la Chaussée-d'Antin pour entrer dans

le cercle supérieur où brillaient les constella-
tions de leur sexe. Mais sa défiance le servit
bien, elle lui donna de la froideur, et le triste
pouvoir de poser des conditions au lieu d'en
recevoir.

« Oui, j'irai », répondit-il.

Ainsi la curiosité le menait chez Mme de Nucingen, tandis que, si cette femme l'eût dédai-
gné, peut-être y aurait-il été conduit par la passion. Néanmoins il n'attendit pas le lendemain
et l'heure de partir sans une sorte d'impatience.
Pour un jeune homme, il existe dans sa première intrigue autant de charmes peut-être qu'il
s'en rencontre dans un premier amour. La certitude de réussir engendre mille félicités que
les hommes n'avouent pas, et qui font le charme
de certaines femmes. Le désir ne naît pas moins
de la difficulté que de la facilité des triomphes.
Toutes les passions des hommes sont bien certainement excitées ou entretenues par l'une ou
l'autre de ces deux causes, qui divisent l'empire
amoureux. Peut-être cette division est-elle une
conséquence de la grande question des tempé-
raments, qui domine, quoi qu'on en dise, la société. Si les mélancoliques ont besoin du tonique
des coquetteries, peut-être les gens nerveux ou
sanguins décampent-ils si la résistance dure trop.
En d'autres termes, l'élégie est aussi essentiellement lymphatique que le dithyrambe est

bilieux. En faisant sa toilette, Eugène savoura
tous ces petits bonheurs dont n'osent parler les
jeunes gens, de peur de se faire moquer d'eux,
mais qui chatouillent l'amour-propre. Il arran-
geait ses cheveux en pensant que le regard d'une
jolie femme se coulerait sous leurs boucles
noires. Il se permit des singeries enfantines
autant qu'en aurait fait une jeune fille en s'ha-
billant pour le bal. Il regarda complaisamment
sa taille mince, en déplissant son habit. « Il est
certain, se dit-il, qu'on en peut trouver de plus
mal tournés! » Puis il descendit au moment où
tous les habitués de la pension étaient à table,
et reçut gaiement le hourra de sottises que sa
tenue élégante excita. Un trait des mœurs parti-
culières aux pensions bourgeoises est l'ébahis-
sement qu'y cause une toilette soignée. Personne
n'y met un habit neuf sans que chacun dise son
mot.

« Kt, kt, kt, kt, fit Bianchon en faisant claquer sa langue contre son palais, comme pour
exciter un cheval.

— Tournure de duc et pair! dit Mme Vauquer.

— Monsieur va en conquête? fit observer
Mlle Michonneau.

— Kocquériko! cria le peintre.

— Mes compliments à madame votre épouse,
dit l'employé au Muséum.

— Monsieur a une épouse? demanda **Poiret**.

— Une épouse à compartiments, qui va sur l'eau, garantie bon teint, dans les prix de vingt-cinq à quarante, dessins à carreaux du dernier goût, susceptible de se laver, d'un joli porter, moitié fil, moitié coton, moitié laine, guérissant le mal de dents, et autres maladies approuvées par l'Académie royale de médecine! excellente d'ailleurs pour les enfants! meilleure encore contre les maux de tête, les plénitudes et autres maladies de l'œsophage, des yeux et des oreilles, cria Vautrin avec la volubilité comique et l'accentuation d'un opérateur. Mais combien cette merveille, me direz-vous, messieurs? deux sous! Non. Rien du tout. C'est un reste des fournitures faites au grand-Mogol, et que tous les souverains de l'Europe, y compris le grrrrrrand-duc de Bade, ont voulu voir! Entrez droit devant vous! et passez au petit bureau. Allez, la musique! Brooum, là, là, trinn! là, là, boum, boum! Monsieur de la clarinette, tu joues faux, reprit-il d'une voix enrouée, je te donnerai sur les doigts.

" — Mon Dieu! que cet homme-là est agréable, dit Mme Vauquer à Mme Couture, je ne m'ennuierais jamais avec lui. »

Au milieu des rires et des plaisanteries, dont ce discours comiquement débité fut le signal, Eugène put saisir le regard furtif de Mlle Tail-

lefer qui se pencha sur Mme Couture, à l'oreille
de laquelle elle dit quelques mots.

« Voilà le cabriolet, dit Sylvie.

— Où dîne-t-il donc? demanda Bianchon.

— Chez Mme la baronne de Nucingen.

— La fille de M. Goriot », répondit l'étudiant.

A ce nom, les regards se portèrent sur l'ancien
vermicellier, qui contemplait Eugène avec une
sorte d'envie.

Rastignac arriva rue Saint-Lazare, dans une
de ces maisons légères, à colonnes minces, à por-
tiques mesquins, qui constituent le *joli* à Paris,
une véritable maison de banquier, pleine de
recherches coûteuses, des stucs, des paliers d'escalier en mosaïque de marbre. Il trouva
Mme de Nucingen dans un petit salon à peintures italiennes, dont le décor ressemblait à celui
des cafés. La baronne était triste. Les efforts
qu'elle fit pour cacher son chagrin intéressèrent
d'autant plus vivement Eugène qu'il n'y avait
rien de joué. Il croyait rendre une femme
joyeuse par sa présence, et la trouvait au désespoir. Ce désappointement piqua son amour-
propre.

« J'ai bien peu de droits à votre confiance,
madame, dit-il après l'avoir lutinée sur sa préoccupation; mais si je vous gênais, je compte sur
votre bonne foi, vous me le diriez franchement.

— Restez, dit-elle, je serais seule si vous vous en alliez. Nucingen dîne en ville, et je ne voudrais pas être seule, j'ai besoin de distraction.

— Mais qu'avez-vous?

— Vous seriez la dernière personne à qui je le dirais, s'écria-t-elle.

— Je veux le savoir, je dois alors être pour quelque chose dans ce secret.

— Peut-être! Mais non, reprit-elle, c'est des querelles de ménage qui doivent être ensevelies au fond du cœur. Ne vous le disais-je pas avant-hier? je ne suis point heureuse. Les chaînes d'or sont les plus pesantes. »

Quand une femme dit à un jeune homme qu'elle est malheureuse, si ce jeune homme est spirituel, bien mis, s'il a quinze cents francs d'oisiveté dans sa poche, il doit penser ce que se disait Eugène, et devient fat.

« Que pouvez-vous désirer? répondit-il. Vous êtes belle, jeune, aimée, riche.

— Ne parlons pas de moi, dit-elle en faisant un sinistre mouvement de tête. Nous dînerons ensemble, tête-à-tête, nous irons entendre la plus délicieuse musique. Suis-je à votre goût? reprit-elle en se levant et montrant sa robe en cachemire blanc à dessins perses de la plus riche élégance.

— Je voudrais que vous fussiez toute à moi, dit Eugène. Vous êtes charmante.

— Vous auriez une triste propriété, dit-elle en souriant avec amertume. Rien ici ne vous annonce le malheur, et cependant, malgré ces apparences, je suis au désespoir. Mes chagrins m'ôtent le sommeil, je deviendrai laide.

— Oh! cela est impossible, dit l'étudiant. Mais je suis curieux de connaître ces peines qu'un amour dévoué n'effacerait pas?

— Ah! si je vous les confiais, vous me fuiriez, dit-elle. Vous ne m'aimez encore que par une galanterie qui est de coutume chez les hommes; mais si vous m'aimiez bien, vous tomberiez dans un désespoir affreux. Vous voyez que je dois me taire. De grâce, reprit-elle, parlons d'autre chose. Venez voir mes appartements.

— Non, restons ici », répondit Eugène en s'asseyant sur une causeuse devant le feu près de Mme de Nucingen, dont il prit la main avec assurance.

Elle la laissa prendre et l'appuya même sur celle du jeune homme par un de ces mouvements de force concentrée qui trahissent de fortes émotions.

« Ecoutez, lui dit Rastignac; si vous avez des chagrins, vous devez me les confier. Je veux vous prouver que je vous aime pour vous. Ou vous parlerez et me direz vos peines afin que je puisse les dissiper, fallût-il tuer six hommes, ou je sortirai pour ne plus revenir.

— Eh bien, s'écria-t-elle saisie par une pensée de désespoir qui la fit se frapper le front, je vais vous mettre à l'instant même à l'épreuve. » « Oui, se dit-elle, il n'est plus que ce moyen. » Elle sonna.

« La voiture de monsieur est-elle attelée? dit-elle à son valet de chambre.

— Oui, madame.

— Je la prends. Vous lui donnerez la mienne et mes chevaux. Vous ne servirez le dîner qu'à sept heures.

— Allons, venez, dit-elle à Eugène, qui crut rêver en se trouvant dans le coupé de M. de Nucingen, à côté de cette femme.

— Au Palais-Royal, dit-elle au cocher, près du Théâtre-Français. »

En route, elle parut agitée, et refusa de répondre aux mille interrogations d'Eugène, qui ne savait que penser de cette résistance muette, compacte, obtuse.

« En un moment elle m'échappe », se disait-il.

Quand la voiture s'arrêta, la baronne regarda l'étudiant d'un air qui imposa silence à ses folles paroles; car il s'était emporté.

« Vous m'aimez bien? dit-elle.

— Oui, répondit-il en cachant mal l'inquiétude qui le saisissait.

— Vous ne penserez rien de mal sur moi, quoi que je puisse vous demander?

— Non.

— Etes-vous disposé à m'obéir?

— Aveuglément.

— Etes-vous allé quelquefois au jeu? dit-elle d'une voix tremblante.

— Jamais.

— Ah! je respire. Vous aurez du bonheur. Voici ma bourse, dit-elle. Prenez donc! il y a cent francs, c'est tout ce que possède cette femme si heureuse. Montez dans une maison de jeu, je ne sais où elles sont, mais je sais qu'il y en a au Palais-Royal. Risquez les cent francs à un jeu qu'on nomme la roulette, et perdez tout, ou rapportez-moi six mille francs. Je vous dirai mes chagrins à votre retour.

— Je veux bien que le diable m'emporte si je comprends quelque chose à ce que je vais faire, mais je vais vous obéir », dit-il avec une joie causée par cette pensée : « Elle se compromet avec moi, elle n'aura rien à me refuser. »

Eugène prend la jolie bourse, court au numéro NEUF, après s'être fait indiquer par un marchand d'habits la plus prochaine maison de jeu. Il y monte, se laisse prendre son chapeau; mais il entre et demande où est la roulette. A l'étonnement des habitués, le garçon de salle le mène devant une longue table. Eugène, suivi de tous les spectateurs, demande sans vergogne où il faut mettre l'enjeu.

« Si vous placez un louis sur un seul de ces trente-six numéros, et qu'il sorte, vous aurez trente-six louis », lui dit un vieillard respectable à cheveux blancs.

Eugène jette les cent francs sur le chiffre de son âge, vingt et un. Un cri d'étonnement part sans qu'il ait eu le temps de se reconnaître. Il avait gagné sans le savoir.

« Retirez donc votre argent, lui dit le vieux monsieur, l'on ne gagne pas deux fois dans ce système-là. »

Eugène prend un râteau que lui tend le vieux monsieur, il tire à lui les trois mille six cents francs et, toujours sans rien savoir du jeu, les place sur la rouge. La galerie le regarde avec envie, en voyant qu'il continue à jouer. La roue tourne, il gagne encore, et le banquier lui jette encore trois mille six cents francs.

« Vous avez sept mille deux cents francs à vous, lui dit à l'oreille le vieux monsieur. Si vous m'en croyez, vous vous en irez, la rouge a passé huit fois. Si vous êtes charitable, vous reconnaîtrez ce bon avis en soulageant la misère d'un ancien préfet de Napoléon qui se trouve dans le dernier besoin. »

Rastignac étourdi se laisse prendre dix louis par l'homme à cheveux blancs, et descend avec les sept mille francs, ne comprenant encore rien au jeu, mais stupéfié de son bonheur.

« Ah çà, où me mènerez-vous maintenant? »
dit-il en montrant les sept mille francs à
Mme de Nucingen quand la portière fut
refermée.

Delphine le serra par une étreinte folle et
l'embrassa vivement, mais sans passion. « Vous
m'avez sauvée! » Des larmes de joie coulèrent
en abondance sur ses joues. « Je vais tout vous
dire, mon ami. Vous serez mon ami, n'est-ce
pas? Vous me voyez riche, opulente, rien ne
manque ou je parais ne manquer de rien! Eh
bien, sachez que M. de Nucingen ne me laisse
pas disposer d'un sou : il paie toute la maison,
mes voitures, mes loges; il m'alloue pour ma
toilette une somme insuffisante, il me réduit à
une misère secrète par calcul. Je suis trop fière
pour l'implorer. Ne serais-je pas la dernière des
créatures si j'achetais son argent au prix où il
veut me le vendre! Comment, moi riche de sept
cent mille francs, me suis-je laissé dépouiller?
par fierté, par indignation. Nous sommes si
jeunes, si naïves, quand nous commençons la vie
conjugale! La parole par laquelle il fallait demander de l'argent à mon mari me déchirait la
bouche; je n'osais jamais, je mangeais l'argent
de mes économies et celui que me donnait mon
pauvre père; puis je me suis endettée. Le mariage est pour moi la plus horrible des déceptions, je ne puis vous en parler : qu'il vous suf-

fise de savoir que je me jetterais par la fenêtre
s'il fallait vivre avec Nucingen autrement qu'en
ayant chacun notre appartement séparé. Quand
il a fallu lui déclarer mes dettes de jeune
femme, des bijoux, des fantaisies (mon pauvre
père nous avait accoutumées à ne nous rien refuser), j'ai souffert le martyre; mais j'ai enfin
trouvé le courage de les dire. N'avais-je pas une
fortune à moi? Nucingen s'est emporté, il m'a
dit que je le ruinerais, des horreurs! J'aurais
voulu être à cent pieds sous terre. Comme il
avait pris ma dot, il a payé; mais en stipulant
désormais pour mes dépenses personnelles une
pension à laquelle je me suis résignée, afin
d'avoir la paix. Depuis, j'ai voulu répondre à
l'amour-propre de quelqu'un que vous connaissez, dit-elle. Si j'ai été trompée par lui, je serais
mal venue à ne pas rendre justice à la noblesse
de son caractère, Mais enfin il m'a quittée indi-
gnement! *On* ne devrait jamais abandonner une
femme à laquelle on a jeté, dans un jour de
détresse, un tas d'or! *On* doit l'aimer toujours! Vous, belle âme de vingt et un ans, vous
jeune et pur, vous me demanderez comment
une femme peut accepter de l'or d'un homme?
Mon Dieu! n'est-il pas naturel de tout partager
avec l'être auquel nous devons notre bonheur?
Quand on s'est tout donné, qui pourrait s'in-
quiéter d'une parcelle de ce tout? L'argent ne

devient quelque chose qu'au moment où le sentiment n'est plus. N'est-on pas lié pour la vie?
Qui de nous prévoit une séparation en se
croyant bien aimée? Vous nous jurez un amour
éternel, comment avoir alors des intérêts dis-
tincts? Vous ne savez pas ce que j'ai souffert
aujourd'hui, lorsque Nucingen m'a positivement refusé de me donner six mille francs, lui
qui les donne tous les mois à sa maîtresse, une
fille de l'Opéra! Je voulais me tuer. Les idées
les plus folles me passaient par la tête. Il y a
eu des moments où j'enviais le sort d'une ser-
vante, de ma femme de chambre. Aller trouver
mon père, folie! Anastasie et moi nous l'avons
égorgé : mon pauvre père se serait vendu s'il
pouvait valoir six mille francs. J'aurais été le
désespérer en vain. Vous m'avez sauvée de la
honte et de la mort, j'étais ivre de douleur. Ah!
monsieur, je vous devais cette explication : j'ai
été bien déraisonnablement folle avec vous.
Quand vous m'avez quittée, et que je vous ai
eu perdu de vue, je voulais m'enfuir à pied...
où? je ne sais. Voilà la vie de la moitié des
femmes de Paris : un luxe extérieur, des soucis
cruels dans l'âme. Je connais de pauvres créatures encore plus malheureuses que je ne le suis.
Il y a pourtant des femmes obligées de faire
faire de faux mémoires par leurs fournisseurs.
D'autres sont forcées de voler leurs maris : les

uns croient que des cachemires de cent louis
se donnent pour cinq cents francs, les autres
qu'un cachemire de cinq cents francs vaut cent
louis. Il se rencontre de pauvres femmes qui
font jeûner leurs enfants, et grappillent pour
avoir une robe. Moi, je suis pure de ces odieuses
tromperies. Voici ma dernière angoisse. Si
quelques femmes se vendent à leurs maris pour
les gouverner, moi au moins je suis libre! Je
pourrais me faire couvrir d'or par Nucingen,
et je préfère pleurer la tête appuyée sur le cœur
d'un homme que je puisse estimer. Ah! ce soir
M. de Marsay n'aura pas le droit de me regarder
comme une femme qu'il a payée. » Elle se mit
le visage dans ses mains, pour ne pas montrer
ses pleurs à Eugène, qui lui dégagea la figure
pour la contempler, elle était sublime ainsi.
« Mêler l'argent aux sentiments, n'est-ce pas
horrible? Vous ne pourrez pas m'aimer », dit-elle.

Ce mélange de bons sentiments, qui rendent
les femmes si grandes, et des fautes que la constitution actuelle de la société les force à
commettre, bouleversait Eugène, qui disait des
paroles douces et consolantes en admirant cette
belle femme, si naïvement imprudente dans son
cri de douleur.

« Vous ne vous armerez pas de ceci contre
moi, dit-elle, promettez-le-moi.

— Ah! madame! j'en suis incapable », dit-il.

Elle lui prit la main et la mit sur son cœur par un mouvement plein de reconnaissance et de gentillesse. « Grâce à vous me voilà redevenue libre et joyeuse. Je vivais pressée par une main de fer. Je veux maintenant vivre simplement, ne rien dépenser. Vous me trouverez bien comme je serai, mon ami, n'est-ce pas? Gardez ceci, dit-elle en ne prenant que six billets de banque. En conscience, je vous dois mille écus, car je me suis considérée comme étant de moitié avec vous. » Eugène se défendit comme une vierge. Mais la baronne lui ayant dit : « Je vous regarde comme mon ennemi si vous n'êtes pas mon complice », il prit l'argent. « Ce sera une mise de fonds en cas de malheur, dit-il.

— Voilà le mot que je redoutais, s'écria-t-elle en pâlissant. Si vous voulez que je sois quelque chose pour vous, jurez-moi, dit-elle, de ne jamais retourner au jeu. Mon Dieu, moi, vous corrompre! J'en mourrais de douleur. »

Ils étaient arrivés. Le contraste de cette misère et de cette opulence étourdissait l'étudiant, dans les oreilles duquel les sinistres paroles de Vautrin vinrent retentir.

« Mettez-vous là, dit la baronne en entrant dans sa chambre et montrant une causeuse auprès du feu, je vais écrire une lettre bien difficile! Conseillez-moi.

— N'écrivez pas, lui dit Eugène, enveloppez

les billets, mettez l'adresse, et envoyez-les par votre femme de chambre.

— Mais vous êtes un amour d'homme, dit-elle. Ah! voilà, monsieur, ce que c'est que d'avoir été bien élevé! Ceci est du Beauséant tout pur », dit-elle en souriant.

« Elle est charmante », se dit Eugène qui s'éprenait de plus en plus. Il regarda cette chambre où respirait la voluptueuse élégance d'une riche courtisane.

« Cela vous plaît-il? dit-elle en sonnant sa femme de chambre.

— Thérèse, portez cela vous-même à M. de Marsay, et remettez-le à lui-même. Si vous ne le trouvez pas, vous me rapporterez la lettre. »

Thérèse ne partit pas sans avoir jeté un malicieux coup d'œil sur Eugène. Le dîner était servi. Rastignac donna le bras à Mme de Nucingen, qui le mena dans une salle à manger délicieuse, où il retrouva le luxe de table qu'il avait admiré chez sa cousine.

« Les jours d'Italiens, dit-elle, vous viendrez dîner avec moi, et vous m'accompagnerez.

— Je m'accoutumerais à cette douce vie si elle devait durer; mais je suis un pauvre étudiant qui a sa fortune à faire.

— Elle se fera, dit-elle en riant. Vous voyez, tout s'arrange : je ne m'attendais pas à être si heureuse. »

Il est dans la nature des femmes de prouver l'impossible par le possible et de détruire les faits par les pressentiments. Quand Mme de Nucingen et Rastignac entrèrent dans leur loge aux Bouffons, elle eut un air de contentement qui la rendait si belle, que chacun se permit de ces petites calomnies contre lesquelles les femmes sont sans défense, et qui font souvent croire à des désordres inventés à plaisir. Quand on connaît Paris, on ne croit à rien de ce qui s'y dit, et l'on ne dit rien de ce qui s'y fait. Eugène prit la main de la baronne, et tous deux se parlèrent par des pressions plus ou moins vives, en se communiquant les sensations que leur donnait la musique. Pour eux, cette soirée fut enivrante. Ils sortirent ensemble, et Mme de Nucingen voulut reconduire Eugène jusqu'au Pont-Neuf, en lui disputant, pendant toute la route, un des baisers qu'elle lui avait si chaleureusement prodigués au Palais-Royal. Eugène lui reprocha cette inconséquence.

« Tantôt, répondit-elle, c'était de la reconnaissance pour un dévouement inespéré; maintenant ce serait une promesse.

— Et vous ne voulez m'en faire aucune, ingrate. » Il se fâcha. En faisant un de ces gestes d'impatience qui ravissent un amant, elle lui donna sa main à baiser, qu'il prit avec une mauvaise grâce dont elle fut enchantée.

« A lundi, au bal », dit-elle.

En s'en allant à pied, par un beau clair de lune, Eugène tomba dans de sérieuses réflexions. Il était à la fois heureux et mécontent : heureux d'une aventure dont le dénouement probable lui donnait une des plus jolies et des plus élégantes femmes de Paris, objet de ses désirs; mécontent de voir ses projets de fortune renversés, et ce fut alors qu'il éprouva la réalité des pensées indécises auxquelles il s'était livré l'avant-veille. L'insuccès nous accuse toujours la puissance de nos prétentions. Plus Eugène jouissait de la vie parisienne, moins il voulait demeurer obscur et pauvre. Il chiffonnait son billet de mille francs dans sa poche, en se faisant mille raisonnements captieux pour se l'approprier. Enfin il arriva rue Neuve-Sainte-Geneviève et quand il fut en haut de l'escalier, il y vit de la lumière. Le père Goriot avait laissé sa porte ouverte et sa chandelle allumée, afin que l'étudiant n'oubliât pas de *lui raconter sa fille,* suivant son expression. Eugène ne lui cacha rien.

« Mais, s'écria le père Goriot dans un violent désespoir de jalousie, elles me croient ruiné : j'ai encore treize cents livres de rente! Mon Dieu! la pauvre petite, que ne venait-elle ici! j'aurais vendu mes rentes, nous aurions pris sur le capital, et avec le reste, je me serais fait du

viager. Pourquoi n'êtes-vous pas venu me confier
son embarras, mon brave voisin? Comment avez-
vous eu le cœur d'aller risquer au jeu ses
pauvres petits cent francs? c'est à fendre l'âme.
Voilà ce que c'est que des gendres! Oh! si je les
tenais, je leur serrerais le cou. Mon Dieu! pleurer, elle a pleuré?

— La tête sur mon gilet, dit Eugène.

— Oh! donnez-le-moi, dit le père Goriot.
Comment! il y a eu là des larmes de ma fille,
de ma chère Delphine, qui ne pleurait jamais
étant petite! Oh! je vous en achèterai un autre,
ne le portez plus, laissez-le-moi. Elle doit, d'après
son contrat, jouir de ses biens. Ah! je vais aller
trouver Derville, un avoué, dès demain. Je vais
faire exiger le placement de sa fortune. Je
connais les lois, je suis un vieux loup, je vais
retrouver mes dents.

— Tenez, père, voici mille francs qu'elle a
voulu me donner sur notre gain. Gardez-les-lui,
dans le gilet. »

Goriot regarda Eugène, lui tendit la main
pour prendre la sienne, sur laquelle il laissa
tomber une larme.

« Vous réussirez dans la vie, lui dit le vieillard. Dieu est juste, voyez-vous? Je me connais
en probité, moi, et puis vous assurer qu'il y a
bien peu d'hommes qui vous ressemblent. Vous
voulez donc être aussi mon cher enfant? Allez,

dormez. Vous pouvez dormir, vous n'êtes pas
encore père. Elle a pleuré, j'apprends ça, moi,
qui étais là tranquillement à manger comme un
imbécile pendant qu'elle souffrait; moi, qui
vendrais le Père, le Fils et le Saint-Esprit pour
leur éviter une larme à toutes deux! »

« Par ma foi, se dit Eugène en se couchant,
je crois que je serai honnête homme toute ma
vie. Il y a du plaisir à suivre les inspirations de
sa conscience. »

Il n'y a peut-être que ceux qui croient en
Dieu qui font le bien en secret, et Eugène
croyait en Dieu. Le lendemain, à l'heure du
bal, Rastignac alla chez Mme de Beauséant, qui
l'emmena pour le présenter à la duchesse de
Carigliano. Il reçut le plus gracieux accueil de
la maréchale, chez laquelle il retrouva Mme de
Nucingen. Delphine s'était parée avec l'intention de plaire à tous pour mieux plaire à Eugène, de qui elle attendait impatiemment un
coup d'œil, en croyant cacher son impatience.
Pour qui sait deviner les émotions d'une femme,
ce moment est plein de délices. Qui ne s'est
souvent plu à faire attendre son opinion, à déguiser coquettement son plaisir, à chercher des
aveux dans l'inquiétude que l'on cause, à jouir
des craintes qu'on dissipera par un sourire?
Pendant cette fête, l'étudiant mesura tout à
coup la portée de sa position, et comprit qu'il

avait un état dans le monde en étant cousin
avoué de Mme de Beauséant. La conquête de
Mme la baronne de Nucingen, qu'on lui donnait déjà, le mettait si bien en relief, que tous
les jeunes gens lui jetaient des regards d'envie;
en en surprenant quelques-uns, il goûta les premiers plaisirs de la fatuité. En passant d'un salon dans un autre, en traversant les groupes,
il entendit vanter son bonheur. Les femmes lui
prédisaient toutes des succès. Delphine, crai-
gnant de le perdre, lui promit de ne pas lui
refuser le soir le baisei qu'elle s'était tant défen-
due d'accorder l'avant-veille. A ce bal, Rastignac reçut plusieurs engagements. Il fut présenté par sa cousine à quelques femmes qui
toutes avaient des prétentions à l'élégance, et
dont les maisons passaient pour être agréables;
il se vit lancé dans le plus grand et le plus beau
monde de Paris. Cette soirée eut donc pour lui
les charmes d'un brillant début, et il devait
s'en souvenir jusque dans ses vieux jours, comme
une jeune fille se souvient du jour où elle a eu
des triomphes. Le lendemain, quand, en déjeunant, il raconta ses succès au père Goriot
devant les pensionnaires, Vautrin se prit à sourire d'une façon diabolique.

« Et vous croyez, s'écria ce féroce logicien,
qu'un jeune homme à la mode peut demeurer
rue Neuve-Sainte-Geneviève, dans la maison

Vauquer? pension infiniment respectable sous tous les rapports, certainement, mais qui n'est rien moins que fashionable. Elle est cossue, elle est belle de son abondance, elle est fière d'être le manoir momentané d'un Rastignac; mais, enfin, elle est rue Neuve-Sainte-Geneviève, et ignore le luxe, parce qu'elle est purement *patriarchalorama*. Mon jeune ami, reprit Vautrin d'un ton paternellement railleur, si vous voulez faire figure à Paris il vous faut trois chevaux et un tilbury pour le matin, un coupé pour le soir, en tout neuf mille francs pour le véhicule. Vous seriez indigne de votre destinée si vous ne dépensiez que trois mille francs chez votre tailleur, six cents francs chez le parfumeur, cent écus chez le bottier, cent écus chez le chapelier. Quant à votre blanchisseuse, elle vous coûtera mille francs. Les jeunes gens à la mode ne peuvent se dispenser d'être très forts sur l'article du linge : n'est-ce pas ce qu'on examine le plus souvent en eux? L'amour et l'église veulent de belles nappes sur leurs autels. Nous sommes à quatorze mille. Je ne vous parle pas de ce que vous perdrez au jeu, en paris, en présents; il est impossible de ne pas compter pour deux mille francs l'argent de poche. J'ai mené cette vie-là, j'en connais les débours. Ajoutez à ces nécessités premières, trois cents louis pour la pâtée, mille francs pour la niche. Allez, mon enfant, nous

en avons pour nos petits vingt-cinq mille par
an dans les flancs, ou nous tombons dans la
crotte, nous nous faisons moquer de nous, et
nous sommes destitués de notre avenir, de nos
succès, de nos maîtresses! J'oublie le valet de
chambre et le groom! Est-ce Christophe qui por-
tera vos billets doux? Les écrirez-vous sur le
papier dont vous vous servez? Ce serait vous
suicider. Croyez-en un vieillard plein d'expérience! reprit-il en faisant un *rinforzando* dans
sa voix de basse. Ou déportez-vous dans une
vertueuse mansarde, et mariez-vous-y avec le travail, ou prenez une autre voie. »

Et Vautrin cligna de l'œil en guignant
Mlle Taillefer de manière à rappeler et à ré-
sumer dans ce regard les raisonnements séduc-
teurs qu'il avait semés au cœur de l'étudiant
pour le corrompre. Plusieurs jours se passèrent
pendant lesquels Rastignac mena la vie la plus
dissipée. Il dînait presque tous les jours avec
Mme de Nucingen, qu'il accompagnait dans le
monde. Il rentrait à trois ou quatre heures du
matin, se levait à midi pour faire sa toilette,
allait se promener au bois avec Delphine, quand
il faisait beau, prodiguant ainsi son temps sans
en savoir le prix, et aspirant tous les enseignements, toutes les séductions du luxe avec l'ardeur dont est saisi l'impatient calice d'un dattier
femelle pour les fécondantes poussières de son

hyménée. Il jouait gros jeu, perdait ou gagnait
beaucoup, et finit par s'habituer à la vie exor-
bitante des jeunes gens de Paris. Sur ses premiers gains, il avait renvoyé quinze cents francs
à sa mère et à ses sœurs, en accompagnant sa
restitution de jolis présents. Quoiqu'il eût annoncé vouloir quitter la Maison Vauquer, il y
était encore dans les derniers jours du mois de
janvier, et ne savait comment en sortir. Les
jeunes gens sont soumis presque tous à une loi
en apparence inexplicable, mais dont la raison
vient de leur jeunesse même, et de l'espèce de
furie avec laquelle ils se ruent au plaisir. Riches
ou pauvres, ils n'ont jamais d'argent pour les
nécessités de la vie, tandis qu'ils en trouvent
toujours pour leurs caprices. Prodigues de tout
ce qui s'obtient à crédit, ils sont avares de tout
ce qui se paie à l'instant même, et semblent se
venger de ce qu'ils n'ont pas, en dissipant tout
ce qu'ils peuvent avoir. Ainsi, pour nettement
poser la question, un étudiant prend bien plus
de soin de son chapeau que de son habit. L'énor-
mité du gain rend le tailleur essentiellement
créditeur, tandis que la modicité de la somme
fait du chapelier un des êtres les plus intrai-
tables parmi ceux avec lesquels il est forcé de
parlementer. Si le jeune homme assis au balcon
d'un théâtre offre à la lorgnette des jolies
femmes d'étourdissants gilets, il est douteux

qu'il ait des chaussettes; le bonnetier est encore
un des charançons de sa bourse. Rastignac en
était là. Toujours vide pour Mme Vauquer, toujours pleine pour les exigences de la vanité,
sa bourse avait des revers et des succès luna-
tiques en désaccord avec les paiements les plus
naturels. Avant de quitter la pension puante,
ignoble où s'humiliaient périodiquement ses
prétentions, ne fallait-il pas payer un mois à
son hôtesse, et acheter des meubles pour son
appartement de dandy? c'était toujours la chose
impossible. Si, pour se procurer l'argent nécessaire à son jeu, Rastignac savait acheter chez
son bijoutier des montres et des chaînes d'or
chèrement payées sur ses gains, et qu'il portait
au mont-de-piété, ce sombre et discret ami de
la jeunesse, il se trouvait sans invention comme
sans audace quand il s'agissait de payer sa nourriture, son logement, ou d'acheter les outils
indispensables à l'exploitation de la vie élégante. Une nécessité vulgaire, des dettes
contractées pour des besoins satisfaits, ne l'inspi-
raient plus. Comme la plupart de ceux qui
ont connu cette vie de hasard, il attendait au
dernier moment pour solder des créances sacrées
aux yeux des bourgeois, comme faisait Mira-
beau, qui ne payait son pain que quand il se
présentait sous la forme dragonnante d'une
lettre de change. Vers cette époque, Rastignac

avait perdu son argent et s'était endetté. L'étudiant commençait à comprendre qu'il lui serait impossible de continuer cette existence sans avoir des ressources fixes. Mais, tout en gémissant sous les piquantes atteintes de sa situation précaire, il se sentait incapable de renoncer aux jouissances excessives de cette vie, et voulait la continuer à tout prix. Les hasards sur lesquels il avait compté pour sa fortune devenaient chimériques, et les obstacles réels grandissaient. En s'initiant aux secrets domestiques de M. et Mme de Nucingen, il s'était aperçu que, pour convertir l'amour en instrument de fortune, il fallait avoir bu toute honte, et renoncer aux nobles idées qui sont l'absolution des fautes de la jeunesse. Cette vie extérieurement splendide, mais rongée par tous les *tænias* du remords, et dont les fugitifs plaisirs étaient chèrement expiés par de persistantes angoisses, il l'avait épousée, il s'y roulait en se faisant, comme le Distrait de La Bruyère, un lit dans la fange du fossé; mais, comme le Distrait, il ne souillait encore que son vêtement.

« Nous avons donc tué le mandarin? lui dit un jour Bianchon en sortant de table.

— Pas encore, répondit-il, mais il râle. »

L'étudiant en médecine prit ce mot pour une plaisanterie, et ce n'en était pas une. Eugène, qui, pour la première fois depuis longtemps,

avait dîné à la pension, s'était montré pensif
pendant le repas. Au lieu de sortir au dessert,
il resta dans la salle à manger assis auprès de
Mlle Taillefer, à laquelle il jeta de temps en
temps des regards expressifs. Quelques pensionnaires étaient encore attablés et mangeaient des
noix, d'autres se promenaient en continuant
des discussions commencées. Comme presque
tous les soirs, chacun s'en allait à sa fantaisie,
suivant le degré d'intérêt qu'il prenait à la
conversation, ou selon le plus ou moins de pe-
santeur que lui causait sa digestion. En hiver,
il était rare que la salle à manger fût entièrement évacuée avant huit heures, moment où les
quatre femmes demeuraient seules et se ven-
geaient du silence que leur sexe leur imposait
au milieu de cette réunion masculine. Frappé
de la préoccupation à laquelle Eugène était en
proie, Vautrin resta dans la salle à manger, quoiqu'il eût paru d'abord empressé de sortir, et se
tint constamment de manière à n'être pas vu
d'Eugène, qui dut le croire parti. Puis, au lieu
d'accompagner ceux des pensionnaires qui s'en
allèrent les derniers, il stationna sournoisement
dans le salon. Il avait lu dans l'âme de l'étudiant et pressentait un sympôme décisif. Rastignac se trouvait en effet dans une situation per-
plexe que beaucoup de jeunes gens ont dû
connaître. Aimante ou coquette, Mme de Nu-

cingen avait fait passer Rastignac par toutes les
angoisses d'une passion véritable, en déployant
pour lui les ressources de la diplomatie féminine en usage à Paris. Après s'être compromise
aux yeux du public pour fixer près d'elle le
cousin de Mme de Beauséant, elle hésitait à lui
donner réellement les droits dont il paraissait
jouir. Depuis un mois elle irritait si bien les
sens d'Eugène, qu'elle avait fini par attaquer le
cœur. Si, dans les premiers moments de sa liaison, l'étudiant s'était cru le maître, Mme de
Nucingen était devenue la plus forte. à l'aide
de ce manège qui mettait en mouvement chez
Eugène tous les sentiments, bons ou mauvais,
des deux ou trois hommes qui sont dans un
jeune homme de Paris. Etait-ce en elle un calcul? Non; les femmes sont toujours vraies, même
au milieu de leurs plus grandes faussetés. parce
qu'elles cèdent à quelque sentiment naturel.
Peut-être Delphine, après avoir laissé prendre
tout à coup tant d'empire sur elle par ce jeune
homme et lui avoir montré trop d'affection,
obéissait-elle à un sentiment de dignité, qui la
faisait ou revenir sur ses concessions, ou se plaire
à les suspendre. Il est si naturel à une Parisienne, au moment même où la passion l'entraîne, d'hésiter dans sa chute, d'éprouver le
cœur de celui auquel elle va livrer son avenir!
Toutes les espérances de Mme de Nucingen

avaient été trahies une première fois, et sa fidé-
lité pour un jeune égoïste venait d'être mé-
connue. Elle pouvait être défiante à bon droit.
Peut-être avait-elle aperçu dans les manières
d'Eugène, que son rapide succès avait rendu fat,
une sorte de mésestime causée par les bizarreries de leur situation. Elle désirait sans doute
paraître imposante à un homme de cet âge, et
se trouver grande devant lui après avoir été si
longtemps petite devant celui par qui elle était
abandonnée. Elle ne voulait pas qu'Eugène la
crût une conquête facile, précisément parce
qu'il savait qu'elle avait appartenu à de Marsay.
Enfin, après avoir subi le dégradant plaisir d'un
véritable monstre, un libertin jeune, elle éprouvait tant de douceur à se promener dans les régions fleuries de l'amour, que c'était sans doute
un charme pour elle d'en admirer tous les aspects, d'en écouter longtemps les frémissements,
et de se laisser longtemps caresser par de chastes
brises. Le véritable amour payait pour le mauvais. Ce contre-sens sera malheureusement fré-
quent tant que les hommes ne sauront pas combien de fleurs fauchent dans l'âme d'une jeune
femme les premiers coups de la tromperie.
Quelles que fussent ses raisons, Delphine se
jouait de Rastignac, et se plaisait à se jouer de
lui, sans doute parce qu'elle se savait aimée et
sûre de faire cesser les chagrins de son amant,

suivant son royal bon plaisir de femme. Par respect de lui-même, Eugène ne voulait pas que
son premier combat se terminât par une défaite,
et persistait dans sa poursuite, comme un chasseur qui veut absolument tuer une perdrix à sa
première fête de Saint-Hubert. Ses anxiétés, son
amour-propre offensé, ses désespoirs, faux ou
véritables, l'attachaient de plus en plus à cette
femme. Tout Paris lui donnait Mme de Nucingen, auprès de laquelle il n'était pas plus avancé
que le premier jour où il l'avait vue. Ignorant
encore que la coquetterie d'une femme offre
quelquefois plus de bénéfices que son amour
ne donne de plaisir, il tombait dans de sottes
rages. Si la saison pendant laquelle une femme
se dispute à l'amour offrait à Rastignac le butin
de ses primeurs, elles lui devenaient aussi coûteuses qu'elles étaient vertes, aigrelettes et déli-
cieuses à savourer. Parfois, en se voyant sans un
sou, sans avenir, il pensait, malgré la voix de sa
conscience, aux chances de fortune dont Vautrin
lui avait démontré la possibilité dans un mariage avec Mlle Taillefer. Or, il se trouvait alors
dans un moment où sa misère parlait si haut,
qu'il céda presque involontairement aux arti-
fices du terrible sphinx par les regards duquel
il était souvent fasciné. Au moment où Poiret
et Mlle Michonneau remontèrent chez eux, Rastignac se croyant seul entre Mme Vauquer et

Mme Couture, qui se tricotait des manches de
laine en sommeillant auprès du poêle, regarda
Mlle Taillefer d'une manière assez tendre pour
lui faire baisser les yeux.

« Auriez-vous des chagrins, monsieur Eugène?
lui dit Victorine après un moment de silence.

— Quel homme n'a pas ses chagrins! répondit Rastignac. Si nous étions sûrs, nous autres
jeunes gens, d'être bien aimés, avec un dévouement qui nous récompensât des sacrifices que
nous sommes toujours disposés à faire, nous
n'aurions peut-être jamais de chagrins. »

Mlle Taillefer lui jeta, pour toute réponse,
un regard qui n'était pas équivoque.

« Vous, mademoiselle, vous vous croyez sûre
de votre cœur aujourd'hui; mais répondriez-
vous de ne jamais changer? »

Un sourire vint errer sur les lèvres de la
pauvre fille comme un rayon jailli de son âme,
et fit si bien reluire sa figure qu'Eugène fut
effrayé d'avoir provoqué une aussi vive explosion de sentiment.

« Quoi! si demain vous étiez riche et heureuse, si une immense fortune vous tombait des
nues, vous aimeriez encore le jeune homme
pauvre qui vous aurait plu durant vos jours de
détresse? »

Elle fit un joli signe de tête.

« Un jeune homme bien malheureux? »

Nouveau signe.

« Quelles bêtises dites-vous donc là? s'écria Mme Vauquer.

— Laissez-nous, répondit Eugène, nous nous entendons.

— Il y aurait donc alors promesse de mariage entre M. le chevalier Eugène de Rastignac et Mlle Victorine Taillefer? dit Vautrin de sa grosse voix en se montrant tout à coup à la porte de la salle à manger.

— Ah! vous m'avez fait peur, dirent à la fois Mme Couture et Mme Vauquer.

— Je pourrais plus mal choisir, répondit en riant Eugène à qui la voix de Vautrin causa la plus cruelle émotion qu'il eût jamais ressentie.

— Pas de mauvaises plaisanteries, messieurs! dit Mme Couture. Ma fille, remontons chez nous. »

Mme Vauquer suivit ses deux pensionnaires, afin d'économiser sa chandelle et son feu en passant la soirée chez elles. Eugène se trouva seul et face à face avec Vautrin.

« Je savais bien que vous y arriveriez, lui dit cet homme en gardant un imperturbable sang-froid. Mais, écoutez! j'ai de la délicatesse tout comme un autre, moi. Ne vous décidez pas dans ce moment, vous n'êtes pas dans votre assiette ordinaire. Vous avez des dettes. Je ne veux pas que ce soit la passion, le désespoir, mais la

raison qui vous détermine à venir à moi. Peut-
être vous faut-il quelque millier d'écus. Tenez,
le voulez-vous? »

Ce démon prit dans sa poche un portefeuille,
et en tira trois billets de banque qu'il fit papil-
loter aux yeux de l'étudiant. Eugène était dans
la plus cruelle des situations. Il devait au marquis d'Adjuda et au comte de Trailles cent louis
perdus sur parole. Il ne les avait pas et
n'osait aller passer la soirée chez Mme de Restaud, où il était attendu. C'était une de ces soirées sans cérémonie où l'on mange des petits
gâteaux, où l'on boit du thé, mais où l'on peut
perdre six mille francs au whist.

« Monsieur, lui dit Eugène en cachant avec
peine un tremblement convulsif, après ce que
vous m'avez confié, vous devez comprendre qu'il
m'est impossible de vous avoir des obligations.

— Eh bien, vous m'auriez fait de la peine de
parler autrement, reprit le tentateur. Vous êtes
un beau jeune homme, délicat, fier comme un
lion et doux comme une jeune fille. Vous seriez
une belle proie pour le diable. J'aime cette
qualité de jeunes gens. Encore deux ou trois
réflexions de haute politique, et vous verrez le
monde comme il est. En y jouant quelques petites scènes de vertu, l'homme supérieur y satisfait toutes ses fantaisies aux grands applaudissements des niais du parterre. Avant peu de

jours vous serez à nous. Ah! si vous vouliez devenir mon élève, je vous ferais arriver à tout.
Vous ne formeriez pas un désir qu'il ne fût à
l'instant comblé, quoi que vous puissiez souhaiter : honneur, fortune, femmes. On vous rédui-
rait toute la civilisation en ambroisie. Vous
seriez notre enfant gâté, notre Benjamin, nous
nous exterminerions tous pour vous avec plaisir. Tout ce qui vous ferait obstacle serait aplati.
Si vous conservez des scrupules, vous me
prenez donc pour un scélérat? Eh bien, un
homme qui avait autant de probité que vous
croyez en avoir encore, M. de Turenne, faisait,
sans se croire compromis, de petites affaires avec
des brigands. Vous ne voulez pas être mon
obligé, hein? Qu'à cela ne tienne, reprit Vautrin en laissant échapper un sourire. Prenez ces
chiffons, et mettez-moi là-dessus, dit-il en tirant
un timbre, là, en travers : *Accepté pour la
somme de trois mille cinq cents francs payable
en un an*. Et datez! L'intérêt est assez fort pour
vous ôter tout scrupule; vous pouvez m'appeler
juif, et vous regarder comme quitte de
toute reconnaissance. Je vous permets de me mé-
priser encore aujourd'hui, sûr que plus tard
vous m'aimerez. Vous trouverez en moi de ces
immenses abîmes, de ces vastes sentiments
concentrés que les niais appellent des vices;
mais vous ne me trouverez jamais ni lâche ni

ingrat. Enfin, je ne suis ni un pion ni un fou, mais une tour, mon petit.

— Quel homme êtes-vous donc? s'écria Eugène, vous avez été créé pour me tourmenter.

— Mais non, je suis un bon homme qui veut se crotter pour que vous soyez à l'abri de la boue pour le reste de vos jours. Vous vous demandez pourquoi ce dévouement? Eh bien, je vous le dirai tout doucement quelque jour, dans le tuyau de l'oreille. Je vous ai d'abord surpris en vous montrant le carillon de l'ordre social et le jeu de la machine; mais votre premier effroi se passera comme celui du conscrit sur le champ de bataille, et vous vous accoutumerez à l'idée de considérer les hommes comme des soldats décidés à périr pour le service de ceux qui se sacrent rois eux-mêmes. Les temps sont bien changés. Autrefois on disait à un brave : « Voilà cent écus, tue-moi monsieur « un tel », et l'on soupait tranquillement après avoir mis un homme à l'ombre pour un oui, pour un non. Aujourd'hui je vous propose de vous donner une belle fortune contre un signe de tête qui ne vous compromet en rien, et vous hésitez. Le siècle est mou. »

Eugène signa la traite, et l'échangea contre les billets de banque.

« Eh bien, voyons, parlons raison, reprit Vautrin. Je veux partir d'ici à quelques mois

pour l'Amérique, aller planter mon tabac. Je
vous enverrai les cigares de l'amitié. Si je de-
viens riche, je vous aiderai. Si je n'ai pas d'enfants (cas probable. je ne suis pas curieux de
me replanter ici par bouture), eh bien, je vous
léguerai ma fortune. Est-ce être l'ami d'un
homme? Mais je vous aime, moi. J'ai la passion
de me dévouer pour un autre. Je l'ai déjà fait.
Voyez-vous, mon petit, je vis dans une sphère
plus élevée que celle des autres hommes. Je
considère les actions comme des moyens, et ne
vois que le but. Qu'est-ce qu'un homme pour
moi? Çà! fit-il en faisant claquer l'ongle de son
pouce sous une de ses dents. Un homme est
tout ou rien. Il est moins que rien quand il se
nomme Poiret : on peut l'écraser comme une
punaise, il est plat et il pue. Mais un homme
est un dieu quand il vous ressemble : ce n'est
pas une machine couverte en peau; mais un
théâtre où s'émeuvent les plus beaux sentiments.
et je ne vis que par les sentiments. Un
sentiment, n'est-ce pas le monde dans une pensée? Voyez le père Goriot : ses deux filles sont
pour lui tout l'univers, elles sont le fil avec
lequel il se dirige dans la création. Eh bien,
pour moi qui ai bien creusé la vie, il n'existe
qu'un seul sentiment réel, une amitié d'homme
à homme. Pierre et Jaffier, voilà ma passion.
Je sais Venise sauvée par cœur. Avez-vous vu

beaucoup de gens assez poilus pour, quand un
camarade dit : « Allons enterrer un corps! »
y aller sans souffler mot ni l'embêter de morale?
J'ai fait ça, moi. Je ne parlerais pas ainsi à
tout le monde. Mais vous, vous êtes un homme
supérieur, on peut tout vous dire, vous savez
tout comprendre. Vous ne patouillerez pas longtemps dans les marécages où vivent les cra-
poussins qui nous entourent ici. Eh bien, voilà
qui est dit. Vous épouserez. Poussons chacun nos
pointes! La mienne est en fer et ne mollit jamais, hé, hé! »

Vautrin sortit sans vouloir entendre la réponse
négative de l'étudiant, afin de le mettre à son
aise. Il semblait connaître le secret de ces petites
résistances, de ces combats dont les hommes se
parent devant eux-mêmes, et qui leur servent
à se justifier leurs actions blâmables.

« Qu'il fasse comme il voudra, je n'épouserai
certes pas Mlle Taillefer! » se dit Eugène.

Après avoir subi le malaise d'une fièvre inté-
rieure que lui causa l'idée d'un pacte fait avec
cet homme dont il avait horreur, mais qui gran-
dissait à ses yeux par le cynisme même de ses
idées et par l'audace avec laquelle il étreignait
la société, Rastignac s'habilla, demanda une
voiture, et vint chez Mme de Restaud. Depuis
quelques jours, cette femme avait redoublé de
soins pour un jeune homme dont chaque pas

était un progrès au cœur du grand monde, et
dont l'influence paraissait devoir être un jour
redoutable. Il paya MM. de Trailles et d'Adjuda, joua au whist une partie de la nuit, et
regagna ce qu'il avait perdu. Superstitieux
comme la plupart des hommes dont le chemin
est à faire et qui sont plus ou moins fatalistes,
il voulut voir dans son bonheur une récompense du Ciel pour sa persévérance à rester dans
le bon chemin. Le lendemain matin, il s'em-
pressa de demander à Vautrin s'il avait encore
sa lettre de change. Sur une réponse affirmative,
il lui rendit les trois mille francs en manifestant
un plaisir assez naturel.

« Tout va bien, lui dit Vautrin.

— Mais je ne suis pas votre complice, dit
Eugène.

— Je sais, je sais, répondit Vautrin en l'interrompant. Vous faites encore des enfantillages.
Vous vous arrêtez aux bagatelles de la porte. »

Deux jours après, Poiret et Mlle Michonneau
se trouvaient assis sur un banc, au soleil, dans
une allée solitaire du Jardin des plantes, et cau-
saient avec le monsieur qui paraissait à bon
droit suspect à l'étudiant en médecine.

« Mademoiselle, disait M. Gondureau, je ne
vois pas d'où naissent vos scrupules. Son Excellence monseigneur le ministre de la police générale du royaume...

— Ah! Son Excellence monseigneur le ministre de la police générale du royaume... répéta Poiret.

— Oui, Son Excellence s'occupe de cette affaire », dit Gondureau.

A qui ne paraîtra-t-il pas invraisemblable que Poiret, ancien employé, sans doute homme de vertus bourgeoises, quoique dénué d'idées, continuât d'écouter le prétendu rentier de la rue de Buffon, au moment où il prononçait le mot de police en laissant ainsi voir la physionomie d'un agent de la rue de Jérusalem à travers son masque d'honnête homme? Cependant rien n'était plus naturel. Chacun comprendra mieux l'espèce particulière à laquelle appartenait Poiret, dans la grande famille des niais, après une remarque déjà faite par certains observateurs, mais qui jusqu'à présent n'a pas été publiée. Il est une nation plumigère, serrée au budget entre le premier degré de latitude qui comporte les traitements de douze cents francs, espèce de Groënland administratif, et le troisième degré, où commencent les traitements un peu plus chauds de trois à six mille francs, région tempérée, où s'acclimate la gratification, où elle fleurit malgré les difficultés de la culture. Un des traits caractéristiques qui trahit le mieux l'infirme étroitesse de cette gent subalterne, est une sorte de respect involontaire,

machinal, instinctif, pour ce grand lama de tout
ministère, connu de l'employé par une signature illisible et sous le nom de Son Excellence
Monseigneur le Ministre, cinq mots qui équivalent à l'*Il Bondo Cani* du Calife de Bagdad.
et qui, aux yeux de ce peuple aplati, représente
un pouvoir sacré, sans appel. Comme le pape
pour les chrétiens, monseigneur est administra-
tivement infaillible aux yeux de l'employé;
l'éclat qu'il jette se communique à ses actes, à
ses paroles, à celles dites en son nom; il couvre
tout de sa broderie, et légalise les actions qu'il
ordonne; son nom d'Excellence, qui atteste la
pureté de ses intentions et la sainteté de ses
vouloirs, sert de passeport aux idées les moins
admissibles. Ce que ces pauvres gens ne feraient
pas dans leur intérêt, ils s'empressent de
l'accomplir dès que le mot Son Excellence est
prononcé. Les bureaux ont leur obéissance pas-
sive, comme l'armée a la sienne : système qui
étouffe la conscience, annihile un homme, et
finit, avec le temps, par l'adapter comme une
vis ou un écrou à la machine gouvernementale.
Aussi M. Gondureau, qui paraissait se
connaître en hommes, distingua-t-il promptement en Poiret un de ces niais bureaucra-
tiques, et fit-il sortir le *Deus ex machina*, le
mot talismanique de Son Excellence, au moment
où il 'allait, en démasquant ses batteries,

éblouir le Poiret, qui lui semblait le mâle de
la Michonneau, comme la Michonneau lui semblait la femelle du Poiret.

« Du moment où Son Excellence elle-même,
Son Excellence monseigneur le...! Ah! c'est très
différent, dit Poiret.

— Vous entendez monsieur, dans le jugement
duquel vous paraissez avoir confiance, reprit le
faux rentier en s'adressant à Mlle Michonneau.
Eh bien, Son Excellence a maintenant la certitude la plus complète que le prétendu Vautrin, logé dans la maison Vauquer, est un forçat
évadé du bagne de Toulon, où il est connu sous
le nom de *Trompe-la-Mort*.

— Ah! Trompe-la-Mort! dit Poiret, il est bien
heureux, s'il a mérité ce nom-là.

— Mais oui, reprit l'agent. Ce sobriquet est
dû au bonheur qu'il a eu de ne jamais perdre
la vie dans les entreprises extrêmement auda-
cieuses qu'il a exécutées. Cet homme est dan-
gereux, voyez-vous! Il a des qualités qui le
rendent extraordinaire. Sa condamnation est
même une chose qui lui a fait dans sa partie
un honneur infini...

— C'est donc un homme d'honneur? demanda Poiret.

— A sa manière. Il a consenti à prendre sur
son compte le crime d'un autre, un faux commis
par un très beau jeune homme qu'il aimait

beaucoup, un jeune Italien assez joueur, entré depuis au service militaire, où il s'est d'ailleurs parfaitement comporté.

— Mais si Son Excellence le ministre de la police est sûr que M. Vautrin soit Trompe-la-Mort, pourquoi donc aurait-il besoin de moi? dit Mlle Michonneau.

— Ah! oui, dit Poiret, si en effet le ministre, comme vous nous avez fait l'honneur de nous le dire, a une certitude quelconque...

— Certitude n'est pas le mot; seulement on se doute. Vous allez comprendre la question. Jacques Collin, surnommé Trompe-la-Mort, a toute la confiance des trois bagnes qui l'ont choisi pour être leur agent et leur banquier. Il gagne beaucoup à s'occuper de ce genre d'affaires, qui nécessairement veut un homme de marque.

— Ah! ah! comprenez-vous le calembour, mademoiselle? dit Poiret. Monsieur l'appelle un homme de *marque,* parce qu'il a été marqué.

— Le faux Vautrin, dit l'agent en continuant, reçoit les capitaux de messieurs les forçats, les place, les leur conserve, et les tient à la disposition de ceux qui s'évadent, ou de leurs familles, quand ils en disposent par testament, ou de leurs maîtresses, quand ils tirent sur lui pour elles.

— De leurs maîtresses! Vous voulez dire de leurs femmes, fit observer Poiret.

— Non, monsieur. Le forçat n'a généralement que des épouses illégitimes, que nous nommons des concubines.

— Ils vivent donc tous en état de concubinage?

— Conséquemment.

— Eh bien, dit Poiret, voilà des horreurs que monseigneur ne devrait pas tolérer. Puisque vous avez l'honneur de voir Son Excellence, c'est à vous, qui me paraissez avoir des idées philanthropiques, à l'éclairer sur la conduite immorale de ces gens, qui donnent un très mauvais exemple au reste de la société.

— Mais, monsieur, le gouvernement ne les met pas là pour offrir le modèle de toutes les vertus.

— C'est juste. Cependant, monsieur, permettez...

— Mais, laissez donc dire monsieur, mon cher mignon, dit Mlle Michonneau.

— Vous comprenez, mademoiselle, reprit Gondureau. Le gouvernement peut avoir un grand intérêt à mettre la main sur une caisse illicite, que l'on dit monter à un total assez majeur. Trompe-la-Mort encaisse des valeurs considérables en recelant non seulement les sommes possédées par quelques-uns de ses cama-

rades. mais encore celles qui proviennent de la
Société des Dix mille...

— Dix mille voleurs! s'écria Poiret effrayé.

— Non, la société des Dix mille est une association de hauts voleurs, de gens qui travaillent
en grand, et ne se mêlent pas d'une affaire où
il n'y a pas dix mille francs à gagner. Cette
société se compose de tout ce qu'il y a de plus
distingué parmi ceux de nos hommes qui vont
droit en cour d'assises. Ils connaissent le Code,
et ne risquent jamais de se faire appliquer la
peine de mort quand ils sont pincés. Collin est
leur homme de confiance, leur conseil. A l'aide
de ses immenses ressources, cet homme a su
se créer une police à lui, des relations fort éten-
dues qu'il enveloppe d'un mystère impéné-
trable. Quoique depuis un an nous l'ayons en-
touré d'espions, nous n'avons pas encore pu voir
dans son jeu. Sa caisse et ses talents servent
donc constamment à solder le vice, à faire les
fonds au crime, et entretiennent sur pied une
armée de mauvais sujets qui sont dans un perpétuel état de guerre avec la société. Saisir
Trompe-la-Mort et s'emparer de sa banque, ce
sera couper le mal dans sa racine. Aussi cette
expédition est-elle devenue une affaire d'Etat
et de haute politique, susceptible d'honorer
ceux qui coopéreront à sa réussite. Vous-même,
monsieur, pourriez être de nouveau employé

dans l'administration, devenir secrétaire d'un commissaire de police, fonctions qui ne vous empêcheraient point de toucher votre pension de retraite.

— Mais pourquoi, dit Mlle Michonneau, Trompe-la-Mort ne s'en va-t-il pas avec la caisse?

— Oh! fit l'agent, partout où il irait, il serait suivi d'un homme chargé de le tuer, s'il volait le bagne. Puis une caisse ne s'enlève pas aussi facilement qu'on enlève une demoiselle de bonne maison. D'ailleurs, Collin est un gaillard incapable de faire un trait semblable, il se croirait déshonoré.

— Monsieur, dit Poiret, vous avez raison, il serait tout à fait déshonoré.

— Tout cela ne nous dit pas pourquoi vous ne venez pas tout bonnement vous emparer de lui, demanda Mlle Michonneau.

— Eh bien, mademoiselle, je réponds... Mais, lui dit-il à l'oreille, empêchez votre monsieur de m'interrompre, ou nous n'en aurons jamais fini. Il doit avoir beaucoup de fortune pour se faire écouter, ce vieux-là. Trompe-la-Mort, en venant ici, a chaussé la peau d'un honnête homme, il s'est fait bon bourgeois de Paris, il s'est logé dans une pension sans apparence; il est fin, allez! on ne le prendra jamais sans vert. Donc M. Vautrin est un homme considéré, qui fait des affaires considérables.

— Naturellement, se dit Poiret à lui-même.

— Le ministre, si l'on se trompait en arrêtant un vrai Vautrin, ne veut pas se mettre à
dos le commerce de Paris, ni l'opinion publique.
M. le préfet de police branle dans le manche,
il a des ennemis. S'il y avait erreur, ceux qui
veulent sa place profiteraient des clabaudages
et des criailleries libérales pour le faire sauter.
Il s'agit ici de procéder comme dans l'affaire
Cogniard, le faux comte de Sainte-Hélène; si
ç'avait été un vrai comte de Sainte-Hélène, nous
n'étions pas propres. Aussi faut-il vérifier!

— Oui, mais vous avez besoin d'une jolie
femme, dit vivement Mlle Michonneau.

— Trompe-la-Mort ne se laisserait pas aborder par une femme, dit l'agent. Apprenez un
secret? il n'aime pas les femmes.

— Mais je ne vois pas alors à quoi je suis
bonne pour une semblable vérification, une sup-
position que je consentirais à la faire pour deux
mille francs.

— Rien de plus facile, dit l'inconnu. Je vous
remettrai un flacon contenant une dose de liqueur préparée pour donner un coup de sang
qui n'a pas le moindre danger et simule une
apoplexie. Cette drogue peut se mêler également
au vin et au café. Sur-le-champ vous trans-
portez notre homme sur un lit, et vous le désha-
billez afin de savoir s'il ne meurt pas. Au

moment où vous serez seule, vous lui donnerez une claque sur l'épaule, paf! et vous verrez reparaître les lettres.

— Mais c'est rien du tout, ça, dit Poiret.

— Eh bien, consentez-vous? dit Gondureau à la vieille fille.

— Mais, mon cher monsieur, dit Mlle Michonneau, au cas où il n'y aurait point de lettres, aurais-je les deux mille francs?

— Non.

— Quelle sera donc l'indemnité?

— Cinq cents francs.

— Faire une chose pareille pour si peu. Le mal est le même dans la conscience, et j'ai ma conscience à calmer, monsieur.

— Je vous affirme, dit Poiret, que mademoiselle a beaucoup de conscience, outre que c'est une très aimable personne et bien entendue.

— Eh bien, reprit Mlle Michonneau, donnez-moi trois mille francs si c'est Trompe-la-Mort, et rien du tout si c'est un bourgeois.

— Ça va, dit Gondureau, mais à condition que l'affaire sera faite demain.

— Pas encore, mon cher monsieur, j'ai besoin de consulter mon confesseur.

— Finaude! dit l'agent en se levant. A demain alors. Et si vous étiez pressée de me parler, venez petite rue Sainte-Anne, au bout de la

cour de la Sainte-Chapelle. Il n'y a qu'une porte
sous la voûte. Demandez M. Gondureau. »

Bianchon, qui revenait du cours de Cuvier,
eut l'oreille frappée du mot assez original de
Trompe-la-Mort, et entendit le *ça va* du célèbre
chef de la police de sûreté.

« Pourquoi n'en finissez-vous pas, ce serait
trois cents francs de rente viagère, dit Poiret à
Mlle Michonneau.

— Pourquoi? dit-elle. Mais il faut y réfléchir.
Si M. Vautrin était ce Trompe-la-Mort, peut-
être y aurait-il plus d'avantage à s'arranger avec
lui. Cependant lui demander de l'argent, ce
serait le prévenir, et il serait homme à décamper *gratis*. Ce serait un *puff* abominable.

— Quand il serait prévenu, reprit Poiret, ce
monsieur ne nous a-t-il pas dit qu'il était sur-
veillé? Mais vous, vous perdriez tout.

— D'ailleurs, pensa Mlle Michonneau, je ne
l'aime point, cet homme! Il ne sait me dire que
des choses désagréables.

— Mais, reprit Poiret, vous feriez mieux.
Ainsi que l'a dit ce monsieur, qui me paraît
fort bien, outre qu'il est très proprement couvert, c'est un acte d'obéissance aux lois que de
débarrasser la société d'un criminel, quelque
vertueux qu'il puisse être. Qui a bu boira. S'il
lui prenait fantaisie de nous assassiner tous?
Mais, que diable! nous serions coupables de ces

assassinats, sans compter que nous en serions les premières victimes. »

La préoccupation de Mlle Michonneau ne lui permettait pas d'écouter les phrases tombant une à une de la bouche de Poiret, comme les gouttes d'eau qui suintent à travers le robinet d'une fontaine mal fermée. Quand une fois ce vieillard avait commencé la série de ses phrases, et que Mlle Michonneau ne l'arrêtait pas, il parlait toujours, à l'instar d'une mécanique montée. Après avoir entamé un premier sujet, il était conduit par ses parenthèses à en traiter de tout opposés, sans avoir rien conclu. En arrivant à la maison Vauquer, il s'était faufilé dans une suite de passages et de citations transitoires qui l'avaient amené à raconter sa déposition dans l'affaire du sieur Ragoulleau et de la dame Morin, où il avait comparu en qualité de témoin à décharge. En entrant, sa compagne ne manqua pas d'apercevoir Eugène de Rastignac engagé avec Mlle Taillefer dans une intime causerie dont l'intérêt était si palpitant que le couple ne fit aucune attention au passage des deux vieux pensionnaires quand ils traversèrent la salle à manger.

« Ça devait finir par là, dit Mlle Michonneau à Poiret. Ils se faisaient des yeux à s'arracher l'âme depuis huit jours.

— Oui, répondit-il. Aussi fut-elle condamnée.

— Qui?

— Mme Morin.

— Je vous parle de Mlle Victorine, dit la Michonneau en entrant, sans y faire attention dans la chambre de Poiret, et vous me répondez par Mme Morin. Qu'est-ce que c'est que cette femme-là?

— De quoi serait donc coupable Mlle Victorine? demanda Poiret.

— Elle est coupable d'aimer M. Eugène de Rastignac, et va de l'avant sans savoir où ça la mènera, pauvre innocente! »

Eugène avait été, pendant la matinée, réduit au désespoir par Mme de Nucingen. Dans son for intérieur, il s'était abandonné complètement à Vautrin, sans vouloir sonder ni les motifs de l'amitié que lui portait cet homme extraordinaire, ni l'avenir d'une semblable union. Il fallait un miracle pour le tirer de l'abîme où il avait déjà mis le pied depuis une heure, en échangeant avec Mlle Taillefer les plus douces promesses. Victorine croyait entendre la voix d'un ange, les cieux s'ouvraient pour elle, la maison Vauquer se parait des teintes fantastiques que les décorateurs donnent aux palais de théâtre : elle aimait, elle était aimée, elle le croyait du moins! Et quelle femme ne l'aurait cru comme elle en voyant Rastignac, en l'écoutant durant cette heure dérobée à tous les argus

de la maison? En se débattant contre sa
conscience, en sachant qu'il faisait mal et voulant faire mal, en se disant qu'il rachèterait ce
péché véniel par le bonheur d'une femme, il
s'était embelli de son désespoir, et resplendissait
de tous les feux de l'enfer qu'il avait au cœur.
Heureusement pour lui, le miracle eut lieu :
Vautrin entra joyeusement, et lut dans l'âme
des deux jeunes gens qu'il avait mariés par les
combinaisons de son infernal génie, mais dont
il troubla soudain la joie en chantant de sa
grosse voix railleuse :

> Ma Fanchette est charmante
> Dans sa simplicité...

Victorine se sauva en emportant autant de
bonheur qu'elle avait eu jusqu'alors de malheur
dans sa vie. Pauvre fille! un serrement de mains,
sa joue effleurée par les cheveux de Rastignac,
une parole dite si près de son oreille qu'elle
avait senti la chaleur des lèvres de l'étudiant,
la pression de sa taille par un bras tremblant,
un baiser pris sur son cou, furent les accordailles
de sa passion, que le voisinage de la grosse
Sylvie, menaçant d'entrer dans cette radieuse
salle à manger, rendirent plus ardentes, plus
vives, plus encourageantes que les plus beaux
témoignages de dévouement racontés dans les

plus célèbres histoires d'amour. Ces *menus suf-
frages,* suivant une jolie expression de nos an-
cêtres, paraissaient être des crimes à une pieuse
jeune fille confessée tous les quinze jours! En
cette heure, elle avait prodigué plus de trésors
d'âme que plus tard, riche et heureuse, elle
n'en aurait donné en se livrant tout entière.

« L'affaire est faite, dit Vautrin à Eugène.
Nos deux dandies se sont piochés. Tout s'est
passé convenablement. Affaire d'opinion. Notre
pigeon a insulté mon faucon. A demain, dans la
redoute de Clignancourt. A huit heures et
demie, Mlle Taillefer héritera de l'amour et de
la fortune de son père, pendant qu'elle sera là
tranquillement à tremper ses mouillettes de
pain beurré dans son café. N'est-ce pas drôle à
se dire? Ce petit Taillefer est très fort à l'épée,
il est confiant comme un brelan carré; mais il
sera saigné par un coup que j'ai inventé, une
manière de relever l'épée et de vous piquer le
front. Je vous montrerai cette botte-là, car elle
est furieusement utile. »

Rastignac écoutait d'un air stupide, et ne
pouvait rien répondre. En ce moment le père
Goriot, Bianchon et quelques autres pensionnaires arrivèrent.

« Voilà comme je vous voulais, lui dit Vautrin. Vous savez ce que vous faites. Bien, mon
petit aiglon! vous gouvernerez les hommes; **vous**

êtes fort, carré, poilu; vous avez mon estime. »

Il voulut lui prendre la main. Rastignac retira vivement la sienne, et tomba sur une chaise en pâlissant; il croyait voir une mare de sang devant lui.

« Ah! nous avons encore quelques petits langes tachés de vertu, dit Vautrin à voix basse. Papa d'Oliban a trois millions, je sais sa fortune. La dot vous rendra blanc comme une robe de mariée, et à vos propres yeux. »

Rastignac n'hésita plus. Il résolut d'aller prévenir pendant la soirée MM. Taillefer père et fils. En ce moment, Vautrin l'ayant quitté, le père Goriot lui dit à l'oreille : « Vous êtes triste, mon enfant! je vais vous égayer, moi. Venez! » Et le vieux vermicellier allumait son rat-de-cave à une des lampes. Eugène le suivit tout ému de curiosité.

« Entrons chez vous, dit le bonhomme, qui avait demandé la clef de l'étudiant à Sylvie. Vous avez cru ce matin qu'elle ne vous aimait pas, hein! reprit-il. Elle vous a renvoyé de force, et vous vous en êtes allé fâché, désespéré. Nigaudinos! elle m'attendait. Comprenez-vous? Nous devions aller achever d'arranger un bijou d'appartement dans lequel vous irez demeurer d'ici à trois jours. Ne me vendez pas. Elle veut vous faire une surprise; mais je ne tiens pas à vous cacher plus longtemps le secret. Vous serez

rue d'Artois, à deux pas de la rue Saint-Lazare.
Vous y serez comme un prince. Nous vous avons
eu des meubles comme pour une épousée.
Nous avons fait bien des choses depuis un mois,
en ne vous disant rien. Mon avoué s'est mis en
campagne, ma fille aura ses trente-six mille
francs par an, l'intérêt de sa dot, et je vais faire
exiger le placement de ses huit cent mille francs
en bons biens au soleil. »

Eugène était muet et se promenait les bras
croisés, de long en long, dans sa pauvre
chambre en désordre. Le père Goriot saisit un
moment où l'étudiant lui tournait le dos, et
mit sur la cheminée une boîte en maroquin
rouge, sur laquelle étaient imprimées en or les
armes de Rastignac.

« Mon cher enfant, disait le pauvre
bonhomme, je me suis mis dans tout cela jusqu'au cou. Mais, voyez-vous, il y avait à moi
bien de l'égoïsme, je suis intéressé dans votre
changement de quartier. Vous ne me refuserez
pas, hein! si je vous demande quelque chose?

— Que voulez-vous?

— Au-dessus de votre appartement, au cin-
quième, il y a une chambre qui en dépend, j'y
demeurerai, pas vrai? Je me fais vieux, je suis
trop loin de mes filles. Je ne vous gênerai pas.
Seulement je serai là. Vous me parlerez d'elle
tous les soirs. Ça ne vous contrariera pas, dites?

Quand vous rentrerez, que je serai dans mon
lit, je vous entendrai, je me dirai : Il vient de
voir ma petite Delphine. Il l'a menée au bal,
elle est heureuse par lui. Si j'étais malade, ça
me mettrait du baume dans le cœur de vous
écouter revenir, vous remuer, aller. Il y aura
tant de ma fille en vous! Je n'aurai qu'un pas
à faire pour être aux Champs-Elysées, où elles
passent tous les jours, je les verrai toujours, tandis que quelquefois j'arrive trop tard. Et puis
elle viendra chez vous peut-être! je l'entendrai,
je la verrai dans sa douillette du matin, trottant,
allant gentiment comme une petite chatte. Elle
est redevenue, depuis un mois, ce qu'elle était,
jeune fille, gaie, pimpante. Son âme est en
convalescence, elle vous doit le bonheur. Oh! je
ferais pour vous l'impossible. Elle me disait tout
à l'heure en revenant : « Papa, je suis bien
« heureuse! » Quand elles me disent cérémo-
nieusement : *Mon père,* elles me glacent; mais
quand elles m'appellent *papa,* il me semble encore les voir petites, elles me rendent tous mes
souvenirs. Je suis mieux leur père. Je crois
qu'elles ne sont encore à personne! » Le
bonhomme s'essuya les yeux, il pleurait. « Il y
a longtemps que je n'avais entendu cette phrase,
longtemps qu'elle ne m'avait donné le bras. Oh!
oui, voilà bien dix ans que je n'ai marché côte
à côte avec une de mes filles. Est-ce bon de **se**

frotter à sa robe, de se mettre à son pas, de partager sa chaleur! Enfin, j'ai mené Delphine, ce
matin, partout. J'entrais avec elle dans les bou-
tiques. Et je l'ai reconduite chez elle. Oh! gar-
dez-moi près de vous. Quelquefois vous aurez
besoin de quelqu'un pour vous rendre service,
je serai là. Oh! si cette grosse souche d'Alsacien mourait, si sa goutte avait l'esprit de remonter dans l'estomac, ma pauvre fille serait-elle heureuse! Vous seriez mon gendre, vous
seriez ostensiblement son mari. Bah! elle est si
malheureuse de ne rien connaître aux plaisirs
de ce monde que je l'absous de tout. Le bon
Dieu doit être du côté des pères qui aiment
bien. Elle vous aime trop! dit-il en hochant la
tête après une pause. En allant, elle causait de
vous avec moi : « N'est-ce pas, mon père, il est
« bien! il a bon cœur! Parle-t-il de moi? » Bah,
elle m'en a dit, depuis la rue d'Artois jusqu'au
passage des Panoramas, des volumes! Elle m'a
enfin versé son cœur dans le mien. Pendant
toute cette bonne matinée, je n'étais plus vieux,
je ne pesais pas une once. Je lui ai dit que vous
m'aviez remis le billet de mille francs. Oh! la
chérie, elle en a été émue aux larmes. Qu'avez-
vous donc là sur votre cheminée? » dit enfin le
père Goriot qui se mourait d'impatience en
voyant Rastignac immobile.

Eugène tout abasourdi regardait son voisin

d'un air hébété. Ce duel, annoncé par Vautrin pour le lendemain, contrastait si violemment avec la réalisation de ses plus chères espérances, qu'il éprouvait toutes les sensations du cauchemar. Il se tourna vers la cheminée, y aperçut la petite boîte carrée, l'ouvrit, et trouva dedans un papier qui couvrait une montre de Breguet. Sur ce papier étaient écrits ces mots : « Je veux que vous pensiez à moi à toute heure, *parce que...*

« DELPHINE. »

Ce dernier mot faisait sans doute allusion à quelque scène qui avait eu lieu entre eux, Eugène en fut attendri. Ses armes étaient intérieurement émaillées dans l'or de la boîte. Ce bijou si longtemps envié, la chaîne, la clef, la façon, les dessins répondaient à tous ses vœux. Le père Goriot était radieux. Il avait sans doute promis à sa fille de lui rapporter les moindres effets de la surprise que causerait son présent à Eugène, car il était en tiers dans ces jeunes émotions et ne paraissait pas le moins heureux. Il aimait déjà Rastignac et pour sa fille et pour lui-même.

« Vous irez la voir ce soir, elle vous attend. La grosse souche d'Alsacien soupe chez sa danseuse. Ah! ah! il a été bien sot quand mon avoué lui a dit son fait. Ne prétend-il pas aimer

ma fille à l'adoration? qu'il y touche et je
le tue. L'idée de savoir ma Delphine à... (il
soupira) me ferait commettre un crime; mais
ce ne serait pas un homicide, c'est une tête de
veau sur un corps de porc. Vous me prendrez
avec vous, n'est-ce pas?

— Oui, mon bon père Goriot, vous savez bien
que je vous aime...

— Je le vois, vous n'avez pas honte de moi,
vous! Laissez-moi vous embrasser. » Et il serra
l'étudiant dans ses bras. « Vous la rendrez bien
heureuse, promettez-le-moi! Vous irez ce soir,
n'est-ce pas?

— Oh! oui. Je dois sortir pour des affaires
qu'il est impossible de remettre.

— Puis-je vous être bon à quelque chose?

— Ma foi, oui! Pendant que j'irai chez
Mme de Nucingen, allez chez M. Taillefer le
père, lui dire de me donner une heure dans la
soirée pour lui parler d'une affaire de la dernière importance.

— Serait-ce donc vrai, jeune homme, dit le
père Goriot en changeant de visage; feriez-vous
la cour à sa fille, comme le disent les imbéciles
d'en bas? Tonnerre de Dieu! vous ne savez pas
ce que c'est qu'une tape à la Goriot. Et si vous
nous trompiez, ce serait l'affaire d'un coup de
poing. Oh! ce n'est pas possible.

— Je vous jure que je n'aime qu'une femme

au monde, dit l'étudiant, je ne le sais que depuis un moment.

— Ah! quel bonheur! fit le père Goriot.

— Mais, reprit l'étudiant, le fils de Taillefer se bat demain, et j'ai entendu dire qu'il serait tué.

— Qu'est-ce que cela vous fait? dit Goriot.

— Mais il faut lui dire d'empêcher son fils de se rendre... » s'écria Eugène.

En ce moment, il fut interrompu par la voix de Vautrin, qui se fit entendre sur le pas de la porte, où il chantait :

> O Richard, ô mon roi!
> L'univers t'abandonne...

Broum! broum! broum! broum! broum!

> J'ai longtemps parcouru le monde,
> Et l'on m'a vu...

Tra, la, la, la, la...

« Messieurs, cria Christophe, la soupe vous attend, et tout le monde est à table.

— Tiens, dit Vautrin, viens prendre une bouteille de mon vin de Bordeaux.

— La trouvez-vous jolie, la montre? dit le père Goriot. Elle a bon goût, hein! »

Vautrin, le père Goriot et Rastignac descendirent ensemble et se trouvèrent, par suite de leur retard, placés les uns à côté des autres à table. Eugène marqua la plus grande froideur à Vautrin pendant le dîner, quoique jamais cet homme, si aimable aux yeux de Mme Vauquer, n'eût déployé autant d'esprit. Il fut pétillant de saillies, et sut mettre en train tous les convives. Cette assurance, ce sang-froid consternaient Eugène.

« Sur quelle herbe avez-vous donc marché aujourd'hui? lui dit Mme Vauquer. Vous êtes gai comme un pinson.

— Je suis toujours gai quand j'ai fait de bonnes affaires.

— Des affaires? dit Eugène.

— Eh bien, oui. J'ai livré une partie de marchandises qui me vaudra de bons droits de commission. Mademoiselle Michonneau, dit-il en s'apercevant que la vieille fille l'examinait, ai-je dans la figure un trait qui vous déplaise, que vous me faites l'*œil américain?* Faut le dire! je le changerai pour vous être agréable.

« Poiret, nous ne nous fâcherons pas pour ça, hein? dit-il en guignant le vieil employé.

— Sac à papier! vous devriez poser pour un Hercule-Farceur, dit le jeune peintre à Vautrin.

— Ma foi, ça va, si Mlle Michonneau veut poser en Vénus du Père-Lachaise, répondit Vautrin.

— Et Poiret? dit Bianchon.

— Oh! Poiret posera en Poiret. Ce sera le dieu des jardins! s'écria Vautrin. Il dérive de poire...

— Molle! reprit Bianchon. Vous seriez alors entre la poire et le fromage.

— Tout ça, c'est des bêtises, dit Mme Vauquer, et vous feriez mieux de nous donner de votre vin de Bordeaux dont j'aperçois une bouteille qui montre son nez! Ça nous entretiendra en joie, outre que c'est bon à l'*estomaque*.

— Messieurs, dit Vautrin, madame la présidente nous rappelle à l'ordre. Mme Couture et Mlle Victorine ne se formaliseront pas de vos discours badins; mais respectez l'innocence du père Goriot. Je vous propose une petite bouteillorama de vin de Bordeaux, que le nom de Laffitte rend doublement illustre, soit dit sans allusion politique. Allons, Chinois! dit-il en regardant Christophe qui ne bougea pas. Ici, Christophe! Comment, tu n'entends pas ton nom? Chinois, amène les liquides!

— Voilà, monsieur », dit Christophe en lui présentant la bouteille.

Après avoir rempli le verre d'Eugène et celui du père Goriot, il s'en versa lentement quelques gouttes, qu'il dégusta, pendant que ses deux voisins buvaient, et tout à coup il fit une grimace.

« Diable! diable! il sent le bouchon. Prends cela pour toi, Christophe, et va nous en chercher; à droite, tu sais? Nous sommes seize, descends huit bouteilles.

— Puisque vous vous fendez, dit le peintre, je paie un cent de marrons.

— Oh! oh!

— Booououh!

— Prrr! »

Chacun poussa des exclamations qui partirent comme les fusées d'une girandole.

« Allons, maman Vauquer, deux de champagne, lui cria Vautrin.

— Quien, c'est cela! Pourquoi pas demander la maison? Deux de champagne! mais ça coûte douze francs! Je ne les gagne pas, non! Mais si M. Eugène veut les payer, j'offre du cassis.

— V'là son cassis qui purge comme de la manne, dit l'étudiant en médecine à voix basse.

— Veux-tu te taire, Bianchon, s'écria Rastignac, je ne peux pas entendre parler de manne sans que le cœur... Oui, va pour le vin de Champagne, je le paie, ajouta l'étudiant.

— Sylvie, dit Mme Vauquer, donnez les biscuits et les petits gâteaux.

— Vos petits gâteaux sont trop grands, dit Vautrin, ils ont de la barbe. Mais quant aux biscuits, aboulez. »

En un moment le vin de Bordeaux circula,

les convives s'animèrent, la gaieté redoubla. Ce
fut des rires féroces, au milieu desquels éclatèrent quelques imitations des diverses voix
d'animaux. L'employé du Muséum s'étant avisé
de reproduire un cri de Paris qui avait de l'ana-
logie avec le miaulement du chat amoureux,
aussitôt huit voix beuglèrent simultanément les
phrases suivantes : « A repasser les couteaux!
— Mo-ron pour les p'tits oiseaux! — Voilà le
plaisir, mesdames, voilà le plaisir! — A raccom-
moder la faïence! — A la barque, à la barque!
— Battez vos femmes, vos habits! — Vieux habits, vieux galons, vieux chapeaux à vendre!
— A la cerise, à la douce! » La palme fut à
Bianchon pour l'accent nasillard avec lequel il
cria : « Marchand de parapluies! » En quelques
instants ce fut un tapage à casser la tête, une
conversation pleine de coqs-à-l'âne, un véritable
opéra que Vautrin conduisait comme un chef
d'orchestre, en surveillant Eugène et le père
Goriot, qui semblaient ivres déjà. Le dos ap-
puyé sur leur chaise, tous deux contemplaient
ce désordre inaccoutumé d'un air grave, en buvant peu; tous deux étaient préoccupés de ce
qu'ils avaient à faire pendant la soirée, et
néanmoins ils se sentaient incapables de se
lever. Vautrin, qui suivait les changements de
leur physionomie en leur lançant des regards
de côté, saisit le moment où leurs yeux vacil-

lèrent et parurent vouloir se fermer, pour se
pencher à l'oreille de Rastignac et lui dire :
« Mon petit gars, nous ne somme pas assez rusé
pour lutter avec notre papa Vautrin, et il vous
aime trop pour nous laisser faire des sottises.
Quand j'ai résolu quelque chose, le bon Dieu
seul est assez fort pour me barrer le passage.
Ah! nous voulions aller prévenir le père Taillefer, commettre des fautes d'écolier! Le four
est chaud, la farine est pétrie, le pain est sur la
pelle; demain nous en ferons sauter les miettes
par-dessus notre tête en y mordant; et nous
empêcherions d'enfourner?... non, non, tout
cuira! Si nous avons quelques petits remords,
la digestion les emportera. Pendant que nous
dormirons notre petit somme, le colonel comte
Franchessini vous ouvrira la succession de Mi-
chel Taillefer avec la pointe de son épée. En
héritant de son frère, Victorine aura quinze
petits mille francs de rente. J'ai déjà pris des
renseignements, et sais que la succession de la
mère monte à plus de trois cent mille... »

Eugène entendait ces paroles sans pouvoir y
répondre : il sentait sa langue collée à son palais, et se trouvait en proie à une somnolence
invincible; il ne voyait déjà plus la table et les
figures des convives qu'à travers un brouillard
lumineux. Bientôt le bruit s'apaisa, les pensionnaires s'en allèrent un à un. Puis, quand il ne

resta plus que Mme Vauquer, Mme Couture,
Mlle Victorine, Vautrin et le père Goriot, Rastignac aperçut, comme s'il eût rêvé, Mme Vauquer occupée à prendre les bouteilles pour en
vider les restes de manière à en faire des bouteilles pleines.

« Ah! sont-ils fous, sont-ils jeunes! » disait la
veuve.

Ce fut la dernière phrase que put comprendre
Eugène.

« Il n'y a que M. Vautrin pour faire de ces
farces-là, dit Sylvie. Allons, voilà Christophe
qui ronfle comme une toupie.

— Adieu, maman, dit Vautrin. Je vais au
boulevard admirer M. Marty dans le *Mont Sauvage*, une grande pièce tirée du *Solitaire*. Si vous
voulez, je vous y mène ainsi que ces dames.

— Je vous remercie, dit Mme Couture.

— Comment, ma voisine! s'écria Mme Vauquer, vous refusez de voir une pièce prise dans
le *Solitaire*, un ouvrage fait par Atala de Châ-
teaubriand, et que nous aimions tant à lire, qui
est si joli que nous pleurions comme des Made-
leines d'Elodie sous les *teuilles* cet été dernier,
enfin un ouvrage moral qui peut être susceptible d'instruire votre demoiselle?

— Il nous est défendu d'aller à la comédie,
répondit Victorine.

— Allons, les voilà partis, ceux-là », dit Vau-

trin en remuant d'une manière comique la tête
du père Goriot et celle d'Eugène.

En plaçant la tête de l'étudiant sur la chaise,
pour qu'il pût dormir commodément, il le baisa
chaleureusement au front, en chantant :

> Dormez, mes chères amours!
> Pour vous je veillerai toujours.

« J'ai peur qu'il ne soit malade, dit Victorine.
— Restez à le soigner alors, reprit Vautrin.
C'est, lui souffla-t-il à l'oreille, votre devoir de
femme soumise. Il vous adore, ce jeune homme,
et vous serez sa petite femme, je vous le prédis.
Enfin, dit-il à haute voix, *ils furent considérés
dans tout le pays, vécurent heureux, et eurent
beaucoup d'enfants.* Voilà comme finissent tous
les romans d'amour. Allons, maman, dit-il en se
tournant vers Mme Vauquer, qu'il étreignit,
mettez le chapeau, la robe à fleurs, l'écharpe
de la comtesse. Je vais vous aller chercher un
fiacre, soi-même. » Et il partit en chantant :

> Soleil, soleil, divin soleil,
> Toi qui fais mûrir les citrouilles...

« Mon Dieu! dites donc, madame Couture, cet
homme-là me ferait vivre heureuse sur les toits.
Allons, dit-elle en se tournant vers le vermicel-

lier, voilà le père Goriot parti. Ce vieux
cancre-là n'a jamais eu l'idée de me mener *nune*
part, lui. Mais il va tomber par terre, mon
Dieu! C'est-y indécent à un homme d'âge de
perdre la raison! Vous me direz qu'on ne perd
point ce qu'on n'a pas. Sylvie, montez-le donc
chez lui. »

Sylvie prit le bonhomme par-dessous le bras,
le fit marcher, et le jeta tout habillé comme un
paquet au travers de son lit.

« Pauvre jeune homme, disait Mme Couture
en écartant les cheveux d'Eugène qui lui tom-
baient dans les yeux, il est comme une jeune
fille, il ne sait pas ce que c'est qu'un excès.

— Ah! je peux bien dire que depuis trente
et un ans que je tiens ma pension, dit Mme Vauquer, il m'est passé bien des jeunes gens
par les mains, comme on dit; mais je n'en ai
jamais vu d'aussi gentil, d'aussi distingué que
M. Eugène. Est-il beau quand il dort? Prenez-
lui donc la tête sur votre épaule, madame Couture. Bah! il tombe sur celle de Mlle Victorine : il y a un dieu pour les enfants. Encore
un peu, il se fendait la tête sur la pomme de la
chaise. A eux deux, ils feraient un bien joli
couple.

— Ma voisine, taisez-vous donc, s'écria
Mme Couture, vous dites des choses...

— Bah! fit Mme Vauquer, il n'entend pas.

Allons, Sylvie, viens m'habiller. Je vais mettre
mon grand corset.

— Ah! bien, votre grand corset, après avoir
dîné, madame, dit Sylvie. Non, cherchez quelqu'un pour vous serrer, ce ne sera pas moi qui
serai votre assassin. Vous commettriez là une
imprudence à vous coûter la vie.

— Ça m'est égal, il faut faire honneur à
M. Vautrin.

— Vous aimez donc bien vos héritiers?

— Allons, Sylvie, pas de raisons, dit la veuve
en s'en allant.

— A son âge », dit la cuisinière en montrant
sa maîtresse à Victorine.

Mme Couture et sa pupille, sur l'épaule de
laquelle dormait Eugène, restèrent seules dans
la salle à manger. Les ronflements de Christophe
retentissaient dans la maison silencieuse, et faisaient ressortir le paisible sommeil d'Eugène,
qui dormait aussi gracieusement qu'un enfant.
Heureuse de pouvoir se permettre un de ces
actes de charité par lesquels s'épanchent tous
les sentiments de la femme, et qui lui faisait
sans crime sentir le cœur du jeune homme
battre sur le sien, Victorine avait dans la physionomie quelque chose de maternellement protecteur qui la rendait fière. A travers les mille
pensées qui s'élevaient dans son cœur, perçait
un tumultueux mouvement de volupté qu'exci-

tait l'échange d'une jeune et pure chaleur.

« Pauvre chère fille! » dit Mme Couture en lui pressant la main.

La vieille dame admirait cette candide et souffrante figure, sur laquelle était descendue l'auréole du bonheur. Victorine ressemblait à l'une de ces naïves peintures du moyen âge dans lesquelles tous les accessoires sont négligés par l'artiste, qui a réservé la magie d'un pinceau calme et fier pour la figure jaune de ton, mais où le ciel semble se refléter avec ses teintes d'or.

« Il n'a pourtant pas bu plus de deux verres, maman, dit Victorine en passant ses doigts dans la chevelure d'Eugène.

— Mais si c'était un débauché, ma fille, il aurait porté le vin comme tous ces autres. Son ivresse fait son éloge. »

Le bruit d'une voiture retentit dans la rue.

« Maman, dit la jeune fille, voici M. Vautrin. Prenez donc M. Eugène. Je ne voudrais pas être vue ainsi par cet homme, il a des expressions qui salissent l'âme, et des regards qui gênent une femme comme si on lui enlevait sa robe.

— Non, dit Mme Couture, tu te trompes! M. Vautrin est un brave homme, un peu dans le genre de feu M. Couture, brusque, mais bon, un bourru bienfaisant. »

En ce moment Vautrin entra tout doucement,
et regarda le tableau formé par ces deux enfants
que la lueur de la lampe semblait caresser.

« Eh bien, dit-il en se croisant les bras, voilà
de ces scènes qui auraient inspiré de belles pages
à ce bon Bernardin de Saint-Pierre, l'auteur de
Paul et Virginie. La jeunesse est bien belle,
madame Couture. Pauvre enfant, dors, dit-il en
contemplant Eugène, le bien vient quelquefois
en dormant. Madame, reprit-il en s'adressant à
la veuve, ce qui m'attache à ce jeune homme,
ce qui m'émeut, c'est de savoir la beauté de son
âme en harmonie avec celle de sa figure. Voyez,
n'est-ce pas un chérubin posé sur l'épaule d'un
ange? il est digne d'être aimé, celui-là! Si
j'étais femme, je voudrais mourir (non, pas si
bête!) vivre pour lui. En les admirant ainsi,
madame, dit-il à voix basse et se penchant à
l'oreille de la veuve, je ne puis m'empêcher de
penser que Dieu les a créés pour être l'un à
l'autre. La Providence a des voies bien cachées,
elle sonde les reins et les cœurs, s'écria-t-il à
haute voix. En vous voyant unis, mes enfants,
unis par une même pureté, par tous les sentiments humains, je me dis qu'il est impossible
que vous soyez jamais séparés dans l'avenir.
Dieu est juste. Mais, dit-il à la jeune fille, il
me semble avoir vu chez vous des lignes de
prospérité. Donnez-moi votre main, mademoi-

selle Victorine? je me connais en chiromancie,
j'ai dit souvent la bonne aventure. Allons, n'ayez
pas peur. Oh! qu'aperçois-je? Foi d'honnête
homme, vous serez avant peu l'une des plus
riches héritières de Paris. Vous comblerez de
bonheur celui qui vous aime. Votre père vous
appelle auprès de lui. Vous vous mariez avec
un homme titré, jeune, beau, qui vous adore. »

En ce moment, les pas lourds de la coquette
veuve qui descendait interrompirent les prophé-
ties de Vautrin.

« Voilà mamman Vauquerre belle comme un
astrrre, ficelée comme une carotte. N'étouffons-
nous pas un petit brin? lui dit-il en mettant sa
main sur le haut du busc; les avant-cœurs sont
bien pressés, maman. Si nous pleurons, il y aura
explosion; mais je ramasserai les débris avec un
soin d'antiquaire.

— Il connaît le langage de la galanterie française, celui-là! dit la veuve en se penchant à
l'oreille de Mme Couture.

— Adieu, enfants, reprit Vautrin en se tournant vers Eugène et Victorine. Je vous bénis,
leur dit-il en leur imposant ses mains au-dessus
de leurs têtes. Croyez-moi, mademoiselle, c'est
quelque chose que les vœux d'un honnête
homme, ils doivent porter bonheur, Dieu les
écoute.

— Adieu, ma chère amie, dit Mme Vauquer

à sa pensionnaire. Croyez-vous, ajouta-t-elle à
voix basse, que M. Vautrin ait des intentions
relatives à ma personne?

— Heu! heu!

— Ah! ma chère mère, dit Victorine en soupirant et en regardant ses mains, quand les
deux femmes furent parties, si ce bon M. Vautrin disait vrai!

— Mais il ne faut qu'une chose pour cela,
répondit la vieille dame. seulement que ton
monstre de frère tombe de cheval.

— Ah! maman.

— Mon Dieu, peut-être est-ce un péché que
de souhaiter du mal à son ennemi, reprit la
veuve. Eh bien, j'en ferai pénitence. En vérité,
je porterai de bon cœur des fleurs sur sa tombe.
Mauvais cœur! il n'a pas le courage de parler
pour sa mère, dont il garde à ton détriment
l'héritage par des micmacs. Ma cousine avait
une belle fortune. Pour ton malheur, il n'a
jamais été question de son apport dans le
contrat.

— Mon bonheur me serait souvent pénible à
porter s'il coûtait la vie à quelqu'un. dit Victorine. Et s'il fallait, pour être heureuse, que
mon frère disparût, j'aimerais mieux toujours
être ici.

— Mon Dieu, comme dit ce bon M. Vautrin,
qui, tu le vois, est plein de religion, reprit

Mme Couture, j'ai eu du plaisir à savoir qu'il n'est pas incrédule comme les autres, qui parlent de Dieu avec moins de respect que n'en a le diable. Eh bien, qui peut savoir par quelles voies il plaît à la Providence de nous conduire? »

Aidées par Sylvie, les deux femmes finirent par transporter Eugène dans sa chambre, le couchèrent sur son lit, et la cuisinière lui défit ses habits pour le mettre à l'aise. Avant de partir, quand sa protectrice eut le dos tourné, Victorine mit un baiser sur le front d'Eugène avec tout le bonheur que devait lui causer ce criminel larcin. Elle regarda sa chambre, ramassa pour ainsi dire dans une seule pensée les mille félicités de cette journée, en fit un tableau qu'elle contempla longtemps, et s'endormit la plus heureuse créature de Paris. Le festoiement à la faveur duquel Vautrin avait fait boire à Eugène et au père Goriot du vin narcotisé décida la perte de cet homme, Bianchon, à moitié gris, oublia de questioner Mlle Michonneau sur Trompe-la-Mort. S'il avait prononcé ce nom, il aurait certes éveillé la prudence de Vautrin, ou, pour lui rendre son vrai nom, de Jacques Collin, l'une des célébrités du bagne. Puis le sobriquet de Vénus du Père-Lachaise décida Mlle Michonneau à livrer le forçat au moment où, confiante en la générosité de Collin, elle calculait s'il ne valait pas mieux le prévenir et le

faire évader pendant la nuit. Elle venait de sortir, accompagnée de Poiret, pour aller trouver
le fameux chef de la police de sûreté, petite
rue Sainte-Anne, croyant encore avoir affaire à
un employé supérieur nommé Gondureau. Le
directeur de la police judiciaire la reçut avec
grâce. Puis, après une conversation où tout fut
précisé, Mlle Michonneau demanda la potion
à l'aide de laquelle elle devait opérer la vérification de la marque. Au geste de contentement
que fit le grand homme de la petite rue Sainte-
Anne en cherchant une fiole dans un tiroir de
son bureau, Mlle Michonneau devina qu'il y
avait dans cette capture quelque chose de plus
important que l'arrestation d'un simple forçat.
A force de se creuser la cervelle, elle soupçonna
que la police espérait, d'après quelques révéla-
tions faites par les traîtres du bagne, arriver à
temps pour mettre la main sur des valeurs
considérables. Quand elle eut exprimé ses
conjectures à ce renard, il se mit à sourire, et
voulut détourner les soupçons de la vieille fille.

« Vous vous trompez, répondit-il. Collin est
la *sorbonne* la plus dangereuse qui jamais se
soit trouvée du côté des voleurs. Voilà tout. Les
coquins le savent bien; il est leur drapeau, leur
soutien, leur Bonaparte enfin; ils l'aiment tous.
Ce drôle ne nous laissera jamais sa *tronche* en
place de Grève. »

Mlle Michonneau ne comprenant pas, Gondureau lui expliqua les deux mots d'argot dont il s'était servi. *Sorbonne* et *tronche* sont deux énergiques expressions du langage des voleurs, qui, les premiers, ont senti la nécessité de considérer la tête humaine sous deux aspects. La *Sorbonne* est la tête de l'homme vivant, son conseil, sa pensée. La *tronche* est un mot de mépris destiné à exprimer combien la tête devient peu de chose quand elle est coupée.

« Collin nous joue, reprit-il. Quand nous rencontrons de ces hommes en façon de barres d'acier trempées à l'anglaise, nous avons la ressource de les tuer si, pendant leur arrestation, ils s'avisent de faire la moindre résistance. Nous comptons sur quelques voies de fait pour tuer Collin demain matin. On évite ainsi le procès, les frais de garde, la nourriture, et ça débarrasse la société. Les procédures, les assignations aux témoins, leurs indemnités, l'exécution, tout ce qui doit légalement nous défaire de ces garnements-là coûte au-delà des mille écus que vous aurez. Il y a économie de temps. En donnant un bon coup de baïonnette dans la panse de Trompe-la-Mort, nous empêcherons une centaine de crimes, et nous éviterons la corruption de cinquante mauvais sujets qui se tiendront bien sagement aux environs de la correctionnelle. Voilà de la police bien faite. Selon les

vrais philanthropes, se conduire ainsi, c'est prévenir les crimes.

— Mais c'est servir son pays, dit Poiret.

— Eh bien, répliqua le chef, vous dites des
choses sensées ce soir, vous. Oui, certes, nous
servons le pays. Aussi le monde est-il bien injuste à notre égard. Nous rendons à la société
de bien grands services ignorés. Enfin, il est
d'un homme supérieur de se mettre au-dessus
des préjugés, et d'un chrétien d'adopter les
malheurs que le bien entraîne après soi quand
il n'est pas fait selon les idées reçues. Paris est
Paris, voyez-vous? Ce mot explique ma vie. J'ai
l'honneur de vous saluer, mademoiselle. Je serai
avec mes gens au Jardin du Roi demain. En-
voyez Christophe rue de Buffon, chez M. Gondureau, dans la maison où j'étais. Monsieur, je
suis votre serviteur. S'il vous était jamais volé
quelque chose, usez de moi pour vous le faire
retrouver, je suis à votre service.

— Eh bien, dit Poiret à Mlle Michonneau,
il se rencontre des imbéciles que ce mot de police met sens dessus dessous. Ce monsieur est
très aimable, et ce qu'il vous demande est simple
comme bonjour. »

Le lendemain devait prendre place parmi les
jours les plus extraordinaires de l'histoire de la
maison Vauquer. Jusqu'alors l'événement le plus
saillant de cette vie paisible avait été l'appa-

rition météorique de la fausse comtesse de
l'Ambermesnil. Mais tout allait pâlir devant les
péripéties de cette grande journée, de laquelle
il serait éternellement question dans les conversations de Mme Vauquer. D'abord Goriot et
Eugène de Rastignac dormirent jusqu'à onze
heures. Mme Vauquer, rentrée à minuit de la
Gaîté, resta jusqu'à dix heures et demie au lit.
Le long sommeil de Christophe, qui avait achevé
le vin offert par Vautrin, causa des retards dans
le service de la maison. Poiret et Mlle Michonneau ne se plaignirent pas de ce que le déjeuner se reculait. Quant à Victorine et à
Mme Couture, elles dormirent la grasse matinée. Vautrin sortit avant huit heures, et revint
au moment même où le déjeuner fut servi.
Personne ne réclama donc, lorsque vers onze
heures un quart, Sylvie et Christophe allèrent
frapper à toutes les portes, en disant que le
déjeuner attendait. Pendant que Sylvie et le
domestique s'absentèrent, Mlle Michonneau,
descendant la première, versa la liqueur dans le
gobelet d'argent appartenant à Vautrin, et dans
lequel la crème pour son café chauffait au bain-
marie, parmi tous les autres. La vieille fille
avait compté sur cette particularité de la pension pour faire son coup. Ce ne fut pas sans
quelques difficultés que les sept pensionnaires
se trouvèrent réunis. Au moment où Eugène,

qui se détirait les bras, descendait le dernier de
tous, un commissionnaire lui remit une lettre
de Mme de Nucingen. Cette lettre était ainsi
conçue :

*Je n'ai ni fausse vanité ni colère avec vous,
mon ami. Je vous ai attendu jusqu'à deux heures
après minuit. Attendre un être que l'on aime!
Qui a connu ce supplice ne l'impose à personne. Je vois bien que vous aimez pour la première fois. Qu'est-il donc arrivé? L'inquiétude
m'a prise. Si je n'avais craint de livrer les secrets
de mon cœur, je serais allée savoir ce qui vous
advenait d'heureux ou de malheureux. Mais sortir à cette heure, soit à pied, soit en voiture,
n'était-ce pas se perdre? J'ai senti le malheur
d'être femme. Rassurez-moi, expliquez-moi
pourquoi vous n'êtes pas venu, après ce que
vous a dit mon père. Je me fâcherai, mais je
vous pardonnerai. Etes-vous malade? pourquoi
se loger si loin? Un mot, de grâce. A bientôt,
n'est-ce pas? Un mot me suffira si vous êtes
occupé. Dites : J'accours, ou je souffre. Mais si
vous étiez mal portant, mon père serait venu me
le dire! Qu'est-il donc arrivé?...*

« Oui, qu'est-il arrivé, s'écria Eugène qui se
précipita dans la salle à manger en froissant la
lettre sans l'achever. Quelle heure est-il?

— Onze heures et demie », dit Vautrin en sucrant son café.

Le forçat évadé jeta sur Eugène le regard froidement fascinateur que certains hommes éminemment magnétiques ont le don de lancer, et qui, dit-on, calme les fous furieux dans les maisons d'aliénés. Eugène trembla de tous ses membres. Le bruit d'un fiacre se fit entendre dans la rue, et un domestique à la livrée de M. Taillefer et que reconnut sur-le-champ Mme Couture, entra précipitamment d'un air effaré.

« Mademoiselle, s'écria-t-il, monsieur votre père vous demande. Un grand malheur est arrivé. M. Frédéric s'est battu en duel, il a reçu un coup d'épée dans le front, les médecins désespèrent de le sauver : vous aurez à peine le temps de lui dire adieu, il n'a plus sa connaissance.

— Pauvre jeune homme! s'écria Vautrin. Comment se querelle-t-on quand on a trente bonnes mille livres de rente? Décidément la jeunesse ne sait pas se conduire.

— Monsieur! lui cria Eugène.

— Eh bien, quoi, grand enfant? dit Vautrin en achevant de boire son café tranquillement, opération que Mlle Michonneau suivait de l'œil avec trop d'attention pour s'émouvoir de l'événement extraordinaire qui stupéfiait tout le

monde. N'y a-t-il pas des duels tous les matins
à Paris?

— Je vais avec vous, Victorine », disait
Mme Couture.

Et ces deux femmes s'envolèrent sans châle
ni chapeau. Avant de s'en aller, Victorine, les
yeux en pleurs, jeta sur Eugène un regard qui
lui disait : « Je ne croyais pas que notre
bonheur dût me causer des larmes!

— Bah! vous êtes donc prophète, monsieur
Vautrin? dit Mme Vauquer.

— Je suis tout, dit Jacques Collin.

— C'est-y singulier! reprit Mme Vauquer en
enfilant une suite de phrases insignifiantes sur
cet événement. La mort nous prend sans nous
consulter. Les jeunes gens s'en vont avant les
vieux. Nous sommes heureuses, nous autres
femmes, de n'être pas sujettes au duel; mais
nous avons d'autres maladies que n'ont pas les
hommes. Nous faisons les enfants, et le mal de
mère dure longtemps! Quel quine pour Victorine! Son père est forcé de l'adopter.

— Voilà! dit Vautrin en regardant Eugène,
hier elle était sans un sou, ce matin elle est
riche de plusieurs millions.

— Dites donc, monsieur Eugène, s'écria
Mme Vauquer, vous avez mis la main au bon
endroit. »

A cette interpellation, le père Goriot regarda

l'étudiant et lui vit à la main la lettre chif-
fonnée.

« Vous ne l'avez pas achevée! qu'est-ce que
cela veut dire? seriez-vous comme les autres? lui
demanda-t-il.

— Madame, je n'épouserai jamais Mlle Victorine », dit Eugène en s'adressant à Mme Vauquer avec un sentiment d'horreur et de dégoût
qui surprit les assistants.

Le père Goriot saisit la main de l'étudiant et
la lui serra. Il aurait voulu la baiser.

« Oh! oh! fit Vautrin. Les Italiens ont le bon
mot : *col tempo!*

— J'attends la réponse, dit à Rastignac le
commissionnaire de Mme de Nucingen.

— Dites que j'irai. »

L'homme s'en alla. Eugène était dans un violent état d'irritation qui ne lui permettait pas
d'être prudent. « Que faire? disait-il à haute
voix, en se parlant à lui-même. Point de
preuves! »

Vautrin se mit à sourire. En ce moment la
potion absorbée par l'estomac commençait à
opérer. Néanmoins le forçat était si robuste qu'il
se leva, regarda Rastignac, lui dit d'une voix
creuse : « Jeune homme, le bien nous vient en
dormant. »

Et il tomba roide mort.

« Il y a donc une justice divine, dit Eugène.

« — Eh bien, qu'est-ce qui lui prend donc, à ce pauvre cher M. Vautrin?

— Une apoplexie, cria Mlle Michonneau.

— Sylvie, allons, ma fille, va chercher le médecin, dit la veuve. Ah! monsieur Rastignac, courez donc vite chez M. Bianchon; Sylvie peut ne pas rencontrer notre médecin, M. Grimprel. »

Rastignac, heureux d'avoir un prétexte de quitter cette épouvantable caverne, s'enfuit en courant.

« Christophe, allons, trotte chez l'apothicaire demander quelque chose contre l'apoplexie. »

Christophe sortit.

« Mais, père Goriot, aidez-nous donc à le transporter là-haut, chez lui. »

Vautrin fut saisi, manœuvré à travers l'escalier et mis sur son lit.

« Je ne vous suis bon à rien, je vais voir ma fille, dit M. Goriot.

— Vieil égoïste! s'écria Mme Vauquer, va, je te souhaite de mourir comme un chien.

— Allez donc voir si vous avez de l'éther », dit à Mme Vauquer Mlle Michonneau qui aidée par Poiret avait défait les habits de Vautrin.

Mme Vauquer descendit chez elle et laissa Mlle Michonneau maîtresse du champ de bataille.

« Allons, ôtez-lui donc sa chemise et retour-
nez-le vite! Soyez donc bon à quelque chose en
m'évitant de voir des nudités, dit-elle à Poiret.
Vous restez là comme Baba. »

Vautrin retourné, Mlle Michonneau appliqua
sur l'épaule du malade une forte claque, et les
deux fatales lettres reparurent en blanc au milieu de la place rouge.

« Tiens, vous avez bien lestement gagné votre
gratification de trois mille francs, s'écria Poiret
en tenant Vautrin debout, pendant que
Mlle Michonneau lui remettait sa chemise. —
Ouf, il est lourd, reprit-il en le couchant.

— Taisez-vous. S'il y avait une caisse? dit vivement la vieille fille dont les yeux semblaient
percer les murs, tant elle examinait avec avi-
dité les moindres meubles de la chambre. — Si
l'on pouvait ouvrir ce secrétaire, sous un prétexte quelconque? reprit-elle.

— Ce serait peut-être mal, répondit Poiret.

— Non. L'argent volé, ayant été celui de
tout le monde, n'est plus à personne. Mais le
temps nous manque, répondit-elle. J'entends la
Vauquer.

— Voilà de l'éther, dit Mme Vauquer. Par
exemple, c'est aujourd'hui la journée aux aven-
tures. Dieu! cet homme-là ne peut pas être
malade, il est blanc comme un poulet.

— Comme un poulet? répéta Poiret.

— Son cœur bat régulièrement, dit la veuve
en lui posant la main sur le cœur.

— Régulièrement? dit Poiret étonné.

— Il est très bien.

— Vous trouvez? demanda Poiret.

— Dame! il a l'air de dormir. Sylvie est allée
chercher un médecin. Dites donc, mademoiselle
Michonneau, il renifle à l'éther. Bah! c'est un
se-passe (un spasme). Son pouls est bon. Il est
fort comme un Turc. Voyez donc, mademoiselle, quelle palatine il a sur l'estomac; il vivra
cent ans, cet homme-là! Sa perruque tient bien
tout de même. Tiens, elle est collée, il a de
faux cheveux, rapport à ce qu'il est rouge. On
dit qu'ils sont tout bons ou tout mauvais, les
rouges! Il serait donc bon, lui?

— Bon à pendre, dit Poiret.

— Vous voulez dire au cou d'une jolie
femme, s'écria vivement Mlle Michonneau.
Allez-vous-en donc, monsieur Poiret. Ça nous
regarde, nous autres, de vous soigner quand vous
êtes malades. D'ailleurs, pour ce à quoi vous
êtes bon, vous pouvez bien vous promener,
ajouta-t-elle. Mme Vauquer et moi, nous garde-
rons bien ce cher M. Vautrin. »

Poiret s'en alla doucement et sans murmurer,
comme un chien à qui son maître donne un
coup de pied. Rastignac était sorti pour marcher, pour prendre l'air, il étouffait. Ce crime

commis à heure fixe, il avait voulu l'empêcher
la veille. Qu'était-il arrivé? Que devait-il faire?
Il tremblait d'en être le complice. Le sang-froid
de Vautrin l'épouvantait encore.

« Si cependant Vautrin mourait sans parler? »
se disait Rastignac.

Il allait à travers les allées du Luxembourg,
comme s'il eût été traqué par une meute de
chiens, et il lui semblait entendre les aboie-
ments.

« Eh bien, lui cria Bianchon, as-tu lu *Le
Pilote?* »

Le Pilote était une feuille radicale dirigée
par M. Tissot, et qui donnait pour la province,
quelques heures après les journaux du matin,
une édition où se trouvaient les nouvelles du
jour, qui alors avaient, dans les départements,
vingt-quatre heures d'avance sur les autres
feuilles.

« Il s'y trouve une fameuse histoire, dit l'interne de l'hôpital Cochin. Le fils Taillefer s'est
battu en duel avec le comte Franchessini, de
la vieille garde, qui lui a mis deux pouces de
fer dans le front. Voilà la petite Victorine un
des plus riches partis de Paris. Hein! si l'on
avait su cela? Quel trente et quarante que la
mort! Est-il vrai que Victorine te regardait d'un
bon œil, toi?

— Tais-toi, Bianchon, je ne l'épouserai jamais.

J'aime une délicieuse femme, j'en suis aimé, je...

— Tu dis cela comme si tu te battais les flancs pour ne pas être infidèle. Montre-moi donc une femme qui vaille le sacrifice de la fortune du sieur Taillefer.

— Tous les démons sont donc après moi? s'écria Rastignac.

— Après qui donc en as-tu? es-tu fou? Donne-moi donc la main, dit Bianchon, que je te tâte le pouls. Tu as la fièvre.

— Va donc chez la mère Vauquer, lui dit Eugène, ce scélérat de Vautrin vient de tomber comme mort.

— Ah! dit Bianchon, qui laissa Rastignac seul, tu me confirmes des soupçons que je veux aller vérifier. »

La longue promenade de l'étudiant en droit fut solennelle. Il fit en quelque sorte le tour de sa conscience. S'il frotta, s'il examina, s'il hésita, du moins sa probité sortit de cette âpre et terrible discussion éprouvée comme une barre de fer qui résiste à tous les essais. Il se souvint des confidences que le père Goriot lui avait faites la veille, il se rappela l'appartement choisi pour lui près de Delphine, rue d'Artois; il reprit sa lettre, la relut, la baisa. « Un tel amour est mon ancre de salut, se dit-il. Ce pauvre vieillard a bien souffert par le cœur. Il ne dit rien de ses chagrins, mais qui ne les devinerait pas!

Eh bien, j'aurai soin de lui comme d'un père, je lui donnerai mille jouissances. Si elle m'aime, elle viendra souvent chez moi passer la journée près de lui. Cette grande comtesse de Restaud est une infâme, elle ferait un portier de son père. Chère Delphine! elle est meilleure pour le bonhomme, elle est digne d'être aimée. Ah! ce soir je serai donc heureux! » Il tira la montre, l'admira. « Tout m'a réussi! Quand on s'aime bien pour toujours, l'on peut s'aider, je puis recevoir cela. D'ailleurs je parviendrai, certes, et pourrai tout rendre au centuple. Il n'y a dans cette liaison ni crime, ni rien qui puisse faire froncer le sourcil à la vertu la plus sévère. Combien d'honnêtes gens contractent des unions semblables! Nous ne trompons personne; et ce qui avilit, c'est le mensonge. Mentir, n'est-ce pas abdiquer? Elle s'est depuis longtemps séparée de son mari. D'ailleurs, je lui dirai, moi, à cet Alsacien, de me céder une femme qu'il lui est impossible de rendre heureuse. »

Le combat de Rastignac dura longtemps. Quoique la victoire dût rester aux vertus de la jeunesse, il fut néanmoins ramené par une invincible curiosité sur les quatre heures et demie, à la nuit tombante, vers la maison Vauquer, qu'il se jurait à lui-même de quitter pour toujours. Il voulait savoir si Vautrin était mort.

Après avoir eu l'idée de lui administrer un vo-
mitif, Bianchon avait fait porter à son hôpital
les matières rendues par Vautrin, afin de les
analyser chimiquement. En voyant l'insistance
que mit Mlle Michonneau à vouloir les faire
jeter, ses doutes se fortifièrent. Vautrin fut d'ailleurs trop promptement rétabli pour que Bianchon ne soupçonnât pas quelque complot contre
le joyeux boute-en-train de la pension. A l'heure
où rentra Rastignac, Vautrin se trouvait donc
debout près du poêle dans la salle à manger.
Attirés plus tôt que de coutume par la nouvelle
du duel de Taillefer le fils, les pensionnaires,
curieux de connaître les détails de l'affaire et
l'influence qu'elle avait eue sur la destinée de
Victorine, étaient réunis, moins le père Goriot,
et devisaient de cette aventure. Quand Eugène
entra, ses yeux rencontrèrent ceux de l'imperturbable Vautrin, dont le regard pénétra si
avant dans son cœur et y remua si fortement
quelques cordes mauvaises, qu'il en frissonna.

« Eh bien, mon cher enfant, lui dit le forçat
évadé, la Camuse aura longtemps tort avec moi.
J'ai, selon ces dames, soutenu victorieusement
un coup de sang qui aurait dû tuer un bœuf.

— Ah! vous pouvez bien dire un taureau,
s'écria la veuve Vauquer.

— Seriez-vous donc fâché de me voir en vie?
dit Vautrin à l'oreille de Rastignac dont il crut

deviner les pensées. Ce serait d'un homme diantrement fort!

— Ah! ma foi, dit Bianchon, Mlle Michonneau parlait avant-hier d'un monsieur surnommé *Trompe-la-Mort;* ce nom-là vous irait
bien. »

Ce mot produisit sur Vautrin l'effet de la
foudre : il pâlit et chancela, son regard magné-
tique tomba comme un rayon de soleil sur
Mlle Michonneau, à laquelle ce jet de volonté
cassa les jarrets. La vieille fille se laissa couler
sur une chaise. Poiret s'avança vivement entre
elle et Vautrin, comprenant qu'elle était en
danger, tant la figure du forçat devint féroce-
ment significative en déposant le masque bénin
sous lequel se cachait sa vraie nature. Sans rien
comprendre encore à ce drame, tous les pensionnaires restèrent ébahis. En ce moment, l'on
entendit le pas de plusieurs hommes, et le bruit
de quelques fusils que des soldats firent sonner
sur le pavé de la rue. Au moment où Collin
cherchait machinalement une issue en regardant
les fenêtres et les murs, quatre hommes se montrèrent à la porte du salon. Le premier était le
chef de la police de sûreté, les trois autres
étaient des officiers de paix.

« Au nom de la loi et du roi », dit un des
officiers dont le discours fut couvert par un murmure d'étonnement.

Bientôt le silence régna dans la salle à manger, les pensionnaires se séparèrent pour livrer passage à trois de ces hommes, qui tous avaient la main dans leur poche de côté et y tenaient un pistolet armé. Deux gendarmes qui suivaient les agents occupèrent la porte du salon, et deux autres se montrèrent à celle qui sortait par l'escalier. Le pas et les fusils de plusieurs soldats retentirent sur le pavé caillouteux qui longeait la façade. Tout espoir de fuite fut donc interdit à Trompe-la-Mort, sur qui tous les regards s'arrêtèrent irrésistiblement. Le chef alla droit à lui, commença par lui donner sur la tête une tape si violemment appliquée qu'il fit sauter la perruque et rendit à la tête de Collin toute son horreur. Accompagnées de cheveux rouge brique et courts qui leur donnaient un épouvantable caractère de force mêlée de ruse, cette tête et cette face, en harmonie avec le buste, furent intelligemment illuminées comme si les feux de l'enfer les eussent éclairées. Chacun comprit tout Vautrin, son passé, son présent, son avenir, ses doctrines implacables, la religion de son bon plaisir, la royauté que lui donnaient le cynisme de ses pensées, de ses actes, et la force d'une organisation faite à tout. Le sang lui monta au visage, et ses yeux brillèrent comme ceux d'un chat sauvage. Il bondit sur lui-même par un mouvement empreint d'une si féroce énergie, il rugit si bien qu'il arracha des cris de terreur à tous les pensionnaires. A ce geste de lion, et s'appuyant de la clameur générale, les agents tirèrent leurs pistolets. Collin comprit son danger en voyant briller le chien de chaque arme, et donna tout à coup la preuve de la plus haute puissance humaine. Horrible et majestueux spectacle! sa physionomie présenta un phénomène qui ne peut être comparé qu'à celui de la chaudière pleine de cette vapeur fumeuse qui soulèverait des montagnes, et que dissout en un clin d'œil une goutte d'eau froide. La goutte d'eau qui froidit sa rage fut une réflexion rapide comme un éclair. Il se mit à sourire et regarda sa perruque.

« Tu n'es pas dans tes bons jours de politesse », dit-il au chef de la police de sûreté. Et il tendit ses mains aux gendarmes en les appelant par un signe de tête. « Messieurs les gendarmes, mettez-moi les menottes ou les poucettes. Je prends à témoin les personnes présentes que je ne résiste pas. » Un murmure admiratif, arraché par la promptitude avec laquelle la lave et le feu sortirent et rentrèrent dans ce volcan humain, retentit dans la salle. « Ça te la coupe, monsieur l'enfonceur, reprit le forçat en regardant le célèbre directeur de la police judiciaire.

— Allons, qu'on se déshabille, lui dit

l'homme de la petite rue Sainte-Anne d'un air
plein de mépris.

— Pourquoi? dit Collin, il y a des dames. Je
ne nie rien, et je me rends. »

Il fit une pause, et regarda l'assemblée comme
un orateur qui va dire des choses surprenantes.

« Ecrivez, papa Lachapelle, dit-il en s'adressant à un petit vieillard en cheveux blancs qui
s'était assis au bout de la table après avoir tiré
d'un portefeuille le procès-verbal de l'arrestation. Je reconnais être Jacques Collin, dit
Trompe-la-Mort, condamné à vingt ans de fers;
et je viens de prouver que je n'ai pas volé mon
surnom. Si j'avais seulement levé la main, dit-il
aux pensionnaires, ces trois mouchards-là répan-
daient tout mon *raisiné* sur le *trimar* domestique de maman Vauquer. Ces drôles se mêlent
de combiner des guets-apens! »

Mme Vauquer se trouva mal en entendant ces
mots. « Mon Dieu! c'est à en faire une maladie;
moi qui étais hier à la Gaîté avec lui », dit-elle
à Sylvie.

« De la philosophie, maman, reprit Collin.
Est-ce un malheur d'être allée dans ma loge
hier, à la Gaîté? s'écria-t-il. Etes-vous meilleure
que nous? Nous avons moins d'infamie sur
l'épaule que vous n'en avez dans le cœur,
membres flasques d'une société gangrenée : le
meilleur d'entre vous ne me résistait pas. » Ses

yeux s'arrêtèrent sur Rastignac, auquel il
adressa un sourire gracieux qui contrastait singulièrement avec la rude expression de sa figure.
« Notre petit marché va toujours, mon ange,
en cas d'acceptation, toutefois! Vous savez? » Il
chanta :

> Ma Fanchette est charmante
> Dans sa simplicité...

« Ne soyez pas embarrassé, reprit-il, je sais
faire mes recouvrements. L'on me craint trop
pour me *flouer*, moi! »

Le bagne avec ses mœurs et son langage, avec
ses brusques transitions du plaisant à l'horrible,
son épouvantable grandeur, sa familiarité, sa
bassessse, fut tout à coup représenté dans cette
interpellation et par cet homme, qui ne fut plus
un homme, mais le type de toute une nation
dégénérée, d'un peuple sauvage et logique, bru-
tal et souple. En un moment Collin devint un
poème infernal où se peignirent tous les sentiments humains, moins un seul, celui du repen-
tir. Son regard était celui de l'archange déchu
qui veut toujours la guerre. Rastignac baissa les
yeux en acceptant ce cousinage criminel comme
une expiation de ses mauvaises pensées.

« Qui m'a trahi? » dit Collin en promenant
son terrible regard sur l'assemblée. Et l'arrêtant sur Mlle Michonneau : « C'est toi, lui dit-il.

vieille cagnotte, tu m'as donné un faux coup
de sang, curieuse! En disant deux mots, je pourrais te faire scier le cou dans huit jours.
Je te pardonne, je suis chrétien. D'ailleurs ce
n'est pas toi qui m'as vendu. Mais qui? — Ah!
ah! vous fouillez là-haut, s'écria-t-il en entendant les officiers de la police judiciaire qui
ouvraient ses armoires et s'emparaient de ses
effets. Dénichés les oiseaux, envolés d'hier. Et
vous ne saurez rien. Mes livres de commerce
sont là, dit-il en se frappant le front. Je sais qui
m'a vendu maintenant. Ce ne peut être que
ce gredin de Fil-de-Soie. Pas vrai, père l'em-
poigneur? dit-il au chef de police. Ça s'accorde
trop bien avec le séjour de nos billets de banque
là-haut. Plus rien, mes petits mouchards.
Quant à Fil-de-Soie, il sera *terré* sous quinze
jours, lors même que vous le feriez garder par
toute votre gendarmerie. — Que lui avez-vous
donné, à cette Michonnette? dit-il aux gens de
la police, quelque millier d'écus? Je valais
mieux que ça, Ninon cariée, Pompadour en
loques, Vénus du Père-Lachaise. Si tu m'avais
prévenu, tu aurais eu six mille francs. Ah! tu
ne t'en doutais pas, vieille vendeuse de chair,
sans quoi j'aurais eu la préférence. Oui, je les
aurais donnés pour éviter un voyage qui me
contrarie et qui me fait perdre de l'argent », disait-il pendant qu'on lui mettait les menottes.

« Ces gens-là vont se faire un plaisir de me traîner un temps infini pour m'*otolondrer*. S'ils m'envoyaient tout de suite au bagne, je serais bientôt rendu à mes occupations, malgré nos petits badauds du quai des Orfèvres. Là-bas, ils vont tous se mettre l'âme à l'envers pour faire évader leur général, ce bon Trompe-la-Mort! Y a-t-il un de vous qui soit, comme moi, riche de plus de dix mille frères prêts à tout faire pour vous? demanda-t-il avec fierté. Il y a du bon là, dit-il en se frappant le cœur; je n'ai jamais trahi personne! Tiens, cagnotte, vois-les, dit-il en s'adressant à la vieille fille. Ils me regardent avec terreur, mais toi tu leur soulèves le cœur de dégoût. Ramasse ton lot. » Il fit une pause en contemplant les pensionnaires. « Etes-vous bêtes, vous autres! n'avez-vous jamais vu de forçat? Un forçat de la trempe de Collin, ici présent, est un homme moins lâche que les autres, et qui proteste contre les profondes déceptions du contrat social, comme dit Jean-Jacques, dont je me glorifie d'être l'élève. Enfin, je suis seul contre le gouvernement avec son tas de tribunaux, de gendarmes, de budgets, et je les roule.

— Diantre! dit le peintre, il est fameusement beau à dessiner.

— Dis-moi, menin de monseigneur le bourreau, gouverneur de la VEUVE (nom plein de te

rible poésie que les forçats donnent à la guil-
lotine), ajouta-t-il en se tournant vers le chef de
la police de sûreté, sois bon enfant, dis-moi si
c'est Fil-de-Soie qui m'a vendu! Je ne voudrais
pas qu'il payât pour un autre, ce ne serait pas
juste. »

En ce moment les agents qui avaient tout
ouvert et tout inventorié chez lui rentrèrent et
parlèrent à voix basse au chef de l'expédition.
Le procès-verbal était fini.

« Messieurs, dit Collin en s'adressant aux
pensionnaires, ils vont m'emmener. Vous avez
été tous très aimables pour moi pendant mon
séjour ici, j'en aurai de la reconnaissance. Re-
cevez mes adieux. Vous me permettrez de vous
envoyer des figues de Provence. » Il fit quelques
pas, et se retourna pour regarder Rastignac.
« Adieu, Eugène, dit-il d'une voix douce et triste
qui contrastait singulièrement avec le ton
brusque de ses discours. Si tu étais gêné, je t'ai
laissé un ami dévoué. » Malgré ses menottes, il
put se mettre en garde, fit un appel de maître
d'armes, cria : « Une, deux! » et se fendit.
« En cas de malheur, adresse-toi là. Homme et
argent, tu peux disposer de tout. »

Ce singulier personnage mit assez de bouf-
fonnerie dans ces dernières paroles pour qu'elles
ne pussent être comprises que de Rastignac et
de lui. Quand la maison fut évacuée par les

gendarmes, par les soldats et par les agents de la police. Sylvie, qui frottait de vinaigre les tempes de sa maîtresse, regarda les pensionnaires étonnés.

« Eh bien, dit-elle, c'était un bon homme tout de même. »

Cette phrase rompit le charme que produisaient sur chacun l'affluence et la diversité des sentiments excités par cette scène. En ce moment, les pensionnaires, après s'être examinés entre eux, virent tous à la fois Mlle Michonneau grêle, sèche et froide, autant qu'une momie, tapie près du poêle, les yeux baissés, comme si elle eût craint que l'ombre de son abatjour ne fût pas assez forte pour cacher l'expression de ses regards. Cette figure, qui leur était antipathique depuis si longtemps, fut tout à coup expliquée. Un murmure, qui, par sa parfaite unité de son, trahissait un dégoût unanime, retentit sourdement. Mlle Michonneau l'entendit et resta. Bianchon, le premier, se pencha vers son voisin.

« Je décampe si cette fille doit continuer à dîner avec nous », dit-il à demi-voix.

En un clin d'œil chacun, moins Poiret, approuva la proposition de l'étudiant en médecine, qui, fort de l'adhésion générale, s'avança vers le vieux pensionnaire.

« Vous qui êtes lié particulièrement avec

Mlle Michonneau, lui dit-il, parlez-lui, faites-lui
comprendre qu'elle doit s'en aller à l'instant
même.

— A l'instant même? » répéta Poiret étonné.

Puis il vint auprès de la vieille, et lui dit
quelques mots à l'oreille.

« Mais mon terme est payé, je suis ici pour
mon argent comme tout le monde, dit-elle en
lançant un regard de vipère sur les pensionnaires.

— Qu'à cela ne tienne, nous nous cotiserons
pour vous le rendre, dit Rastignac.

— Monsieur soutient Collin, répondit-elle en
jetant sur l'étudiant un regard venimeux et
interrogateur, il n'est pas difficile de savoir
pourquoi. »

A ce mot, Eugène bondit comme pour se
ruer sur la vieille fille et l'étrangler. Ce regard,
dont il comprit les perfidies, venait de jeter
une horrible lumière dans son âme.

« Laissez-la donc », s'écrièrent les pensionnaires.

Rastignac se croisa les bras et resta muet.

« Finissons-en avec Mlle Judas, dit le peintre
en s'adressant à Mme Vauquer. Madame, si vous
ne mettez pas à la porte la Michonneau, nous
quittons tous votre baraque, et nous dirons partout qu'il ne s'y trouve que des espions et des
forçats. Dans le cas contraire, nous nous tairons

tous sur cet événement. qui, au bout du compte, pourrait arriver dans les meilleures sociétés. jusqu'à ce qu'on marque les galériens au front, et qu'on leur défende de se déguiser en bourgeois de Paris, et de se faire aussi bêtement farceurs qu'ils le sont tous. »

A ce discours, Mme Vauquer retrouva miraculeusement la santé, se redressa, se croisa les bras, ouvrit ses yeux clairs et sans apparence de larmes.

« Mais, mon cher monsieur, vous voulez donc la ruine de ma maison? Voilà M. Vautrin... Oh! mon Dieu, se dit-elle en s'interrompant ellemême, je ne puis pas m'empêcher de l'appeler par son nom d'honnête homme! Voilà, reprit-elle, un appartement vide, et vous voulez que j'en aie deux de plus à louer dans une saison où tout le monde est casé.

— Messieurs, prenons nos chapeaux, et allons dîner place Sorbonne, chez Flicoteaux », dit Bianchon.

Mme Vauquer calcula d'un seul coup d'œil le parti le plus avantageux, et roula jusqu'à Mlle Michonneau.

« Allons, ma chère petite belle, vous ne voulez pas la mort de mon établissement. hein? Vous voyez à quelle extrémité me réduisent ces messieurs; remontez dans votre chambre pour ce soir.

— Du tout, du tout, crièrent les pensionnaires, nous voulons qu'elle sorte à l'instant.

— Mais elle n'a pas dîné, cette pauvre demoiselle, dit Poiret d'un ton piteux.

— Elle ira dîner où elle voudra, crièrent
plusieurs voix.

— A la porte, la moucharde!

— A la porte, les mouchards!

— Messieurs, s'écria Poiret, qui s'éleva tout
à coup à la hauteur du courage que l'amour
prête aux béliers, respectez une personne du
sexe.

— Les mouchards ne sont d'aucun sexe, dit
le peintre.

— Fameux sexorama!

— A la portorama!

— Messieurs, ceci est indécent. Quand on
renvoie les gens, on doit y mettre des formes.
Nous avons payé, nous restons, dit Poiret en se
couvrant de sa casquette et se plaçant sur une
chaise à côté de Mlle Michonneau, que prê-
chait Mme Vauquer.

— Méchant, lui dit le peintre d'un air comique, petit méchant, va!

— Allons, si vous ne vous en allez pas, nous
nous en allons, nous autres », dit Bianchon.

Et les pensionnaires firent en masse un mouvement vers le salon.

« Mademoiselle, que voulez-vous donc? s'écria

Mme Vauquer, je suis ruinée. Vous ne pouvez pas rester, ils vont en venir à des actes de violence. »

Mlle Michonneau se leva.

« Elle s'en ira! — Elle ne s'en ira pas! — Elle s'en ira! — Elle ne s'en ira pas ! » Ces mots dits alternativement, et l'hostilité des propos qui commençaient à se tenir sur elle, contraignirent Mlle Michonneau à partir après quelques stipulations faites à voix basse avec l'hôtesse.

« Je vais chez Mme Buneaud, dit-elle d'un air menaçant.

— Allez où vous voudrez, mademoiselle, dit Mme Vauquer, qui vit une cruelle injure dans le choix qu'elle faisait d'une maison avec laquelle elle rivalisait, et qui lui était conséquemment odieuse. Allez chez la Buneaud, vous aurez du vin à faire danser les chèvres, et des plats achetés chez les regrattiers. »

Les pensionnaires se mirent sur deux files dans le plus grand silence. Poiret regarda si tendrement Mlle Michonneau, il se montra si naïvement indécis, sans savoir s'il devait la suivre ou rester, que les pensionnaires, heureux du départ de Mlle Michonneau, se mirent à rire en se regardant.

« Xi, xi, xi, Poiret, lui cria le peintre. Allons, houpe là, haoup! »

L'employé au Muséum se mit à chanter comiquement ce début d'une romance connue :

> Partant pour la Syrie,
> Le jeune et beau Dunois...

« Allez donc, vous en mourez d'envie, *trahit sua quemque voluptas,* dit Bianchon.

— Chacun suit sa particulière, traduction libre de Virgile », dit le répétiteur.

Mlle Michonneau ayant fait le geste de prendre le bras de Poiret en le regardant, il ne put résister à cet appel, et vint donner son appui à la vieille. Des applaudissements éclatèrent, et il y eut une explosion de rires. « Bravo, Poiret! — Ce vieux Poiret! — Apollon-Poiret. — Mars-Poiret. — Courageux Poiret! »

En ce moment, un commissionnaire entra, remit une lettre à Mme Vauquer qui se laissa couler sur sa chaise, après l'avoir lue.

« Mais il n'y a plus qu'à brûler ma maison, le tonnerre y tombe. Le fils Taillefer est mort à trois heures. Je suis bien punie d'avoir souhaité du bien à ces dames au détriment de ce pauvre jeune homme, Mme Couture et Victorine me redemandent leurs effets, et vont demeurer chez son père. M. Taillefer permet à sa fille de garder la veuve Couture comme demoiselle de compagnie. Quatre appartements vacants, cinq pensionnaires de moins! » Elle s'assit et parut près de pleurer. « Le malheur est entré chez moi », s'écria-t-elle.

Le roulement d'une voiture qui s'arrêtait retentit tout à coup dans la rue.

« Encore quelque chape-chute », dit Sylvie.

Goriot montra soudain une physionomie brillante et colorée de bonheur, qui pouvait faire croire à sa régénération.

« Goriot en fiacre, dirent les pensionnaires, la fin du monde arrive. »

Le bonhomme alla droit à Eugène, qui restait pensif dans un coin, et le prit par le bras : « Venez, lui dit-il d'un air joyeux.

— Vous ne savez donc pas ce qui se passe? lui dit Eugène. Vautrin était un forçat que l'on vient d'arrêter, et le fils Taillefer est mort.

— Eh bien, qu'est-ce que ça vous fait? répondit le père Goriot. Je dîne avec ma fille, chez vous, entendez-vous? Elle vous attend, venez! »

Il tira si violemment Rastignac par le bras, qu'il le fit marcher de force, et parut l'enlever comme si c'eût été sa maîtresse.

« Dînons », cria le peintre.

En ce moment chacun prit sa chaise et s'attabla.

« Par exemple, dit la grosse Sylvie, tout est malheur aujourd'hui, mon haricot de mouton

s'est attaché. Bah! vous le mangerez brûlé, tant
pire! »

Mme Vauquer n'eut pas le courage de dire
un mot en ne voyant que dix personnes au lieu
de dix-huit autour de sa table; mais chacun
tenta de la consoler et de l'égayer. Si d'abord
les externes s'entretinrent de Vautrin et des événements de la journée, ils obéirent bientôt à
l'allure serpentine de leur conversation, et se
mirent à parler des duels, du bagne, de la justice, des lois à refaire, des prisons. Puis ils se
trouvèrent à mille lieues de Jacques Collin, de
Victorine et de son frère. Quoiqu'ils ne fussent
que dix, ils crièrent comme vingt, et semblaient
être plus nombreux qu'à l'ordinaire; ce fut toute
la différence qu'il y eut entre ce dîner et celui
de la veille. L'insouciance habituelle de ce
monde égoïste qui, le lendemain, devait avoir
dans les événements quotidiens de Paris une
autre proie à dévorer, reprit le dessus, et
Mme Vauquer elle-même se laissa calmer par
l'espérance qui emprunta la voix de la grosse
Sylvie.

Cette journée devait être jusqu'au soir une
fantasmagorie pour Eugène, qui, malgré la force
de son caractère et la bonté de sa tête, ne savait
comment classer ses idées, quand il se trouva
dans le fiacre à côté du père Goriot dont les discours trahissaient une joie inaccoutumée, et re-

tentissaient à son oreille, après tant d'émotions, comme les paroles que nous entendons en rêve.

« C'est fini de ce matin. Nous dînons tous les trois ensemble, ensemble! comprenez-vous? Voici quatre ans que je n'ai dîné avec ma Delphine, ma petite Delphine. Je vais l'avoir à moi pendant toute une soirée. Nous sommes chez vous depuis ce matin. J'ai travaillé comme un manœuvre, habit bas. J'aidais à porter les meubles. Ah! ah! vous ne savez pas comme elle est gentille à table, elle s'occupera de moi : « Tenez, « papa, mangez donc de cela, c'est bon. » Et alors je ne peux pas manger. Oh! y a-t-il longtemps que je n'ai été tranquille avec elle comme nous allons l'être!

— Mais, lui dit Eugène, aujourd'hui le monde est donc renversé?

— Renversé? dit le père Goriot. Mais à aucune époque le monde n'a si bien été. Je ne vois que des figures gaies dans les rues, des gens qui se donnent des poignées de main, et qui s'embrassent; des gens heureux comme s'ils allaient tous dîner chez leurs filles, y *gobichonner* un bon petit dîner qu'elle a commandé devant moi au chef du café des Anglais. Mais, bah! près d'elle le chicotin serait doux comme miel.

— Je crois revenir à la vie, dit Eugène.

— Mais marchez donc, cocher, cria le père Goriot en ouvrant la glace de devant. Allez donc

plus vite, je vous donnerai cent sous pour boire
si vous me menez en dix minutes là où vous
savez. » En entendant cette promesse, le cocher
traversa Paris avec la rapidité de l'éclair.

« Il ne va pas, ce cocher, disait le père Goriot.

— Mais où me conduisez-vous donc? lui demanda Rastignac.

— Chez vous », dit le père Goriot.

La voiture s'arrêta rue d'Artois. Le bonhomme
descendit le premier et jeta dix francs au cocher, avec la prodigalité d'un homme veuf qui,
dans le paroxysme de son plaisir, ne prend garde
à rien.

« Allons, montons », dit-il à Rastignac, en lui
faisant traverser une cour et le conduisant à la
porte d'un appartement situé au troisième
étage, sur le derrière d'une maison neuve et de
belle apparence. Le père Goriot n'eut pas besoin
de sonner. Thérèse, la femme de chambre de
Mme de Nucingen, leur ouvrit la porte. Eugène
se vit dans un délicieux appartement de garçon,
composé d'une antichambre, d'un petit salon,
d'une chambre à coucher et d'un cabinet ayant
vue sur un jardin. Dans le petit salon, dont
l'ameublement et le décor pouvaient soutenir la
comparaison avec ce qu'il y avait de plus joli,
de plus gracieux, il aperçut, à la lumière des
bougies, Delphine, qui se leva d'une causeuse,
au coin du feu, mit son écran sur la cheminée,

et lui dit avec une intonation de voix chargée
de tendresse : « Il a donc fallu vous aller chercher, monsieur qui ne comprenez rien. »

Thérèse sortit. L'étudiant prit Delphine dans
ses bras, la serra vivement et pleura de joie. Ce
dernier contraste entre ce qu'il voyait et ce qu'il
venait de voir, dans un jour où tant d'irrita-
tions avaient fatigué son cœur et sa tête, détermina chez Rastignac un accès de sensibilité
nerveuse.

« Je savais bien, moi, qu'il t'aimait », dit
tout bas le père Goriot à sa fille pendant
qu'Eugène abattu gisait sur la causeuse sans pouvoir prononcer une parole ni se rendre compte
encore de la manière dont ce dernier coup de
baguette avait été frappé.

« Mais venez donc voir, lui dit Mme de Nucingen en le prenant par la main et l'emmenant
dans une chambre dont les tapis, les meubles et
les moindres détails lui rappelèrent, en de plus
petites proportions, celle de Delphine.

— Il y manque un lit, dit Rastignac.

— Oui, monsieur », dit-elle en rougissant et
lui serrant la main.

Eugène la regarda, et comprit, jeune encore,
tout ce qu'il y avait de pudeur vraie dans un
cœur de femme aimante.

« Vous êtes une de ces créatures que l'on doit
adorer toujours, lui dit-elle à l'oreille. Oui, j'ose

vous le dire, puisque nous nous comprenons si
bien : plus vif et sincère est l'amour, plus il doit
être voilé, mystérieux. Ne donnons notre secret
à personne.

— Oh! je ne serai pas quelqu'un, moi, dit le
père Goriot en grognant.

— Vous savez bien que vous êtes *nous,* vous...

— Ah! voilà ce que je voulais. Vous ne ferez
pas attention à moi, n'est-ce pas? J'irai, je vien-
drai comme un bon esprit qui est partout, et
qu'on sait être là sans le voir. Eh bien, Delphinette, Ninette, Dedel! n'ai-je pas eu raison de te
dire : « Il y a un joli appartement rue d'Artois,
« meublons-le pour lui! » Tu ne voulais pas.
Ah! c'est moi qui suis l'auteur de ta joie, comme
je suis l'auteur de tes jours. Les pères doivent
toujours donner pour être heureux. Donner toujours, c'est ce qui fait qu'on est père.

— Comment? dit Eugène.

— Oui, elle ne voulait pas, elle avait peur
qu'on ne dît des bêtises, comme si le monde
valait le bonheur! Mais toutes les femmes rêvent
de faire ce qu'elle fait... »

Le père Goriot parlait tout seul, Mme de Nucingen avait emmené Rastignac dans le cabinet
où le bruit d'un baiser retentit, quelque légèrement qu'il fût pris. Cette pièce était en rapport avec l'élégance de l'appartement, dans lequel d'ailleurs rien ne manquait.

« A-t-on bien deviné vos vœux? dit-elle en revenant dans le salon pour se mettre à table.

— Oui, dit-il, trop bien. Hélas! ce luxe si complet, ces beaux rêves réalisés, toutes les poésies d'une vie jeune, élégante, je les sens trop pour ne pas les mériter; mais je ne puis les accepter de vous, et je suis trop pauvre encore pour...

— Ah! ah! vous me résistez déjà », dit-elle d'un petit air d'autorité railleuse en faisant une de ces jolies moues que font les femmes quand elles veulent se moquer de quelque scrupule pour le mieux dissiper.

Eugène s'était trop solennellement interrogé pendant cette journée, et l'arrestation de Vautrin, en lui montrant la profondeur de l'abîme dans lequel il avait failli rouler, venait de trop bien corroborer ses sentiments nobles et sa délicatesse pour qu'il cédât à cette caressante réfutation de ses idées généreuses. Une profonde tristesse s'empara de lui.

« Comment! dit Mme de Nucingen, vous refuseriez? Savez-vous ce que signifie un refus semblable? Vous doutez de l'avenir, vous n'osez pas vous lier à moi. Vous avez donc peur de trahir mon affection? Si vous m'aimez, si je... vous aime, pourquoi reculez-vous devant d'aussi minces obligations? Si vous connaissiez le plaisir que j'ai eu à m'occuper de tout ce mé-

nage de garçon, vous n'hésiteriez pas et vous me
demanderiez pardon. J'avais de l'argent à
vous, je l'ai bien employé, voilà tout. Vous
croyez être grand, et vous êtes petit. Vous demandez bien plus... (Ah! dit-elle en saisissant
un regard chez Eugène) et vous faites des façons
pour des niaiseries. Si vous ne m'aimez point,
oh! oui, n'acceptez pas. Mon sort est dans un
mot. Parlez? Mais, mon père, dites-lui donc
quelques bonnes raisons, ajouta-t-elle en se tournant vers son père après une pause. Croit-il que
je ne sois pas moins chatouilleuse que lui sur
notre honneur? »

Le père Goriot avait le sourire fixe d'un thé-
riaki en voyant, en écoutant cette jolie querelle.

« Enfant! vous êtes à l'entrée de la vie, reprit-elle en saisissant la main d'Eugène, vous
trouvez une barrière insurmontable pour beaucoup de gens, une main de femme vous l'ouvre,
et vous reculez! Mais vous réussirez, vous ferez
une brillante fortune, le succès est écrit sur votre
beau front. Ne pourrez-vous pas alors me rendre
ce que je vous prête aujourd'hui? Autrefois les
dames ne donnaient-elles pas à leurs chevaliers
des armures, des épées, des casques, des cottes
de mailles, des chevaux, afin qu'ils pussent aller
combattre en leur nom dans les tournois? Eh
bien, Eugène, les choses que je vous offre sont
les armes de l'époque, des outils nécessaires à

qui veut être quelque chose. Il est joli, le grenier où vous êtes, s'il ressemble à la chambre
de papa. Voyons, nous ne dînerons donc pas?
Voulez-vous m'attrister? Répondez donc? dit-elle
en lui secouant la main. Mon Dieu, papa, dé-
cide-le donc, ou je sors et ne le revois jamais.

— Je vais vous décider, dit le père Goriot
en sortant de son extase. Mon cher monsieur
Eugène, vous allez emprunter de l'argent à des
juifs, n'est-ce pas?

— Il le faut bien, dit-il.

— Bon, je vous tiens, reprit le bonhomme en
tirant un mauvais portefeuille en cuir tout usé.
Je me suis fait juif, j'ai payé toutes les factures,
les voici. Vous ne devez pas un centime pour
tout ce qui se trouve ici. Ça ne fait pas une
grosse somme, tout au plus cinq mille francs.
Je vous les prête, moi! Vous ne me refuserez
pas, je ne suis pas une femme. Vous m'en ferez
une reconnaissance sur un chiffon de papier, et
vous me les rendrez plus tard. »

Quelques pleurs roulèrent à la fois dans les
yeux d'Eugène et de Delphine qui se regardèrent avec surprise. Rastignac tendit la main au
bonhomme et la lui serra.

« Eh bien, quoi! n'êtes-vous pas mes enfants?
dit Goriot.

— Mais, mon pauvre père, dit Mme de Nucingen, comment avez-vous donc fait?

— Ah! nous y voilà, répondit-il. Quand je
t'ai eu décidée à le mettre près de toi, quand je
t'ai vue achetant des choses comme pour une
mariée, je me suis dit : « Elle va se trouver
« dans l'embarras. » L'avoué prétend que le
procès à intenter à ton mari, pour lui faire
rendre ta fortune, durera plus de six mois. Bon.
J'ai vendu mes treize cent cinquante livres de
rente perpétuelle; je me suis fait, avec quinze
mille francs, douze cents francs de rentes viagères bien hypothéquées, et j'ai payé vos mar-
chands avec le reste du capital, mes enfants.
Moi, j'ai là-haut une chambre de cinquante écus
par an, je peux vivre comme un prince avec
quarante sous par jour, et j'aurai encore du
reste. Je n'use rien, il ne me faut presque pas
d'habits. Voilà quinze jours que je ris dans ma
barbe en me disant : « Vont-ils être heureux! »
Eh bien, n'êtes-vous pas heureux?

— Oh! papa, papa! » dit Mme de Nucingen en sautant sur son père qui la reçut sur ses
genoux. Elle le couvrit de baisers, lui caressa les
joues avec ses cheveux blonds, et versa des
pleurs sur ce vieux visage épanoui, brillant.
« Cher père, vous êtes un père! Non, il n'existe
pas deux pères comme vous sous le ciel. Eugène
vous aimait bien déjà, que sera-ce maintenant!

— Mais, mes enfants, dit le père Goriot qui
depuis dix ans n'avait pas senti le cœur de sa

fille battre sur le sien, mais, Delphinette, tu
veux donc me faire mourir de joie! Mon pauvre
cœur se brise. Allez, monsieur Eugène, nous
sommes déjà quittes! » Et le vieillard serrait sa
fille par une étreinte si sauvage, si délirante
qu'elle dit : « Ah! tu me fais mal. — Je t'ai
fait mal! » dit-il en pâlissant. Il la regarda d'un
air surhumain de douleur. Pour bien peindre
la physionomie de ce Christ de la Paternité, il
faudrait aller chercher des comparaisons dans
les images que les princes de la palette ont in-
ventées pour peindre la passion soufferte au bé-
néfice des mondes par le Sauveur des hommes.
Le père Goriot baisa bien doucement la ceinture que ses doigts avaient trop pressée. « Non,
non, je ne t'ai pas fait mal, reprit-il en la ques-
tionnant par un sourire; c'est toi qui m'as fait
mal avec ton cri. Ça coûte plus cher, dit-il à
l'oreille de sa fille en la lui baisant avec pré-
caution, mais faut l'attraper, sans quoi il se
fâcherait. »

Eugène était pétrifié par l'inépuisable dévouement de cet homme, et le contemplait en exprimant cette naïve admiration qui, au jeune âge,
est de la foi.

« Je serai digne de tout cela, s'écria-t-il.

— O mon Eugène, c'est beau ce que vous
venez de dire là. » Et Mme de Nucingen baisa
l'étudiant au front.

« Il a refusé pour toi Mlle Taillefer et ses
millions, dit le père Goriot. Oui, elle vous
aimait, la petite; et, son frère mort, la voilà riche
comme Crésus.

— Oh! pourquoi le dire? s'écria Rastignac.

— Eugène, lui dit Delphine à l'oreille, maintenant j'ai un regret pour ce soir. Ah! je vous
aimerai bien, moi! et toujours.

— Voilà la plus belle journée que j'ai eue
depuis vos mariages, s'écria le père Goriot. Le
bon Dieu peut me faire souffrir tant qu'il lui
plaira, pourvu que ce ne soit pas par vous, je
me dirai : En février de cette année, j'ai été
pendant un moment plus heureux que les
hommes ne peuvent l'être pendant toute leur
vie. Regarde-moi, Fifine! dit-il à sa fille. Elle est
bien belle, n'est-ce pas? Dites-moi donc, avez-
vous rencontré beaucoup de femmes qui aient
ses jolies couleurs et sa petite fossette? Non, pas
vrai? Eh bien, c'est moi qui ai fait cet amour de
femme. Désormais, en se trouvant heureuse par
vous, elle deviendra mille fois mieux. Je puis
aller en enfer, mon voisin, dit-il, s'il vous faut
ma part de paradis, je vous la donne. Mangeons,
mangeons, reprit-il en ne sachant plus ce qu'il
disait, tout est à nous.

— Ce pauvre père!

— Si tu savais, mon enfant, dit-il en se levant
et allant à elle, lui prenant la tête et la baisant

au milieu de ses nattes de cheveux, combien tu
peux me rendre heureux à bon marché! viens
me voir quelquefois, je serai là-haut, tu n'auras
qu'un pas à faire. Promets-le-moi, dis!

— Oui, cher père.

— Dis encore.

— Oui, mon bon père.

— Tais-toi, je te le ferai dire cent fois si je
m'écoutais. Dînons. »

La soirée tout entière fut employée en enfantillages, et le père Goriot ne se montra pas le
moins fou des trois. Il se couchait aux pieds de
sa fille pour les baiser; il la regardait longtemps
dans les yeux; il frottait sa tête contre sa robe;
enfin il faisait des folies comme en aurait fait
l'amant le plus jeune et le plus tendre.

« Voyez-vous? dit Delphine à Eugène, quand
mon père est avec nous, il faut être tout à lui.
Ce sera pourtant bien gênant quelquefois. »

Eugène, qui s'était senti déjà plusieurs fois
des mouvements de jalousie, ne pouvait pas blâmer ce mot, qui renfermait le principe de toutes
les ingratitudes.

« Et quand l'appartement sera-t-il fini? dit
Eugène en regardant autour de la chambre. Il
faudra donc nous quitter ce soir?

— Oui, mais demain vous viendrez dîner avec
moi, dit-elle d'un air fin. Demain est un jour
d'Italiens.

— J'irai au parterre, moi », dit le père Goriot.

Il était minuit. La voiture de Mme de Nucingen attendait. Le père Goriot et l'étudiant retournèrent à la maison Vauquer en s'entretenant de Delphine avec un croissant enthousiasme qui produisit un curieux combat d'expressions entre ces deux violentes passions. Eugène ne pouvait pas se dissimuler que l'amour du père, qu'aucun intérêt personnel n'entachait, écrasait le sien par sa persistance et par son étendue. L'idole était toujours pure et belle pour le père, et son adoration s'accroissait de tout le passé comme de l'avenir. Ils trouvèrent Mme Vauquer seule au coin de son poêle, entre Sylvie et Christophe. La vieille hôtesse était là comme Marius sur les ruines de Carthage. Elle attendait les deux seuls pensionnaires qui lui restassent, en se désolant avec Sylvie. Quoique Lord Byron ait prêté d'assez belles lamentations au Tasse, elles sont bien loin de la profonde vérité de celles qui échappaient à Mme Vauquer.

« Il n'y aura donc que trois tasses de café à faire demain matin, Sylvie. Hein! ma maison déserte, n'est-ce pas à fendre le cœur? Qu'est-ce que la vie sans mes pensionnaires? Rien du tout. Voilà ma maison démeublée de ses hommes. La vie est dans les meubles. Qu'ai-je fait au Ciel

pour m'être attiré tous ces désastres? Nos pro-
visions de haricots et de pommes de terre sont
faites pour vingt personnes. La police chez moi!
Nous allons donc ne manger que des pommes
de terre! Je renverrai donc Christophe! »

Le Savoyard, qui dormait, se réveilla soudain
et dit : « Madame?

— Pauvre garçon! c'est comme un dogue, dit
Sylvie.

— Une saison morte, chacun s'est casé. D'où
me tombera-t-il des pensionnaires? J'en perdrai
la tête! Et cette sibylle de Michonneau qui
m'enlève Poiret! Qu'est-ce qu'elle lui faisait
donc pour s'être attaché cet homme-là, qui la
suit comme un toutou?

— Ah! dame! fit Sylvie en hochant la tête,
ces vieilles filles, ça connaît les rubriques.

— Ce pauvre M. Vautrin dont ils ont fait
un forçat, reprit la veuve, eh bien, Sylvie, c'est
plus fort que moi, je ne le crois pas encore. Un
homme gai comme ça, qui prenait du gloria
pour quinze francs par mois, et qui payait rubis
sur l'ongle!

— Et qui était si généreux! dit Christophe.

— Il y a erreur, dit Sylvie.

— Mais, non, il a avoué lui-même, reprit
Mme Vauquer. Et dire que toutes ces choses-là
sont arrivées chez moi, dans un quartier où il
ne passe pas un chat! Foi d'honnête femme, je

rêve. Car, vois-tu, nous avons vu Louis XVI
avoir son accident, nous avons vu tomber l'em-
pereur, nous l'avons vu revenir et retomber,
tout cela c'était dans l'ordre des choses pos-
sibles; tandis qu'il n'y a point de chances contre
des pensions bourgeoises : on peut se passer de
roi, mais il faut toujours qu'on mange; et quand
une honnête femme, née de Conflans, donne à
dîner avec toutes bonnes choses, mais à moins
que la fin du monde n'arrive... Mais, c'est ça,
c'est la fin du monde.

— Et penser que Mlle Michonneau, qui vous
fait tout ce tort, va recevoir, à ce qu'on dit,
mille écus de rente, s'écria Sylvie.

— Ne m'en parle pas, ce n'est qu'une scélé-
rate! dit Mme Vauquer. Et elle va chez la Buneaud, par-dessus le marché! Mais elle est capable de tout, elle a dû faire des horreurs, elle
a tué, volé dans son temps. Elle devait aller au
bagne à la place de ce pauvre cher homme... »

En ce moment Eugène et le père Goriot sonnèrent.

« Ah! voilà mes deux fidèles », dit la veuve
en soupirant.

Les deux fidèles, qui n'avaient qu'un fort
léger souvenir des désastres de la pension bourgeoise, annoncèrent sans cérémonie à leur hôtesse qu'ils allaient demeurer à la Chaussée-
d'Antin.

« Ah! Sylvie! dit la veuve, voilà mon dernier
atout. Vous m'avez donné le coup de la mort,
messieurs! ça m'a frappée dans l'estomac. J'ai
une barre là. Voilà une journée qui me met dix
ans de plus sur la tête. Je deviendrai folle, ma
parole d'honneur! Que faire des haricots? Ah!
bien, si je suis seule ici, tu t'en iras demain,
Christophe. Adieu, messieurs, bonne nuit.

— Qu'a-t-elle donc? demanda Eugène à
Sylvie.

— Dame! voilà tout le monde parti par suite
des affaires. Ça lui a troublé la tête. Allons. je
l'entends qui pleure. Ça lui fera du bien de
chigner. Voilà la première fois qu'elle se vide
les yeux depuis que je suis à son service. »

Le lendemain, Mme Vauquer s'était. suivant
son expression, *raisonnée*. Si elle parut affligée
comme une femme qui avait perdu tous ses pensionnaires et dont la vie était bouleversée, elle
avait toute sa tête, et montra ce qu'était la vraie
douleur, une douleur profonde, la douleur causée par l'intérêt froissé, par les habitudes rom-
pues. Certes, le regard qu'un amant jette sur
les lieux habités par sa maîtresse, en les quit-
tant, n'est pas plus triste que ne le fut celui de
Mme Vauquer sur sa table vide. Eugène la
consola en lui disant que Bianchon, dont l'in-
ternat finissait dans quelques jours, viendrait
sans doute le remplacer; que l'employé du Mu-

séum avait souvent manifesté le désir d'avoir
l'appartement de Mme Couture, et que dans
peu de jours elle aurait remonté son personnel.

« Dieu vous entende, mon cher monsieur!
mais le malheur est ici. Avant dix jours, la mort
y viendra, vous verrez, lui dit-elle en jetant un
regard lugubre sur la salle à manger. Qui pren-
dra-t-elle?

— Il fait bon déménager, dit tout bas Eugène
au père Goriot.

— Madame, dit Sylvie en accourant effarée,
voici trois jours que je n'ai vu Mistigris.

— Ah! bien, si mon chat est mort, s'il nous a
quittés, je... »

La pauvre veuve n'acheva pas, elle joignit les
mains et se renversa sur le dos de son fauteuil,
accablée par ce terrible pronostic.

Vers midi, heure à laquelle les facteurs arri-
vaient dans le quartier du Panthéon, Eugène
reçut une lettre élégamment enveloppée, ca-
chetée aux armes de Beauséant. Elle contenait
une invitation adressée à M. et à Mme de Nucingen pour le grand bal annoncé depuis un
mois, et qui devait avoir lieu chez la vicomtesse.
A cette invitation était joint un petit mot pour
Eugène :

J'ai pensé, monsieur, que vous vous chargeriez
avec plaisir d'être l'interprète de mes sentiments

*auprès de Mme de Nucingen; je vous envoie
l'invitation que vous m'avez demandée, et serai
charmée de faire la connaissance de la sœur de
Mme de Restaud. Amenez-moi donc cette jolie
personne, et faites en sorte qu'elle ne prenne pas
toute votre affection, vous m'en devez beaucoup
en retour de celle que je vous porte.*

Vicomtesse de BEAUSÉANT.

« Mais, se dit Eugène en relisant ce billet,
Mme de Beauséant me dit assez clairement
qu'elle ne veut pas du baron de Nucingen. »
Il alla promptement chez Delphine, heureux
d'avoir à lui procurer une joie dont il recevrait
sans doute le prix. Mme de Nucingen était au
bain. Rastignac attendit dans le boudoir, en
butte aux impatiences naturelles à un jeune
homme ardent et pressé de prendre possession
d'une maîtresse, l'objet de deux ans de désirs.
C'est des émotions qui ne se rencontrent pas
deux fois dans la vie des jeunes gens. La première femme réellement femme à laquelle s'attache un homme, c'est-à-dire celle qui se présente à lui dans la splendeur des accompagne-
ments que veut la société parisienne, celle-là
n'a jamais de rivale. L'amour à Paris ne ressemble en rien aux autres amours. Ni les
hommes ni les femmes n'y sont dupes des montres pavoisées de lieux communs que chacun

étale par décence sur ses affections soi-disant
désintéressées. En ce pays, une femme ne doit pas
satisfaire seulement le cœur et les sens, elle sait
parfaitement qu'elle a de plus grandes obligations à remplir envers les mille vanités dont se
compose la vie. Là surtout l'amour est essentiellement vantard, effronté, gaspilleur, charlatan et
fastueux. Si toutes les femmes de la cour de
Louis XIV ont envié à Mlle de la Vallière l'en-
traînement de passion qui fit oublier à ce grand
prince que ses manchettes coûtaient chacune
mille écus quand il les déchira pour faciliter au
duc de Vermandois son entrée sur la scène du
monde, que peut-on demander au reste de l'humanité? Soyez jeunes, riches et titrés, soyez mieux
encore si vous pouvez; plus vous apporterez de
grains d'encens à brûler devant l'idole, plus elle
vous sera favorable, si toutefois vous avez une
idole. L'amour est une religion, et son culte doit
coûter plus cher que celui de toutes les autres
religions; il passe promptement, et passe en gamin qui tient à marquer son passage par des
dévastations. Le luxe du sentiment est la poésie
des greniers; sans cette richesse, qu'y devien-
drait l'amour? S'il est des exceptions à ces lois
draconiennes du code parisien, elles se rencontrent dans la solitude, chez les âmes qui ne se
sont point laissé entraîner par des doctrines sociales, qui vivent près de quelque source aux

eaux claires, fugitives mais incessantes; qui,
fidèles à leurs ombrages verts, heureuses d'écouter le langage de l'infini, écrit pour elles en
toute chose et qu'elles retrouvent en elles-mêmes,
attendent patiemment leurs ailes en plaignant
ceux de la terre. Mais Rastignac, semblable à la
plupart des jeunes gens, qui, par avance, ont
goûté les grandeurs, voulait se présenter tout
armé dans la lice du monde; il en avait épousé
la fièvre, et se sentait peut-être la force de le do-
miner, mais sans connaître ni les moyens ni le but
de cette ambition. A défaut d'un amour pur et
sacré, qui remplit la vie, cette soif du pouvoir
peut devenir une belle chose; il suffit de dépouiller tout intérêt personnel et de se proposer
la grandeur d'un pays pour objet. Mais l'étudiant n'était pas encore arrivé au point d'où
l'homme peut contempler le cours de la vie et
la juger. Jusqu'alors il n'avait même pas complètement secoué le charme des fraîches et suaves
idées qui enveloppent comme d'un feuillage la
jeunesse des enfants élevés en province. Il avait
continuellement hésité à franchir le Rubicon parisien. Malgré ses ardentes curiosités, il avait
toujours conservé quelques arrière-pensées de
la vie heureuse que mène le vrai gentilhomme
de son château. Néanmoins ses derniers scrupules avaient disparu la veille, quand il s'était
vu dans son appartement. En jouissant des avan-

tages matériels de la fortune, comme il jouissait depuis longtemps des avantages moraux que
donne la naissance, il avait dépouillé sa peau
d'homme de province, et s'était doucement établi dans une position d'où il découvrait un bel
avenir. Aussi, en attendant Delphine, mollement
assis dans ce joli boudoir qui devenait un peu le
sien, se voyait-il si loin du Rastignac venu l'année dernière à Paris, qu'en le lorgnant par un
effet d'optique morale, il se demandait s'il se
ressemblait en ce moment à lui-même.

« Madame est dans sa chambre », vint lui dire
Thérèse qui le fit tressaillir.

Il trouva Delphine étendue sur sa causeuse,
au coin du feu, fraîche, reposée. A la voir
ainsi étalée sur des flots de mousseline, il était
impossible de ne pas la comparer à ces belles
plantes de l'Inde dont le fruit vient dans la
fleur.

« Eh! bien, nous voilà, dit-elle avec émotion.

— Devinez ce que je vous apporte », dit Eugène en s'asseyant près d'elle et en lui prenant le
bras pour lui baiser la main.

Mme de Nucingen fit un mouvement de joie
en lisant l'invitation. Elle tourna sur Eugène
ses yeux mouillés, et lui jeta ses bras au cou pour
l'attirer à elle dans un délire de satisfaction va-
niteuse.

« Et c'est vous (toi, lui dit-elle à l'oreille;

mais Thérèse est dans mon cabinet de toilette, soyons prudents!), vous à qui je dois ce bonheur? Oui, j'ose appeler cela un bonheur. Obtenu par vous, n'est-ce pas plus qu'un triomphe d'amour-propre? Personne ne m'a voulu présenter dans ce monde. Vous me trouverez peut-être en ce moment petite, frivole, légère comme une Parisienne; mais pensez, mon ami, que je suis prête à tout vous sacrifier, et que, si je souhaite plus ardemment que jamais d'aller dans le faubourg Saint-Germain, c'est que vous y êtes.

— Ne pensez-vous pas, dit Eugène, que Mme de Beauséant a l'air de nous dire qu'elle ne compte pas voir le baron de Nucingen à son bal?

— Mais oui, dit la baronne en rendant la lettre à Eugène. Ces femmes-là ont le génie de l'impertinence. Mais n'importe, j'irai. Ma sœur doit s'y trouver, je sais qu'elle prépare une toilette délicieuse. Eugène, reprit-elle à voix basse, elle y va pour dissiper d'affreux soupçons. Vous ne savez pas les bruits qui courent sur elle? Nucingen est venu me dire ce matin qu'on en parlait hier au Cercle sans se gêner. A quoi tient, mon Dieu! l'honneur des femmes et des familles! Je me suis sentie attaquée, blessée dans ma pauvre sœur. Selon certaines personnes, M. de Trailles aurait souscrit des lettres de change montant à cent mille francs, presque toutes

échues, et pour lesquelles il allait être poursuivi.
Dans cette extrémité, ma sœur aurait vendu
ses diamants à un juif, ces beaux diamants que
vous avez pu lui voir, et qui viennent de Mme de
Restaud la mère. Enfin, depuis deux jours, il
n'est question que de cela. Je conçois alors
qu'Anastasie se fasse faire une robe lamée, et
veuille attirer sur elle tous les regards chez
Mme de Beauséant, en y paraissant dans tout
son éclat et avec ses diamants. Mais je ne veux
pas être au-dessous d'elle. Elle a toujours cher-
ché à m'écraser, elle n'a jamais été bonne pour
moi, qui lui rendais tant de services, qui avais
toujours de l'argent pour elle quand elle n'en
avait pas. Mais laissons le monde, aujourd'hui
je veux être tout heureuse. »

Rastignac était encore à une heure du matin
chez Mme de Nucingen, qui, en lui prodiguant
l'adieu des amants, cet adieu plein de joies à venir, lui dit avec une expression de mélancolie :
« Je suis si peureuse, si superstitieuse, donnez à
mes pressentiments le nom qu'il vous plaira,
que je tremble de payer mon bonheur par
quelque affreuse catastrophe.

— Enfant, dit Eugène.

— Ah! c'est moi qui suis l'enfant ce soir »,
dit-elle en riant.

Eugène revint à la maison Vauquer avec la
certitude de la quitter le lendemain, il s'aban-

donna donc pendant la route à ces jolis rêves
que font tous les jeunes gens quand ils ont encore sur les lèvres le goût du bonheur.

« Eh bien? lui dit le père Goriot quand Rastignac passa devant sa porte.

— Eh bien, répondit Eugène, je vous dirai
tout demain.

— Tout, n'est-ce pas? cria le bonhomme. Cou-
chez-vous. Nous allons commencer demain notre
vie heureuse. »

Le lendemain, Goriot et Rastignac n'atten-
daient plus que le bon vouloir d'un commissionnaire pour partir de la pension bourgeoise,
quand vers midi le bruit d'un équipage qui
s'arrêtait précisément à la porte de la maison
Vauquer retentit dans la rue Neuve-Sainte-Geneviève. Mme de Nucingen descendit de sa
voiture, demanda si son père était encore à la
pension. Sur la réponse affirmative de Sylvie, elle
monta lestement l'escalier. Eugène se trouvait
chez lui sans que son voisin le sût. Il avait, en
déjeunant, prié le père Goriot d'emporter ses
effets, en lui disant qu'ils se retrouveraient à
quatre heures rue d'Artois. Mais, pendant que
le bonhomme avait été chercher des porteurs,
Eugène, ayant promptement répondu à l'appel
de l'école, était revenu sans que personne l'eût
aperçu, pour compter avec Mme Vauquer, ne
voulant pas laisser cette charge à Goriot, qui,

dans son fanatisme, aurait sans doute payé pour
lui. L'hôtesse était sortie. Eugène remonta chez
lui pour voir s'il n'y oubliait rien, et s'applau-
dit d'avoir eu cette pensée en voyant dans le
tiroir de sa table l'acceptation en blanc, souscrite à Vautrin, qu'il avait insouciamment jetée
là le jour où il l'avait acquittée. N'ayant pas de
feu, il allait la déchirer en petits morceaux
quand, en reconnaissant la voix de Delphine,
il ne voulut faire aucun bruit, et s'arrêta pour
l'entendre, en pensant qu'elle ne devait avoir
aucun secret pour lui. Puis, dès les premiers
mots, il trouva la conversation entre le père et
la fille trop intéressante pour ne pas l'écouter.

« Ah! mon père, dit-elle, plaise au Ciel que
vous ayez eu l'idée de demander compte de ma
fortune assez à temps pour que je ne sois pas ruinée! Puis-je parler?

— Oui, la maison est vide, dit le père Goriot
d'une voix altérée.

— Qu'avez-vous donc, mon père? reprit
Mme de Nucingen.

— Tu viens, répondit le vieillard, de me donner un coup de hache sur la tête. Dieu te pardonne, mon enfant! Tu ne sais pas combien je
t'aime; si tu l'avais su, tu ne m'aurais pas dit
brusquement de semblables choses, surtout si
rien n'est désespéré. Qu'est-il donc arrivé de si
pressant pour que tu sois venue me chercher

ici quand dans quelques instants nous allions être rue d'Artois?

— Eh! mon père, est-on maître de son premier mouvement dans une catastrophe? Je suis folle! Votre avoué nous a fait découvrir un peu plus tôt le malheur qui sans doute éclatera plus tard. Votre vieille expérience commerciale va nous devenir nécessaire, et je suis accourue vous chercher comme on s'accroche à une branche quand on se noie. Lorsque M. Derville a vu Nucingen lui opposer mille chicanes, il l'a menacé d'un procès en lui disant que l'autorisation du président du tribunal serait promptement obtenue. Nucingen est venu ce matin chez moi pour me demander si je voulais sa ruine et la mienne. Je lui ai répondu que je ne me connaissais à rien de tout cela, que j'avais une fortune, que je devais être en possession de ma fortune, et que tout ce qui avait rapport à ce démêlé regardait mon avoué, que j'étais de la dernière ignorance et dans l'impossibilité de rien entendre à ce sujet. N'était-ce pas ce que vous m'aviez recommandé de dire?

— Bien, répondit le père Goriot.

— Eh bien. reprit Delphine, il m'a mise au fait de ses affaires. Il a jeté tous ses capitaux et les miens dans des entreprises à peine commencées, et pour lesquelles il a fallu mettre de grandes sommes en dehors. Si je le forçais à me représenter ma dot, il serait obligé de déposer son bilan; tandis que, si je veux attendre un an, il s'engage sur l'honneur à me rendre une fortune double ou triple de la mienne en plaçant mes capitaux dans des opérations territoriales à la fin desquelles je serai maîtresse de tous les biens. Mon cher père, il était sincère, il m'a effrayée. Il m'a demandé pardon de sa conduite, il m'a rendu ma liberté, m'a permis de me conduire à ma guise, à la condition de le laisser entièrement maître de gérer les affaires sous mon nom. Il m'a promis, pour me prouver sa bonne foi, d'appeler M. Derville toutes les fois que je le voudrais pour juger si les actes en vertu desquels il m'instituerait propriétaire seraient convenablement rédigés. Enfin il s'est remis entre mes mains pieds et poings liés. Il demande encore pendant deux ans la conduite de la maison, et m'a suppliée de ne rien dépenser pour moi de plus qu'il ne m'accorde. Il m'a prouvé que tout ce qu'il pouvait faire était de conserver les apparences, qu'il avait renvoyé sa danseuse, et qu'il allait être contraint à la plus stricte mais à la plus sourde économie, afin d'atteindre au terme de ses spéculations sans altérer son crédit. Je l'ai malmené, j'ai tout mis en doute afin de le pousser à bout et d'en apprendre davantage : il m'a montré ses livres, enfin il a pleuré. Je n'ai jamais vu d'homme en pareil état. Il avait perdu la tête, il parlait de se tuer, il délirait. Il m'a fait pitié.

— Et tu crois à ces sornettes, s'écria le père Goriot. C'est un comédien! J'ai rencontré des Allemands en affaires : ces gens-là sont presque tous de bonne foi, pleins de candeur; mais, quand, sous leur air de franchise et de bonhomie, ils se mettent à être malins et charlatans, ils le sont alors plus que les autres. Ton mari t'abuse. Il se sent serré de près, il fait le mort, il veut rester plus maître sous ton nom qu'il ne l'est sous le sien. Il va profiter de cette circonstance pour se mettre à l'abri des chances de son commerce. Il est aussi fin que perfide; c'est un mauvais gars. Non, non, je ne m'en irai pas au Père-Lachaise en laissant mes filles dénuées de tout. Je me connais encore un peu aux affaires. Il a, dit-il, engagé ses fonds dans les entreprises, eh bien, ses intérêts sont représentés par des valeurs, par des reconnaissances, par des traités! qu'il les montre, et liquide avec toi. Nous choisirons les meilleures spéculations, nous en courrons les chances, et nous aurons les titres recognitifs en notre nom de *Delphine Goriot, épouse séparée quant aux biens du baron de Nucingen*. Mais nous prend-il pour des imbéciles, celui-là? Croit-il que je puisse supporter pendant deux jours l'idée de te laisser sans fortune, sans pain? Je ne la supporterais pas un

jour, pas une nuit, pas deux heures! Si cette
idée était vraie, je n'y survivrais pas. Eh! quoi,
j'aurai travaillé pendant quarante ans de ma vie,
j'aurai porté des sacs sur mon dos, j'aurai sué des
averses, je me serai privé pendant toute ma vie
pour vous, mes anges, qui me rendiez tout travail, tout fardeau léger; et aujourd'hui ma fortune, ma vie s'en iraient en fumée! Ceci me ferait mourir enragé. Par tout ce qu'il y a de
plus sacré sur terre et au ciel, nous allons tirer
ça au clair, vérifier les livres, la caisse, les entreprises! Je ne dors pas, je ne me couche pas, je
ne mange pas, qu'il ne me soit prouvé que ta
fortune est là tout entière. Dieu merci, tu es séparée de biens; tu auras maître Derville pour
avoué, un honnête homme heureusement. Jour
de Dieu! tu garderas ton bon petit million, tes
cinquante mille livres de rente, jusqu'à la fin
de tes jours, ou je fais un tapage dans Paris,
ah! ah! Mais je m'adresserais aux chambres si les
tribunaux nous victimaient. Te savoir tranquille
et heureuse du côté de l'argent, mais cette pensée
allégeait tous mes maux et calmait mes chagrins. L'argent, c'est la vie. Monnaie fait tout.
Que nous chante-t-il donc, cette grosse souche
d'Alsacien? Delphine, ne fais pas une concession
d'un quart de liard à cette grosse bête, qui t'a
mise à la chaîne et t'a rendue malheureuse. S'il
a besoin de toi, nous le tricoterons ferme, et nous

le ferons marcher droit. Mon Dieu, j'ai la tête
en feu, j'ai dans le crâne quelque chose qui me
brûle. Ma Delphine sur la paille! Oh! ma Fifine, toi! Sapristi! où sont mes gants? Allons!
partons, je veux aller tout voir, les livres, les affaires, la caisse, la correspondance, à l'instant.
Je ne serai calme que quand il me sera prouvé
que ta fortune ne court plus de risques, et que je
la verrai de mes yeux.

— Mon cher père! allez-y prudemment. Si
vous mettiez la moindre velléité de vengeance
en cette affaire, et si vous montriez des intentions
trop hostiles, je serais perdue. Il vous connaît,
il a trouvé tout naturel que, sous votre inspira-
tion, je m'inquiétasse de ma fortune; mais, je
vous le jure, il la tient en ses mains, et a voulu
la tenir. Il est homme à s'enfuir avec tous les
capitaux, et à nous laisser là, le scélérat! Il sait
bien que je ne déshonorerai pas moi-même le
nom que je porte en le poursuivant. Il est à la
fois fort et faible. J'ai bien tout examiné. Si
nous le poussons à bout, je suis ruinée.

— Mais c'est donc un fripon?

— Eh bien, oui, mon père, dit-elle en se jetant sur une chaise en pleurant. Je ne voulais
pas vous l'avouer pour vous épargner le chagrin
de m'avoir mariée à un homme de cette espèce-
là! Mœurs secrètes et conscience, l'âme et le
corps, tout en lui s'accorde! c'est effroyable : je

le hais et le méprise. Oui, je ne puis plus estimer ce vil Nucingen après tout ce qu'il m'a dit.
Un homme capable de se jeter dans les combinaisons commerciales dont il m'a parlé n'a pas
la moindre délicatesse, et mes craintes viennent
de ce que j'ai lu parfaitement dans son âme. Il
m'a nettement proposé, lui, mon mari, la liberté, vous savez ce que cela signifie? si je voulais être, en cas de malheur, un instrument entre
ses mains, enfin si je voulais lui servir de prête-
nom.

— Mais les lois sont là! Mais il y a une place
de Grève pour les gendres de cette espèce-là,
s'écria le père Goriot; mais je le guillotinerais
moi-même s'il n'y avait pas de bourreau.

— Non, mon père, il n'y a pas de lois contre
lui. Ecoutez en deux mots son langage, dégagé
des circonlocutions dont il l'enveloppait : « Ou
« tout est perdu, vous n'avez pas un liard, vous
« êtes ruinée; car je ne saurais choisir pour
« complice une autre personne que vous; ou
« vous me laisserez conduire à bien mes entre-
« prises » Est-ce clair? Il tient encore à moi. Ma
probité de femme le rassure; il sait que je lui
laisserai sa fortune, et me contenterai de la
mienne. C'est une association improbe et vo-
leuse à laquelle je dois consentir sous peine
d'être ruinée. Il m'achète ma conscience et la
paie en me laissant être à mon aise la femme

d'Eugène. « Je te permets de commettre des
« fautes, laisse-moi faire des crimes en ruinant
« de pauvres gens! » Ce langage est-il encore
assez clair? Savez-vous ce qu'il nomme faire des
opérations? Il achète des terrains nus sous son
nom, puis il y fait bâtir des maisons par des
hommes de paille. Ces hommes concluent les
marchés pour les bâtisses avec tous les entrepreneurs, qu'ils paient en effets à longs termes,
et consentent, moyennant une légère somme, à
donner quittance à mon mari, qui est alors pos-
sesseur des maisons, tandis que ces hommes
s'acquittent avec les entrepreneurs dupés en faisant faillite. Le nom de la maison de Nucingen
a servi à éblouir les pauvres constructeurs. J'ai
compris cela. J'ai compris aussi que, pour prouver, en cas de besoin, le paiement de sommes
énormes, Nucingen a envoyé des valeurs considérables à Amsterdam, à Londres, à Naples, à
Vienne. Comment les saisirions-nous? »

Eugène entendit le son sourd des genoux du
père Goriot, qui tomba sans doute sur le carreau
de sa chambre.

« Mon Dieu, que t'ai-je fait? Ma fille livrée
à ce misérable, il exigera tout d'elle s'il le veut.
Pardon, ma fille! cria le vieillard.

— Oui, si je suis dans un abîme, il y a peut-
être de votre faute, dit Delphine. Nous avons
si peu de raison quand nous nous marions!

Connaissons-nous le monde, les affaires, les hommes, les mœurs? Les pères devraient penser pour nous. Cher père, je ne vous reproche rien, pardonnez-moi ce mot. En ceci la faute est toute à moi. Non, ne pleurez point, papa, dit-elle en baisant le front de son père.

— Ne pleure pas non plus, ma petite Delphine. Donne tes yeux, que je les essuie en les baisant. Va! je vais retrouver ma caboche, et débrouiller l'écheveau d'affaires que ton mari a mêlé.

— Non, laissez-moi faire; je saurai le manœuvrer. Il m'aime, eh bien je me servirai de mon empire sur lui pour l'amener à me placer promptement quelques capitaux en propriétés. Peut-être lui ferai-je racheter sous mon nom Nucingen, en Alsace, il y tient. Seulement venez demain pour examiner ses livres, ses affaires. M. Derville ne sait rien de ce qui est commercial. Non, ne venez pas demain. Je ne veux pas me tourner le sang. Le bal de Mme de Beauséant a lieu après-demain, je veux me soigner pour y être belle, reposée, et faire honneur à mon cher Eugène! Allons donc voir sa chambre. »

En ce moment une voiture s'arrêta dans la rue Neuve-Sainte-Geneviève, et l'on entendit dans l'escalier la voix de Mme de Restaud, qui disait à Sylvie : Mon père y est-il? Cette circonstance

sauva heureusement Eugène, qui méditait déjà
de se jeter sur son lit et de feindre d'y dormir.

« Ah! mon père, vous a-t-on parlé d'Anastasie? dit Delphine en reconnaissant la voix de sa
sœur. Il paraîtrait qu'il lui arrive aussi de sin-
gulières choses dans son ménage.

— Quoi donc! dit le père Goriot : ce serait
donc ma fin. Ma pauvre tête ne tiendra pas à un
double malheur.

— Bonjour, mon père, dit la comtesse en entrant. Ah! te voilà, Delphine. »

Mme de Restaud parut embarrassée de rencontrer sa sœur.

« Bonjour, Nasie, dit la baronne. Trouves-
tu donc ma présence extraordinaire? Je vois
mon père tous les jours, moi.

— Depuis quand?

— Si tu y venais, tu le saurais.

— Ne me taquine pas, Delphine, dit la comtesse d'une voix lamentable. Je suis bien malheureuse, je suis perdue, mon pauvre père! oh!
bien perdue cette fois!

— Qu'as-tu, Nasie? cria le père Goriot. Dis-
nous tout, mon enfant. Elle pâlit. Delphine, allons, secours-la donc, sois bonne pour elle, je
t'aimerai encore mieux, si je peux, toi!

— Ma pauvre Nasie, dit Mme de Nucingen
en asseyant sa sœur, parle. Tu vois en nous les
deux seules personnes qui t'aimeront toujours

assez pour te pardonner tout. Vois-tu, les affections de famille sont les plus sûres. » Elle lui
fit respirer des sels, et la comtesse revint à elle.

« J'en mourrai, dit le père Goriot. Voyons,
reprit-il en remuant son feu de mottes, appro-
chez-vous toutes les deux. J'ai froid. Qu'as-tu,
Nasie? dis vite, tu me tues...

— Eh bien, dit la pauvre femme, mon mari
sait tout. Figurez-vous, mon père, il y a quelque
temps, vous souvenez-vous de cette lettre de
change de Maxime? Eh bien, ce n'était pas la
première. J'en avais déjà payé beaucoup. Vers
le commencement de janvier, M. de Trailles me
paraissait bien chagrin. Il ne me disait rien;
mais il est si facile de lire dans le cœur des gens
qu'on aime, un rien suffit : puis il y a des pressentiments. Enfin il était plus aimant, plus
tendre que je ne l'avais jamais vu, j'étais toujours plus heureuse. Pauvre Maxime! dans sa
pensée, il me faisait ses adieux, m'a-t-il dit; il
voulait se brûler la cervelle. Enfin je l'ai tant
tourmenté, tant supplié, je suis restée deux
heures à ses genoux. Il m'a dit qu'il devait cent
mille francs! Oh! papa, cent mille francs! Je
suis devenue folle. Vous ne les aviez pas, j'avais
tout dévoré...

— Non, dit le père Goriot, je n'aurais pas pu
les faire, à moins d'aller les voler. Mais j'y aurais été, Nasie! j'irai »

A ce mot lugubrement jeté, comme un son du râle d'un mourant, et qui accusait l'agonie du sentiment paternel réduit à l'impuissance, les deux sœurs firent une pause. Quel égoïsme serait resté froid à ce cri de désespoir qui, semblable à une pierre lancée dans un gouffre, en révélait la profondeur?

« Je les ai trouvés en disposant de ce qui ne m'appartenait pas, mon père », dit la comtesse en fondant en larmes.

Delphine fut ému et pleura en mettant la tête sur le cou de sa sœur.

« Tout est donc vrai », lui dit-elle.

Anastasie baissa la tête, Mme de Nucingen la saisit à plein corps, la baisa tendrement, et l'appuyant sur son cœur : « Ici, tu seras toujours aimée sans être jugée, lui dit-elle.

— Mes anges, dit Goriot d'un voix faible, pourquoi votre union est-elle due au malheur?

— Pour sauver la vie de Maxime, enfin pour sauver tout mon bonheur, reprit la comtesse encouragée par ces témoignages d'une tendresse chaude et palpitante, j'ai porté chez cet usurier que vous connaissez, un homme fabriqué par l'enfer, que rien ne peut attendrir, ce M. Gobseck, les diamants de famille auxquels tient tant M. de Restaud, les siens, les miens, tout, je les ai vendus. Vendus! comprenez-vous? il a été

sauvé! Mais, moi, je suis morte. Restaud a
tout su.

— Par qui? comment? Que je le tue! cria le
père Goriot.

— Hier, il m'a fait appeler dans sa chambre.
J'y suis allée... « Anastasie, m'a-t-il dit d'une
« voix... (oh! sa voix a suffi, j'ai tout deviné), où
« sont vos diamants? — Chez moi. — Non,
« m'a-t-il dit en me regardant, ils sont là, sur
« ma commode. » Et il m'a montré l'écrin qu'il
avait couvert de son mouchoir. « Vous savez
« d'où ils viennent? » m'a-t-il dit. Je suis tombée
à ses genoux... j'ai pleuré, je lui ai demandé de
quelle mort il voulait me voir mourir.

— Tu as dit cela! s'écria le père Goriot. Par
le sacré nom de Dieu, celui qui vous fera mal
à l'une ou à l'autre, tant que je serai vivant,
peut être sûr que je le brûlerai à petit feu! Oui,
je le déchiquèterai comme... »

Le père Goriot se tut, les mots expiraient dans
sa gorge.

« Enfin, ma chère, il m'a demandé quelque
chose de plus difficile à faire que de mourir. Le
Ciel préserve toute femme d'entendre ce que j'ai
entendu!

— J'assassinerai cet homme, dit le père Goriot
tranquillement.

« Mais il n'a qu'une vie, et il m'en doit deux.
Enfin, quoi? reprit-il en regardant Anastasie.

— Eh bien, dit la comtesse en continuant, après une pause il m'a regardée : « Anastasie, « m'a-t-il dit, j'ensevelis tout dans le silence, « nous resterons ensemble, nous avons des en- « fants. Je ne tuerai pas M. de Trailles, je « pourrais le manquer, et pour m'en défaire « autrement je pourrais me heurter contre la « justice humaine. Le tuer dans vos bras, ce « serait déshonorer *les* enfants. Mais pour ne « voir périr ni vos enfants, ni leur père, ni moi, « je vous impose deux conditions. Répondez : « Ai-je un enfant à moi? » J'ai dit oui. « Le- « quel? » a-t-il demandé. « Ernest, notre aîné. « — Bien, a-t-il dit. Maintenant, jurez-moi de « m'obéir désormais sur un seul point. » J'ai juré. « Vous signerez la vente de vos biens « quand je vous le demanderai. »

— Ne signe pas, cria le père Goriot. Ne signe jamais cela. Ah! ah! M. de Restaud, vous ne savez pas ce que c'est que de rendre une femme heureuse, elle va chercher le bonheur là où il est, et vous la punissez de votre niaise impuissance?... Je suis là, moi, halte là! il me trouvera dans sa route. Nasie, sois en repos. Ah! il tient à son héritier! bon, bon. Je lui empoi- gnerai son fils, qui, sacré tonnerre, est mon petit- fils. Je puis bien le voir, ce marmot? Je le mets dans mon village, j'en aurai soin, sois bien tran- quille. Je le ferai capituler, ce monstre-là, en lui

disant : A nous deux! Si tu veux avoir ton fils,
rends à ma fille son bien, et laisse-la se conduire
à sa guise.

— Mon père!

— Oui, ton père! Ah! je suis un vrai père.
Que ce drôle de grand seigneur ne maltraite pas
mes filles. Tonnerre! je ne sais pas ce que j'ai dans
les veines. J'ai le sang d'un tigre, je voudrais
dévorer ces deux hommes. O mes enfants! voilà
donc votre vie? Mais c'est ma mort. Que deviend-
rez-vous donc quand je ne serai plus là? Les
pères devraient vivre autant que leurs enfants.
Mon Dieu, comme ton monde est mal arrangé!
Et tu as un fils cependant, à ce qu'on nous dit.
Tu devrais nous empêcher de souffrir dans nos
enfants. Mes chers anges, quoi! ce n'est qu'à vos
douleurs que je dois votre présence. Vous ne me
faites connaître que vos larmes. Eh bien, oui,
vous m'aimez, je le vois. Venez, venez vous
plaindre ici! mon cœur est grand, il peut tout
recevoir. Oui, vous aurez beau le percer, les
lambeaux feront encore des cœurs de père. Je
voudrais prendre vos peines, souffrir pour vous.
Ah! quand vous étiez petites, vous étiez bien
heureuses...

— Nous n'avons eu que ce temps-là de bon, dit
Delphine. Où sont les moments où nous dégrin-
golions du haut des sacs dans le grand grenier.

— Mon père! ce n'est pas tout, dit Anastasie

à l'oreille de Goriot qui fit un bond. Les diamants n'ont pas été vendus cent mille francs.
Maxime est poursuivi. Nous n'avons plus que
douze mille francs à payer. Il m'a promis d'être
sage, de ne plus jouer. Il ne me reste plus au
monde que son amour, et je l'ai payé trop cher
pour ne pas mourir s'il m'échappait. Je lui ai
sacrifié fortune, honneur, repos, enfants. Oh!
faites qu'au moins Maxime soit libre, honoré,
qu'il puisse demeurer dans le monde où il saura
se faire une position. Maintenant il ne me doit
que le bonheur, nous avons des enfants qui seraient sans fortune. Tout sera perdu s'il est mis
à Sainte-Pélagie.

— Je ne les ai pas, Nasie. Plus, plus rien,
plus rien! C'est la fin du monde. Oh! le monde
va crouler, c'est sûr. Allez-vous-en, sauvez-vous
avant! Ah! j'ai encore mes boucles d'argent, six
couverts, les premiers que j'aie eus dans ma vie.
Enfin, je n'ai plus que douze cents francs de
rente viagère...

— Qu'avez-vous donc fait de vos rentes per-
pétuelles?

— Je les ai vendues en me réservant ce petit
bout de revenu pour mes besoins. Il me fallait
douze mille francs pour arranger un appartement à Fifine.

— Chez toi, Delphine? dit Mme de Restaud
à sa sœur.

— Oh! qu'est-ce que cela fait! reprit le père Goriot, ces douze mille francs sont employés.

— Je devine, dit la comtesse. Pour M. de Rastignac. Ah! ma pauvre Delphine, arrête-toi. Vois où j'en suis.

— Ma chère, M. de Rastignac est un jeune homme incapable de ruiner sa maîtresse.

— Merci, Delphine. Dans la crise où je me trouve, j'attendais mieux de toi; mais tu ne m'as jamais aimée.

— Si, elle t'aime, Nasie, cria le père Goriot, elle me le disait tout à l'heure. Nous parlions de toi, elle me soutenait que tu étais belle et qu'elle n'était que jolie, elle!

— Elle! répéta la comtesse, elle est d'un beau froid.

— Quand cela serait, dit Delphine en rougissant, comment t'es-tu comportée envers moi? Tu m'as reniée, tu m'as fait fermer les portes de toutes les maisons où je souhaitais aller, enfin tu n'as jamais manqué la moindre occasion de me causer de la peine. Et moi, suis-je venue, comme toi, soutirer à ce pauvre père, mille francs à mille francs, sa fortune, et le réduire dans l'état où il est? Voilà ton ouvrage, ma sœur. Moi, j'ai vu mon père tant que j'ai pu, je ne l'ai pas mis à la porte, et ne suis pas venue lui lécher les mains quand j'avais besoin de lui.

Je ne savais seulement pas qu'il eût employé ces douze mille francs pour moi. J'ai de l'ordre, moi! tu le sais. D'ailleurs, quand papa m'a fait des cadeaux, je ne les ai jamais quêtés.

— Tu étais plus heureuse que moi : M. de Marsay était riche, tu en sais quelque chose. Tu as toujours été vilaine comme l'or. Adieu, je n'ai ni sœur, ni...

— Tais-toi, Nasie! cria le père Goriot.

— Il n'y a qu'une sœur comme toi qui puisse répéter ce que le monde ne croit plus, tu es un monstre, lui dit Delphine.

— Mes enfants, mes enfants, taisez-vous, ou je me tue devant vous.

— Va, Nasie, je te pardonne, dit Mme de Nucingen en continuant, tu es malheureuse. Mais je suis meilleure que tu ne l'es. Me dire cela au moment où je me sentais capable de tout pour te secourir, même d'entrer dans la chambre de mon mari, ce que je ne ferais ni pour moi ni pour... Ceci est digne de tout ce que tu as commis de mal contre moi depuis neuf ans.

— Mes enfants, mes enfants, embrassez-vous! dit le père. Vous êtes deux anges.

— Non, laissez-moi, cria la comtesse que Goriot avait prise par le bras et qui secoua l'embrassement de son père. Elle a moins de pitié pour moi que n'en aurait mon mari. Ne dirait-on pas qu'elle est l'image de toutes les vertus?

— J'aime encore mieux passer pour devoir de l'argent à M. de Marsay que d'avouer que M. de Trailles me coûte plus de deux cent mille francs, répondit Mme de Nucingen.

— Delphine! cria la comtesse en faisant un pas vers elle.

— Je te dis la vérité quand tu me calomnies, répliqua froidement la baronne.

— Delphine! tu es une... »

Le père Goriot s'élança, retint la comtesse et l'empêcha de parler en lui couvrant la bouche avec sa main.

« Mon Dieu! mon père, à quoi donc avez-vous touché ce matin? lui dit Anastasie.

— Eh bien, oui, j'ai tort, dit le pauvre père en s'essuyant les mains à son pantalon. Mais je ne savais pas que vous viendriez, je déménage. »

Il était heureux de s'être attiré un reproche qui détournait sur lui la colère de sa fille.

« Ah! reprit-il en s'asseyant, vous m'avez fendu le cœur. Je me meurs, mes enfants! Le crâne me cuit intérieurement comme s'il avait du feu. Soyez donc gentilles, aimez-vous bien! Vous me feriez mourir. Delphine, Nasie, allons, vous aviez raison, vous aviez tort toutes les deux. Voyons, Dedel, reprit-il en tournant sur la ba-

ronne des yeux pleins de larmes, il lui faut
douze mille francs, cherchons-les. Ne vous regar-
dez pas comme ça. » Il se mit à genoux devant
Delphine. « Demande-lui pardon pour me faire
plaisir, lui dit-il à l'oreille, elle est la plus
malheureuse, voyons?

— Ma pauvre Nasie, dit Delphine épouvan-
tée de la sauvage et folle expression que la douleur imprimait sur le visage de son père, j'ai eu
tort, embrasse-moi...

— Ah! vous me mettez du baume sur le cœur,
cria le père Goriot. Mais où trouver douze mille
francs? Si je me proposais comme remplaçant?

— Ah! mon père! dirent les deux filles en
l'entourant, non, non.

— Dieu vous récompensera de cette pensée,
notre vie n'y suffirait point! n'est-ce pas, Nasie?
reprit Delphine.

— Et puis. pauvre père, ce serait une goutte
d'eau, fit observer la comtesse.

— Mais on ne peut donc rien faire de son
sang? cria le vieillard désespéré. Je me voue à
celui qui te sauvera. Nasie! je tuerai un homme
pour lui. Je ferai comme Vautrin, j'irai au
bagne! je... » Il s'arrêta comme s'il eût été fou-
droyé. « Plus rien! dit-il en s'arrachant les cheveux. Si je savais où aller pour voler, mais il est
encore difficile de trouver un vol à faire. Et
puis il faudrait du monde et du temps pour

prendre la Banque. Allons, je dois mourir, je
n'ai plus qu'à mourir. Oui, je ne suis plus bon
à rien, je ne suis plus père! non. Elle me demande, elle a besoin! et moi, misérable, je n'ai
rien. Ah! tu t'es fait des rentes viagères, vieux
scélérat, et tu avais des filles! Mais tu ne les
aimes donc pas? Crève, crève comme un chien
que tu es! Oui, je suis au-dessous d'un chien,
un chien ne se conduirait pas ainsi! Oh! ma
tête! elle bout!

— Mais, papa, crièrent les deux jeunes
femmes qui l'entouraient pour l'empêcher de se
frapper la tête contre les murs, soyez donc rai-
sonnable. »

Il sanglotait. Eugène, épouvanté, prit la lettre
de change souscrite à Vautrin, et dont le timbre
comportait une plus forte somme; il en corrigea
le chiffre, en fit une lettre de change régulière
de douze mille francs à l'ordre de Goriot et
entra.

« Voici tout votre argent, madame, dit-il en
présentant le papier. Je dormais, votre conversation m'a réveillé, j'ai pu savoir ainsi ce que
je devais à M. Goriot. En voici le titre que
vous pouvez négocier, je l'acquitterai fidè-
lement. »

La comtesse, immobile, tenait le papier.

« Delphine, dit-elle pâle et tremblante de
colère, de fureur, de rage, je te pardonnais tout,

Dieu m'en est témoin, mais ceci! Comment,
monsieur était là, tu le savais! tu as eu la peti-
tesse de te venger en me laissant lui livrer mes
secrets, ma vie, celle de mes enfants, ma honte,
mon honneur! Va, tu ne m'es plus de rien, je
te hais, je te ferai tout le mal possible, je... »
La colère lui coupa la parole, et son gosier se
sécha.

« Mais, c'est mon fils, notre enfant, ton frère,
ton sauveur, criait le père Goriot. Embrasse-le
donc, Nasie! Tiens, moi je l'embrasse, reprit-il
en serrant Eugène avec une sorte de fureur. Oh!
mon enfant! je serai plus qu'un père pour toi,
je veux être une famille. Je voudrais être Dieu,
je te jetterais l'univers aux pieds. Mais, baise-le
donc, Nasie? ce n'est pas un homme, mais un
ange, un véritable ange.

— Laissez-la, mon père, elle est folle en ce
moment, dit Delphine.

— Folle! folle! Et toi, qu'es-tu? demanda
Mme de Restaud.

— Mes enfants, je meurs si vous continuez »,
cria le vieillard en tombant sur son lit comme
frappé par une balle. « Elles me tuent! » se
dit-il.

La comtesse regarda Eugène, qui restait immobile, abasourdi par la violence de cette scène :
« Monsieur, lui dit-elle en l'interrogeant du
geste, de la voix et du regard, sans faire atten-

tion à son père dont le gilet fut rapidement défait par Delphine.

— Madame, je paierai et je me tairai, répondit-il sans attendre la question.

— Tu as tué notre père, Nasie! dit Delphine en montrant le vieillard évanoui à sa sœur, qui se sauva.

— Je lui pardonne bien, dit le bonhomme en ouvrant les yeux, sa situation est épouvantable et tournerait une meilleure tête. Console Nasie, sois douce pour elle, promets-le à ton pauvre père qui se meurt, demanda-t-il à Delphine en lui pressant la main.

— Mais qu'avez-vous? dit-elle tout effrayée.

— Rien, rien. répondit le père. ça se passera. J'ai quelque chose qui me presse le front, une migraine. Pauvre Nasie. quel avenir! »

En ce moment, la comtesse rentra, se jeta aux genoux de son père : « Pardon! cria-t-elle.

— Allons, dit le père Goriot, tu me fais encore plus de mal maintenant.

— Monsieur. dit la comtesse à Rastignac, les yeux baignés de larmes, la douleur m'a rendue injuste. Vous serez un frère pour moi? reprit-elle en lui tendant la main.

— Nasie, lui dit Delphine en la serrant, ma petite Nasie. oublions tout.

— Non, dit-elle, je m'en souviendrai. moi!

— Les anges, s'écria le père Goriot, vous

m'enlevez le rideau que j'avais sur les yeux,
votre voix me ranime. Embrassez-vous donc encore. Eh bien, Nasie, cette lettre de change te
sauvera-t-elle?

— Je l'espère. Dites donc, papa, voulez-vous
y mettre votre signature?

— Tiens, suis-je bête, moi, d'oublier ça! Mais
je me suis trouvé mal. Nasie, ne m'en veux pas.
Envoie-moi dire que tu es hors de peine. Non,
j'irai. Mais non, je n'irai pas, je ne puis plus
voir ton mari, je le tuerais net. Quant à dénaturer tes biens, je serai là. Va vite, mon enfant,
et fais que Maxime devienne sage. »

Eugène était stupéfait.

« Cette pauvre Anastasie a toujours été violente, dit Mme de Nucingen, mais elle a bon
cœur.

— Elle est revenue pour l'endos, dit Eugène
à l'oreille de Delphine.

— Vous croyez?

— Je voudrais ne pas le croire. Méfiez-vous
d'elle, répondit-il en levant les yeux comme pour
confier à Dieu des pensées qu'il n'osait
exprimer.

— Oui, elle a toujours été un peu comé-
dienne, et mon pauvre père se laisse prendre à
ses mines.

— Comment allez-vous, mon bon père Goriot? demanda Rastignac au vieillard.

— J'ai envie de dormir », répondit-il.

Eugène aida Goriot à se coucher. Puis, quand le bonhomme se fut endormi en tenant la main de Delphine, sa fille se retira.

« Ce soir aux Italiens, dit-elle à Eugène, et tu me diras comment il va. Demain, vous déménagerez, monsieur. Voyons votre chambre. Oh! quelle horreur! dit-elle en y entrant. Mais vous étiez plus mal que n'est mon père. Eugène, tu t'es bien conduit. Je vous aimerais davantage si c'était possible; mais, mon enfant, si vous voulez faire fortune, il ne faut pas jeter comme ça des douze mille francs par les fenêtres. Le comte de Trailles est joueur. Ma sœur ne veut pas voir ça. Il aurait été chercher ses douze mille francs là où il sait perdre ou gagner des monts d'or. »

Un gémissement les fit revenir chez Goriot, qu'ils trouvèrent en apparence endormi; mais quand les deux amants approchèrent, ils entendirent ces mots : « Elles ne sont pas heureuses! » Qu'il dormît ou qu'il veillât, l'accent de cette phrase frappa si vivement le cœur de sa fille, qu'elle s'approcha du grabat sur lequel gisait son père, et le baisa au front. Il ouvrit les yeux en disant : « C'est Delphine!

— Ah! bien, comment vas-tu? demanda-t-elle.

— Bien, dit-il. Ne sois pas inquiète, je vais sortir. Allez, allez, mes enfants, soyez heureux. »

Eugène accompagna Delphine jusque chez elle; mais, inquiet de l'état dans lequel il avait laissé Goriot, il refusa de dîner avec elle, et revint à la maison Vauquer. Il trouva le père Goriot debout et prêt à s'attabler. Bianchon s'était mis de manière à bien examiner la figure du vermicellier. Quand il lui vit prendre son pain et le sentir pour juger de la farine avec laquelle il était fait, l'étudiant, ayant observé dans ce mouvement une absence totale de ce que l'on pourrait nommer la conscience de l'acte, fit un geste sinistre.

« Viens donc près de moi, monsieur l'interne à Cochin », dit Eugène.

Bianchon s'y transporta d'autant plus volontiers qu'il allait être près du vieux pensionnaire.

« Qu'a-t-il? demanda Rastignac.

— A moins que je ne me trompe, il est flambé! Il a dû se passer quelque chose d'extraordinaire en lui, il me semble être sous le poids d'une apoplexie séreuse imminente. Quoique le bas de la figure soit assez calme, les traits supérieurs du visage se tirent vers le front malgré lui, vois! Puis les yeux sont dans l'état particulier qui dénote l'invasion du sérum dans le cerveau. Ne drait-on pas qu'ils sont pleins d'une poussière fine? Demain matin j'en saurai davantage.

— Y aurait-il quelque remède?

— Aucun. Peut-être pourra-t-on retarder sa mort si l'on trouve les moyens de déterminer une réaction vers les extrémités, vers les jambes; mais si demain soir les symptômes ne cessent pas, le pauvre bonhomme est perdu. Sais-tu par quel événement la maladie a été causée? il a dû recevoir un coup violent sous lequel son moral aura succombé.

— Oui », dit Rastignac en se rappelant que les deux filles avaient battu sans relâche sur le cœur de leur père.

« Au moins, se disait Eugène, Delphine aime son père, elle! »

Le soir, aux Italiens, Rastignac prit quelques précautions afin de ne pas trop alarmer Mme de Nucingen.

« N'ayez pas d'inquiétude, répondit-elle aux premiers mots que lui dit Eugène, mon père est fort. Seulement, ce matin, nous l'avons un peu secoué. Nos fortunes sont en question, songez-vous à l'étendue de ce malheur? Je ne vivrais pas si votre affection ne me rendait pas insensible à ce que j'aurais regardé naguère comme des angoisses mortelles. Il n'est plus aujourd'hui qu'une seule crainte, un seul malheur pour moi, c'est de perdre l'amour qui m'a fait sentir le plaisir de vivre. En dehors de ce sentiment tout m'est indifférent, je n'aime plus rien au monde. Vous êtes tout pour moi. Si je sens le bonheur d'être riche, c'est pour mieux vous plaire. Je suis, à ma honte, plus amante que je ne suis fille. Pourquoi? je ne sais. Toute ma vie est en vous. Mon père m'a donné un cœur, mais vous l'avez fait battre. Le monde entier peut me blâmer, que m'importe! si vous, qui n'avez pas le droit de m'en vouloir, m'acquittez des crimes auxquels me condamne un sentiment irrésistible? Me croyez-vous une fille dénaturée? oh! non, il est impossible de ne pas aimer un père aussi bon que l'est le nôtre. Pouvais-je empêcher qu'il ne vît enfin les suites naturelles de nos déplorables mariages? Pourquoi ne les a-t-il pas empêchés? N'était-ce pas à lui de réfléchir pour nous? Aujourd'hui, je le sais, il souffre autant que nous; mais que pouvions-nous y faire? Le consoler! nous ne le consolerions de rien. Notre résignation lui faisait plus de douleur que nos reproches et nos plaintes ne lui causeraient de mal. Il est des situations dans la vie où tout est amertume. »

Eugène resta muet, saisi de tendresse par l'expression naïve d'un sentiment vrai. Si les Parisiennes sont souvent fausses, ivres de vanité, personnelles, coquettes, froides, il est sûr que quand elles aiment réellement, elles sacrifient plus de sentiments que les autres femmes à leurs passions; elles se grandissent de toutes leurs peti-

tesses, et deviennent sublimes. Puis Eugène était
frappé de l'esprit profond et judicieux que la
femme déploie pour juger les sentiments les
plus naturels, quand une affection privilégiée
l'en sépare et la met à distance. Mme de Nucingen se choqua du silence que gardait
Eugène.

« A quoi pensez-vous donc? lui demanda-
t-elle.

— J'écoute encore ce que vous m'avez dit.
J'ai cru jusqu'ici vous aimer plus que vous ne
m'aimiez. »

Elle sourit et s'arma contre le plaisir qu'elle
éprouva, pour laisser la conversation dans les
bornes imposées par les convenances. Elle n'avait
jamais entendu les expressions vibrantes d'un
amour jeune et sincère. Quelques mots de plus,
elle ne se serait plus contenue.

« Eugène, dit-elle en changeant de conversation, vous ne savez donc pas ce qui se passe?
Tout Paris sera demain chez Mme de Beauséant. Les Rochefide et le marquis d'Adjuda
se sont entendus pour ne rien ébruiter; mais le
roi signe demain le contrat de mariage, et votre
pauvre cousine ne sait rien encore. Elle ne
pourra pas se dispenser de recevoir, et le marquis ne sera pas à son bal. On ne s'entretient
que de cette aventure.

— Et le monde se rit d'une infamie, et il y

trempe! Vous ne savez donc pas que Mme de Beauséant en mourra?

— Non, dit Delphine en souriant, vous ne connaissez pas ces sortes de femmes-là. Mais tout Paris viendra chez elle, et j'y serai! Je vous dois ce bonheur-là pourtant.

— Mais, dit Rastignac, n'est-ce pas un de ces bruits absurdes comme on en fait tant courir à Paris?

— Nous saurons la vérité demain. »

Eugène ne rentra pas à la maison Vauquer. Il ne put se résoudre à ne pas jouir de son nouvel appartement. Si, la veille, il avait été forcé de quitter Delphine, à une heure après minuit, ce fut Delphine qui le quitta vers deux heures pour retourner chez elle. Il dormit le lendemain assez tard, attendit vers midi Mme de Nucingen, qui vint déjeuner avec lui. Les jeunes gens sont si avides de ces jolis bonheurs, qu'il avait presque oublié le père Goriot. Ce fut une longue fête pour lui que de s'habituer à chacune de ces élégantes choses qui lui appartenaient. Mme de Nucingen était là, donnant à tout un nouveau prix. Cependant, vers quatre heures, les deux amants pensèrent au père Goriot en songeant au bonheur qu'il se promettait à venir demeurer dans cette maison. Eugène fit observer qu'il était nécessaire d'y transporter promptement le bonhomme, s'il devait être malade, et quitta Delphine pour courir à la maison Vauquer. Ni le père Goriot ni Bianchon n'étaient à table.

« Eh bien, lui dit le peintre, le père Goriot est éclopé. Bianchon est là-haut près de lui. Le bonhomme a vu l'une de ses filles, la comtesse de Restaurama. Puis il a voulu sortir et sa maladie a empiré. La société va être privée d'un de ses beaux ornements. »

Rastignac s'élança vers l'escalier.

« Hé! monsieur Eugène!

— Monsieur Eugène! madame vous appelle, cria Sylvie.

— Monsieur, lui dit la veuve, M. Goriot et vous, vous deviez sortir le quinze de février. Voici trois jours que le quinze est passé, nous sommes au dix-huit; il faudra me payer un mois pour vous et pour lui, mais, si vous voulez garantir le père Goriot, votre parole me suffira.

— Pourquoi? n'avez-vous pas confiance?

— Confiance! si le bonhomme n'avait plus sa tête et mourait, ses filles ne me donneraient pas un liard, et toute sa défroque ne vaut pas dix francs. Il a emporté ce matin ses derniers couverts, je ne sais pourquoi. Il s'était mis en jeune homme. Dieu me pardonne, je crois qu'il avait du rouge, il m'a paru rajeuni.

— Je réponds de tout », dit Eugène en fris-

sonnant d'horreur et appréhendant une catastrophe.

Il monta chez le père Goriot. Le vieillard
gisait sur son lit, et Bianchon était auprès de
lui.

« Bonjour, père », lui dit Eugène.

Le bonhomme lui sourit doucement, et répondit en tournant vers lui des yeux vitreux :
« Comment va-t-elle?

— Bien. Et vous?

— Pas mal.

— Ne le fatigue pas, dit Bianchon en entraî-
nant Eugène dans un coin de chambre.

— Eh bien? lui dit Rastignac.

— Il ne peut être sauvé que par un miracle.
La congestion séreuse a eu lieu, il a les sinapismes; heureusement il les sent, ils agissent.

— Peut-on le transporter?

— Impossible. Il faut le laisser là, lui éviter
tout mouvement physique et toute émotion...

— Mon bon Bianchon, dit Eugène, nous le
soignerons à nous deux.

— J'ai déjà fait venir le médecin en chef de
mon hôpital.

— Eh bien?

— Il prononcera demain soir. Il m'a promis
de venir après sa journée. Malheureusement ce
fichu bonhomme a commis ce matin une impru-

dence sur laquelle il ne veut pas s'expliquer. Il
est entêté comme une mule. Quand je lui parle,
il fait semblant de ne pas entendre, et dort pour
ne pas me répondre; ou bien, s'il a les yeux
ouverts, il se met à geindre. Il est sorti vers le
matin, il a été à pied dans Paris, on ne sait où.
Il a emporté tout ce qu'il possédait de vaillant,
il a été faire quelque sacré trafic pour lequel il
a outrepassé ses forces! Une de ses filles est
venue.

— La comtesse? dit Eugène. Une grande
brune, l'œil vif et bien coupé, joli pied, taille
souple?

— Oui.

— Laisse-moi seul un moment avec lui, dit
Rastignac. Je vais le confesser, il me dira tout,
à moi.

— Je vais aller dîner pendant ce temps-là.
Seulement tâche de ne pas trop l'agiter; nous
avons encore quelque espoir.

— Sois tranquille.

— Elles s'amuseront bien demain, dit le père
Goriot à Eugène quand ils furent seuls. Elles
vont à un grand bal.

— Qu'avez-vous donc fait ce matin, papa,
pour être si souffrant ce soir qu'il vous faille
rester au lit?

— Rien.

— Anastasie est venue? demanda Rastignac.

— Oui, répondit le père Goriot.

— Eh bien, ne me cachez rien. Que vous a-t-elle encore demandé?

— Ah! reprit-il en rassemblant ses forces pour parler, elle était bien malheureuse, allez, mon enfant! Nasie n'a pas un sou depuis l'affaire des diamants. Elle avait commandé, pour ce bal, une robe lamée qui doit lui aller comme un bijou. Sa couturière, une infâme, n'a pas voulu lui faire crédit, et sa femme de chambre a payé mille francs en à-compte sur la toilette. Pauvre Nasie, en être venue là! Ça m'a déchiré le cœur. Mais la femme de chambre, voyant ce Restaud retirer toute sa confiance à Nasie, a eu peur de perdre son argent, et s'entend avec la couturière pour ne livrer la robe que si les mille francs sont rendus. Le bal est demain, la robe est prête, Nasie est au désespoir. Elle a voulu m'emprunter mes couverts pour les engager. Son mari veut qu'elle aille à ce bal pour montrer à tout Paris les diamants qu'on prétend vendus par elle. Peut-elle dire à ce monstre : « Je dois « mille francs, payez-les? » Non. J'ai compris ça, moi. Sa sœur Delphine ira là dans une toilette superbe. Anastasie ne doit pas être au-dessous de sa cadette. Et puis elle est si noyée de larmes, ma pauvre fille! J'ai été si humilié de n'avoir pas eu douze mille francs hier, que j'aurais donné le reste de ma misérable vie pour

racheter ce tort-là. Voyez-vous? j'avais eu la force
de tout supporter, mais mon dernier manque
d'argent m'a crevé le cœur. Oh! oh! je n'en ai
fait ni une ni deux, je me suis rafistolé, requin-
qué; j'ai vendu pour six cents francs de couverts et de boucles, puis j'ai engagé, pour un an,
mon titre de rente viagère contre quatre cents
francs une fois payés, au papa Gobseck. Bah! je
mangerai du pain! ça me suffisait quand j'étais
jeune, ça peut encore aller. Au moins elle aura
une belle soirée, ma Nasie. Elle sera pimpante.
J'ai le billet de mille francs là sous mon chevet.
Ça me réchauffe d'avoir là sous la tête ce qui va
faire plaisir à la pauvre Nasie. Elle pourra
mettre sa mauvaise Victoire à la porte. A-t-on
vu des domestiques ne pas avoir confiance dans
leurs maîtres! Demain je serai bien. Nasie vient
à dix heures. Je ne veux pas qu'elles me croient
malade, elles n'iraient point au bal, elles me soigneraient. Nasie m'embrassera demain comme
son enfant, ses caresses me guériront. Enfin,
n'aurais-je pas dépensé mille francs chez l'apothicaire? J'aime mieux les donner à mon Guérit-
Tout, à ma Nasie. Je la consolerai dans sa
misère, au moins. Ça m'acquitte du tort de
m'être fait du viager. Elle est au fond de
l'abîme, et moi je ne suis plus assez fort pour
l'en tirer. Oh! je vais me remettre au commerce. J'irai à Odessa pour y acheter du grain.

Les blés valent là trois fois moins que les nôtres
ne coûtent. Si l'introduction des céréales est dé-
fendue en nature, les braves gens qui font les
lois n'ont pas songé à prohiber les fabrications
dont les blés sont le principe. Hé! hé!... j'ai
trouvé cela, moi, ce matin! Il y a de beaux coups
à faire dans les amidons.

— Il est fou, se dit Eugène en regardant le
vieillard. Allons, restez en repos, ne parlez
pas... »

Eugène descendit pour dîner quand Bianchon
remonta. Puis tous deux passèrent la nuit à
garder le malade à tour de rôle, en s'occupant,
l'un à lire ses livres de médecine, l'autre à écrire
à sa mère et à ses sœurs. Le lendemain, les
symptômes qui se déclarèrent chez le malade
furent, suivant Bianchon, d'un favorable augure;
mais ils exigèrent des soins continuels dont les
deux étudiants étaient seuls capables, et dans le
récit desquels il est impossible de compromettre
la pudibonde phraséologie de l'époque. Les sang-
sues mises sur le corps appauvri du bonhomme
furent accompagnées de cataplasmes, de bains de
pied, de manœuvres médicales pour lesquelles
il fallait d'ailleurs la force et le dévouement des
deux jeunes gens. Mme de Restaud ne vint pas;
elle envoya chercher sa somme par un commissionnaire.

« Je croyais qu'elle serait venue elle-même.

Mais ce n'est pas un mal, elle se serait inquié-
tée », dit le père en paraissant heureux de cette
circonstance.

A sept heures du soir, Thérèse vint apporter
une lettre de Delphine.

*Que faites-vous donc, mon ami? A peine
aimée, serais-je déjà négligée? Vous m'avez montré, dans ces confidences versées de cœur à cœur,
une trop belle âme pour n'être pas de ceux qui
restent toujours fidèles en voyant combien les
sentiments ont de nuances. Comme vous l'avez
dit en écoutant la prière de Mosé : « Pour les
« uns, c'est une note, pour les autres, c'est l'in-
« fini de la musique! » Songez que je vous
attends ce soir pour aller au bal de Mme de
Beauséant. Décidément le contrat de M. d'Adjuda a été signé ce matin à la cour, et la pauvre
vicomtesse ne l'a su qu'à deux heures. Tout
Paris va se porter chez elle, comme le peuple
encombre la Grève quand il doit y avoir une exécution. N'est-ce pas horrible d'aller voir si cette
femme cachera sa douleur, si elle saura bien
mourir? Je n'irais certes pas, mon ami, si j'avais
été déjà chez elle; mais elle ne recevra plus sans
doute, et tous les efforts que j'ai faits seraient
superflus. Ma situation est bien différente de
celle des autres. D'ailleurs, j'y vais pour vous
aussi. Je vous attends. Si vous n'étiez pas*

près de moi dans deux heures, je ne sais si je
vous pardonnerais cette félonie.

Rastignac prit une plume et répondit ainsi :

J'attends un médecin pour savoir si votre père
doit vivre encore. Il est mourant. J'irai vous
porter l'arrêt, et j'ai peur que ce ne soit un
arrêt de mort. Vous verrez si vous pouvez aller
au bal. Mille tendresses.

Le médecin vint à huit heures et demie, et,
sans donner un avis favorable, il ne pensa pas
que la mort dût être imminente. Il annonça des
mieux et des rechutes alternatives d'où dépen-
draient la vie et la raison du bonhomme.

« Il vaudrait mieux qu'il mourût promptement », fut le dernier mot du docteur.

Eugène confia le père Goriot aux soins de
Bianchon, et partit pour aller porter à Mme de
Nucingen les tristes nouvelles qui, dans son
esprit encore imbu des devoirs de famille, devaient suspendre toute joie.

« Dites-lui qu'elle s'amuse tout de même »,
lui cria le père Goriot qui paraissait assoupi
mais qui se dressa sur son séant au moment où
Rastignac sortit.

Le jeune homme se présenta navré de douleur à Delphine, et la trouva coiffée, chaussée,

n'ayant plus que sa robe de bal à mettre. Mais, semblables aux coups de pinceau par lesquels les peintres achèvent leurs tableaux, les derniers apprêts voulaient plus de temps que n'en demandait le fond même de la toile.

« Eh quoi, vous n'êtes pas habillé? dit-elle.

— Mais, madame, votre père...

— Encore mon père, s'écria-t-elle en l'interrompant. Mais vous ne m'apprendrez pas ce que je dois à mon père. Je connais mon père depuis longtemps. Pas un mot, Eugène. Je ne vous écouterai que quand vous aurez fait votre toilette. Thérèse a tout préparé chez vous; ma voiture est prête, prenez-la; revenez. Nous causerons de mon père en allant au bal. Il faut partir de bonne heure, si nous sommes pris dans la file des voitures, nous serons bien heureux de faire notre entrée à onze heures.

— Madame!

— Allez! pas un mot, dit-elle courant dans son boudoir pour y prendre un collier.

— Mais, allez donc, monsieur Eugène, vous fâcherez madame », dit Thérèse en poussant le jeune homme épouvanté de cet élégant parricide.

Il alla s'habiller en faisant les plus tristes, les plus décourageantes réflexions. Il voyait le monde comme un océan de boue dans lequel un homme se plongeait jusqu'au cou, s'il y trempait

le pied. « Il ne s'y commet que des crimes mesquins! se dit-il. Vautrin est plus grand. Il
avait vu les trois grandes expressions de la société : l'Obéissance, la Lutte et la Révolte; la
Famille, le Monde et Vautrin. Et il n'osait
prendre parti. L'Obéissance était ennuyeuse, la
Révolte impossible, et la Lutte incertaine. » Sa
pensée le reporta au sein de sa famille. Il se
souvint des pures émotions de cette vie calme,
il se rappela les jours passés au milieu des êtres
dont il était chéri. En se conformant aux lois
naturelles du foyer domestique, ces chères créatures y trouvaient un bonheur plein, continu,
sans angoisses. Malgré ses bonnes pensées, il ne
se sentit pas le courage de venir confesser la foi
des âmes pures à Delphine, en lui ordonnant la
Vertu au nom de l'Amour. Déjà son éducation
commencée avait porté ses fruits. Il aimait égoïste-
ment déjà. Son tact lui avait permis de reconnaître la nature du cœur de Delphine. Il
pressentait qu'elle était capable de marcher sur
le corps de son père pour aller au bal, et il
n'avait ni la force de jouer le rôle d'un raison-
neur, ni le courage de lui déplaire, ni la vertu
de la quitter. « Elle ne me pardonnerait jamais
d'avoir eu raison contre elle dans cette circonstance », se dit-il. Puis il commenta les paroles des médecins, il se plut à penser que le
père Goriot n'était pas aussi dangereusement

malade qu'il le croyait; enfin il entassa les raisonnements assassins pour justifier Delphine.
Elle ne connaissait pas l'état dans lequel était
son père. Le bonhomme lui-même la renverrait
au bal, si elle l'allait voir. Souvent la loi sociale, implacable dans sa formule, condamne là
où le crime apparent est excusé par les innom-
brables modifications qu'introduisent au sein des
familles la différence des caractères, la diversité des intérêts et des situations. Eugène voulait se tromper lui-même, il était prêt à faire
à sa maîtresse le sacrifice de sa conscience. Depuis deux jours, tout était changé dans sa vie.
La femme y avait jeté ses désordres, elle avait
fait pâlir la famille, elle avait tout confisqué à
son profit. Rastignac et Delphine s'étaient ren-
contrés dans les conditions voulues pour éprouver l'un par l'autre les plus vives jouissances.
Leur passion bien préparée avait grandi par ce
qui tue les passions, par la jouissance. En pos-
sédant cette femme, Eugène s'aperçut que jusqu'alors il ne l'avait que désirée, il ne l'aima
qu'au lendemain du bonheur : l'amour n'est
peut-être que la reconnaissance du plaisir. Infâme ou sublime, il adorait cette femme pour
les voluptés qu'il lui avait apportées en dot, et
pour toutes celles qu'il en avait reçues; de même
que Delphine aimait Rastignac autant que Tan-
tale aurait aimé l'ange qui serait venu satis-

faire sa faim, ou étancher la soif de son gosier desséché.

« Eh bien, comment va mon père? lui dit Mme de Nucingen quand il fut de retour et en costume de bal.

— Extrêmement mal, répondit-il, si vous voulez me donner une preuve de votre affection, nous courrons le voir.

— Eh bien, oui, dit-elle, mais après le bal. Mon bon Eugène, sois gentil, ne me fais pas de morale, viens. »

Ils partirent. Eugène resta silencieux pendant une partie du chemin.

« Qu'avez-vous donc? dit-elle.

— J'entends le râle de votre père », répondit-il avec l'accent de la fâcherie. Et il se mit à raconter avec la chaleureuse éloquence du jeune âge la féroce action à laquelle Mme de Restaud avait été poussée par la vanité, la crise mortelle que le dernier dévouement du père avait déterminée, et ce que coûterait la robe lamée d'Anastasie. Delphine pleurait.

« Je vais être laide », pensa-t-elle. Ses larmes se séchèrent. « J'irai garder mon père, je ne quitterai pas son chevet, reprit-elle.

— Ah! te voilà comme je te voulais », s'écria Rastignac.

Les lanternes de cinq cents voitures éclairaient les abords de l'hôtel de Beauséant. De chaque côté de la porte illuminée piaffait un gendarme. Le grand monde affluait si abondamment, et chacun mettait tant d'empressement à voir cette grande femme au moment de sa chute, que les appartements, situés au rez-de-chaussée de l'hôtel, étaient déjà pleins quand Mme de Nucingen et Rastignac s'y présentèrent. Depuis le moment où toute la cour se rua chez la Grande Mademoiselle à qui Louis XIV arrachait son amant, nul désastre de cœur ne fut plus éclatant que ne l'était celui de Mme de Beauséant. En cette circonstance, la dernière fille de la quasi royale maison de Bourgogne se montra supérieure à son mal, et domina jusqu'à son dernier moment le monde dont elle n'avait accepté les vanités que pour les faire servir au triomphe de sa passion. Les plus belles femmes de Paris animaient ses salons de leurs toilettes et de leurs sourires. Les hommes les plus distingués de la cour, les ambassadeurs, les ministres, les gens illustrés en tout genre, chamarrés de croix, de plaques, de cordons multicolores, se pressaient autour de la vicomtesse. L'orchestre faisait résonner les motifs de sa musique sous les lambris dorés de ce palais, désert pour sa reine. Mme de Beauséant se tenait debout devant son premier salon pour recevoir ses prétendus amis. Vêtue de blanc, sans aucun ornement dans ses cheveux simplement nattés, elle

semblait calme, et n'affichait ni douleur, ni
fierté, ni fausse joie. Personne ne pouvait lire
dans son âme. Vous eussiez dit d'une Niobé de
marbre. Son sourire à ses intimes amis fut parfois railleur; mais elle parut à tous semblable à
elle-même, et se montra si bien ce qu'elle était
quand le bonheur la parait de ses rayons, que
les plus insensibles l'admirèrent, comme les
jeunes Romaines applaudissaient le gladiateur
qui savait sourire en expirant. Le monde semblait s'être paré pour faire ses adieux à l'une
de ses souveraines.

« Je tremblais que vous ne vinssiez pas, dit-elle
à Rastignac.

— Madame, répondit-il d'une voix émue en
prenant ce mot pour un reproche, je suis venu
pour rester le dernier.

— Bien, dit-elle en lui prenant la main. Vous
êtes peut-être ici le seul auquel je puisse me
fier. Mon ami, aimez une femme que vous puissiez aimer toujours. N'en abandonnez aucune. »

Elle prit le bras de Rastignac et le mena sur
un canapé, dans le salon où l'on jouait.

« Allez, lui dit-elle, chez le marquis. Jacques,
mon valet de chambre, vous y conduira et vous
remettra une lettre pour lui. Je lui demande ma
correspondance. Il vous la remettra tout entière,
j'aime à le croire. Si vous avez mes lettres, montez dans ma chambre. On me préviendra. »

Elle se leva pour aller au-devant de la duchesse de Langeais, sa meilleure amie qui venait
aussi. Rastignac partit, fit demander le marquis
d'Adjuda à l'hôtel de Rochefide, où il devait
passer la soirée, et où il le trouva. Le marquis
l'emmena chez lui, remit une boîte à l'étudiant,
et lui dit : « Elles y sont toutes. » Il parut vouloir parler à Eugène, soit pour le questionner
sur les événements du bal de la vicomtesse, soit
pour lui avouer que déjà peut-être il était au
désespoir de son mariage, comme il le fut plus
tard; mais un éclair d'orgueil brilla dans ses
yeux, et il eut le déplorable courage de garder
le secret sur ses plus nobles sentiments. « Ne
lui dites rien de moi, mon cher Eugène. » Il
pressa la main de Rastignac par un mouvement
affectueusement triste, et lui fit signe de partir.
Eugène revint à l'hôtel de Beauséant, et fut introduit dans la chambre de la vicomtesse, où il
vit les apprêts d'un départ. Il s'assit auprès du
feu, regarda la cassette en cèdre, et tomba dans
une profonde mélancolie. Pour lui, Mme de
Beauséant avait les proportions des déesses de
l'Iliade.

« Ah! mon ami », dit la vicomtesse en
entrant et appuyant sa main sur l'épaule de
Rastignac.

Il aperçut sa cousine en pleurs, les yeux levés,
une main tremblante, l'autre levée. Elle prit

tout à coup la boîte, la plaça dans le feu et la
vit brûler.

« Ils dansent! ils sont venus tous bien exactement, tandis que la mort viendra tard. Chut!
mon ami, dit-elle en mettant un doigt sur la
bouche de Rastignac prêt à parler. Je ne verrai
plus jamais ni Paris ni le monde. A cinq heures
du matin, je vais partir pour aller m'ensevelir
au fond de la Normandie. Depuis trois heures
après midi j'ai été obligée de faire mes prépa-
ratifs, signer des actes, voir à des affaires; je
ne pouvais envoyer personne chez... » Elle s'arrêta. « Il était sûr qu'on le trouverait chez... »
Elle s'arrêta encore accablée de douleur. En ces
moments tout est souffrance, et certains mots
sont impossibles à prononcer. « Enfin, reprit-elle,
je comptais sur vous pour ce dernier service. Je
voudrais vous donner un gage de mon amitié. Je
penserai souvent à vous, qui m'avez paru bon et
noble, jeune et candide au milieu de ce monde
où ces qualités sont si rares. Je souhaite que vous
songiez quelquefois à moi. Tenez, dit-elle en
jetant les yeux autour d'elle, voici le coffret où
je mettais mes gants. Toutes les fois que j'en
ai pris avant d'aller au bal ou au spectacle, je
me sentais belle, parce que j'étais heureuse, et
je n'y touchais que pour y laisser quelque pensée gracieuse : il y a beaucoup de moi là-dedans,
il y a toute une Mme de Beauséant qui n'est

plus, acceptez-le, j'aurai soin qu'on le porte chez
vous, rue d'Artois. Mme de Nucingen est fort
bien ce soir, aimez-la bien. Si nous ne nous
voyons plus, mon ami, soyez sûr que je ferai des
vœux pour vous, qui avez été bon pour moi.
Descendons, je ne veux pas leur laisser croire
que je pleure. J'ai l'éternité devant moi, j'y
serai seule, et personne ne m'y demandera
compte de mes larmes. Encore un regard à cette
chambre. » Elle s'arrêta. Puis, après s'être un
moment caché les yeux avec sa main, elle se les
essuya, les baigna d'eau fraîche, et prit le bras
de l'étudiant. « Marchons! » dit-elle.

Rastignac n'avait pas encore senti d'émotion
aussi violente que le fut le contact de cette douleur si noblement contenue. En rentrant dans
le bal, Eugène en fit le tour avec Mme de Beauséant, dernière et délicate attention de cette gracieuse femme.

Bientôt il aperçut les deux sœurs, Mme de
Restaud et Mme de Nucingen. La comtesse était
magnifique avec tous ses diamants étalés, qui,
pour elle, étaient brûlants sans doute, elle les
portait pour la dernière fois. Quelque puissants
que fussent son orgueil et son amour, elle ne
soutenait pas bien les regards de son mari. Ce
spectacle n'était pas de nature à rendre les pensées de Rastignac moins tristes. Il revit alors,
sous les diamants des deux sœurs, le grabat sur

lequel gisait le père Goriot. Son attitude mélancolique ayant trompé la vicomtesse, elle lui retira son bras.

« Allez! je ne veux pas vous coûter un plaisir », dit-elle.

Eugène fut bientôt réclamé par Delphine, heureuse de l'effet qu'elle produisait, et jalouse de mettre aux pieds de l'étudiant les hommages qu'elle recueillait dans ce monde, où elle espérait être adoptée.

« Comment trouvez-vous Nasie? lui dit-elle.

— Elle a, dit Rastignac, escompté jusqu'à la mort de son père. »

Vers quatre heures du matin, la foule des salons commença à s'éclaircir. Bientôt la musique ne se fit plus entendre. La duchesse de Langeais et Rastignac se trouvèrent seuls dans le grand salon. La vicomtesse, croyant n'y rencontrer que l'étudiant, y vint après avoir dit adieu à M. de Beauséant, qui s'alla coucher en lui répétant : « Vous avez tort, ma chère, d'aller vous enfermer à votre âge! Restez donc avec nous. »

En voyant la duchesse, Mme de Beauséant ne put retenir une exclamation.

« Je vous ai devinée, Clara, dit Mme de Langeais. Vous partez pour ne plus revenir; mais vous ne partirez pas sans m'avoir entendue et sans que nous nous soyons comprises. » Elle prit son amie par le bras, l'emmena dans le salon

voisin, et là, la regardant avec des larmes dans
les yeux, elle la serra dans ses bras et la baisa
sur les joues. « Je ne veux pas vous quitter
froidement, ma chère, ce serait un remords trop
lourd. Vous pouvez compter sur moi comme sur
vous-même. Vous avez été grande ce soir, je me
suis sentie digne de vous, et veux vous le prouver. J'ai eu des torts envers vous, je n'ai pas
toujours été bien, pardonnez-moi, ma chère :
je désavoue tout ce qui a pu vous blesser, je
voudrais reprendre mes paroles. Une même douleur a réuni nos âmes, et je ne sais qui de nous
sera la plus malheureuse. M. de Montriveau
n'était pas ici ce soir, comprenez-vous? Qui vous
a vue pendant ce bal, Clara, ne vous oubliera
jamais. Moi, je tente un dernier effort. Si
j'échoue, j'irai dans un couvent! Où allez-vous,
vous?

— En Normandie, à Courcelles, aimer, prier,
jusqu'au jour où Dieu me retirera de ce monde.

— Venez, monsieur de Rastignac », dit la vicomtesse d'une voix émue, en pensant que ce
jeune homme attendait. L'étudiant plia le
genou, prit la main de sa cousine et la baisa.
« Antoinette, adieu! reprit Mme de Beauséant,
soyez heureuse. Quant à vous, vous l'êtes, vous
êtes jeune, vous pouvez croire à quelque chose,
dit-elle à l'étudiant. A mon départ de ce monde,
j'aurai eu, comme quelques mourants privilé-

giés, de religieuses, de sincères émotions autour de moi! »

Rastignac s'en alla vers cinq heures, après avoir vu Mme de Beauséant dans sa berline de voyage, après avoir reçu son dernier adieu mouillé de larmes qui prouvaient que les personnes les plus élevées ne sont pas mises hors de la loi du cœur et ne vivent pas sans chagrins, comme quelques courtisans du peuple voudraient le lui faire croire. Eugène revint à pied vers la maison Vauquer, par un temps humide et froid. Son éducation s'achevait.

« Nous ne sauverons pas le pauvre père Goriot, lui dit Bianchon quand Rastignac entra chez son voisin.

— Mon ami, lui dit Eugène après avoir regardé le vieillard endormi, va, poursuis la destinée modeste à laquelle tu bornes tes désirs. Moi, je suis en enfer, et il faut que j'y reste. Quelque mal que l'on te dise du monde, crois-le! il n'y a pas de Juvénal qui puisse en peindre l'horreur couverte d'or et de pierreries. »

Le lendemain, Rastignac fut éveillé sur les deux heures après midi par Bianchon, qui, forcé de sortir, le pria de garder le père Goriot, dont l'état avait fort empiré pendant la matinée.

« Le bonhomme n'a pas deux jours, n'a peut-être pas six heures à vivre, dit l'élève en médecine, et cependant nous ne pouvons pas cesser de

combattre le mal. Il va falloir lui donner des
soins coûteux. Nous serons bien ses garde-ma-
lades; mais je n'ai pas le sou, moi. J'ai retourné
ses poches, fouillé ses armoires : zéro au quo-
tient. Je l'ai questionné dans un moment où il
avait sa tête, il m'a dit ne pas avoir un liard à
lui. Qu'as-tu, toi?

— Il me reste vingt francs, répondit Rastignac; mais j'irai les jouer, je gagnerai.

— Si tu perds?

— Je demanderai de l'argent à ses gendres
et à ses filles.

— Et s'ils ne t'en donnent pas? reprit Bianchon. Le plus pressé dans ce moment n'est pas
de trouver de l'argent, il faut envelopper le
bonhomme d'un sinapisme bouillant depuis les
pieds jusqu'à la moitié des cuisses. S'il crie, il y
aura de la ressource. Tu sais comment cela s'arrange. D'ailleurs, Christophe t'aidera. Moi, je
passerai chez l'apothicaire répondre de tous les
médicaments que nous y prendrons. Il est malheureux que le pauvre homme n'ait pas été
transportable à notre hospice, il y aurait été
mieux. Allons, viens que je t'installe, et ne le
quitte pas que je ne sois revenu. »

Les deux jeunes gens entrèrent dans la
chambre où gisait le vieillard. Eugène fut effrayé du changement de cette face convulsée,
blanche et profondément débile.

« Eh bien, papa? » lui dit-il en se penchant sur le grabat.

Goriot leva sur Eugène des yeux ternes et le regarda fort attentivement sans le reconnaître. L'étudiant ne soutint pas ce spectacle, des larmes humectèrent ses yeux.

« Bianchon, ne faudrait-il pas des rideaux aux fenêtres?

— Non. Les circonstances atmosphériques ne l'affectent plus. Ce serait trop heureux s'il avait chaud ou froid. Néanmoins il nous faut du feu pour faire les tisanes et préparer bien des choses. Je t'enverrai des falourdes qui nous serviront jusqu'à ce que nous ayons du bois. Hier et cette nuit, j'ai brûlé le tien et toutes les mottes du pauvre homme. Il faisait humide, l'eau dégouttait des murs. A peine ai-je pu sécher la chambre. Christophe l'a balayée, c'est vraiment une écurie. J'y ai brûlé du genièvre, ça puait trop.

— Mon Dieu! dit Rastignac, mais ses filles!

— Tiens, s'il demande à boire, tu lui donneras de ceci, dit l'interne en montrant à Rastignac un grand pot blanc. Si tu l'entends se plaindre et que le ventre soit chaud et dur, tu te feras aider par Christophe pour lui administrer... tu sais. S'il avait, par hasard, une grande exaltation, s'il parlait beaucoup, s'il avait enfin un petit brin de démence, laisse-le aller. Ce ne sera pas un mauvais signe. Mais envoie Christophe à l'hospice Cochin. Notre médecin, mon camarade ou moi, nous viendrons lui appliquer des moxas. Nous avons fait ce matin, pendant que tu dormais, une grande consultation avec un élève du docteur Gall, avec un médecin en chef de l'Hôtel-Dieu et le nôtre. Ces messieurs ont cru reconnaître de curieux symptômes, et nous allons suivre les progrès de la maladie, afin de nous éclairer sur plusieurs points scientifiques assez importants. Un de ces messieurs prétend que la pression du sérum, si elle portait plus sur un organe que sur un autre, pourrait développer des faits particuliers. Ecoute-le donc bien, au cas où il parlerait, afin de constater à quel genre d'idées appartiendraient ses discours : si c'est des effets de mémoire, de pénétration, de jugement; s'il s'occupe de matérialités, ou de sentiments; s'il calcule, s'il revient sur le passé; enfin sois en état de nous faire un rapport exact. Il est possible que l'invasion ait lieu en bloc, il mourra imbécile comme il l'est en ce moment. Tout est bien bizarre dans ces sortes de maladies! Si la bombe crevait par ici, dit Bianchon en montrant l'occiput du malade, il y a des exemples de phénomènes singuliers : le cerveau recouvre quelques-unes de ses facultés, et la mort est plus lente à se déclarer. Les sérosités peuvent se détourner du cerveau, prendre des routes dont on ne connaît le cours que par l'autopsie. Il y a aux Incurables un vieillard hébété chez qui l'épanchement a suivi la colonne vertébrale; il souffre horriblement, mais il vit.

— Se sont-elles bien amusées? dit le père Goriot, qui reconnut Eugène.

— Oh! il ne pense qu'à ses filles, dit Bianchon. Il m'a dit plus de cent fois cette nuit : Elles dansent! Elle a sa robe. Il les appelait par leurs noms. Il me faisait pleurer, le diable m'emporte! avec ses intonations : « Delphine! « ma petite Delphine! Nasie! » Ma parole d'honneur, dit l'élève en médecine, c'était à fondre en larmes.

— Delphine, dit le vieillard, elle est là, n'est-ce pas? Je le savais bien. » Et ses yeux recouvrèrent une activité folle pour regarder les murs et la porte.

« Je descends dire à Sylvie de préparer les sinapismes, cria Bianchon, le moment est favorable. »

Rastignac resta seul près du vieillard, assis au pied du lit, les yeux fixés sur cette tête effrayante et douloureuse à voir.

« Mme de Beauséant s'enfuit, celui-ci se meurt, dit-il. Les belles âmes ne peuvent pas rester longtemps en ce monde. Comment les grands sentiments s'allieraient-ils, en effet, à une société mesquine, petite, superficielle? »

Les images de la fête à laquelle il avait assisté se représentèrent à son souvenir et contrastèrent avec le spectacle de ce lit de mort. Bianchon reparut soudain.

« Dis donc, Eugène, je viens de voir notre médecin en chef, et je suis revenu toujours courant. S'il se manifeste des symptômes de raison, s'il parle, couche-le sur un long sinapisme, de manière à l'envelopper de moutarde depuis la nuque jusqu'à la chute des reins, et fais-nous appeler.

— Cher Bianchon, dit Eugène.

— Oh! il s'agit d'un fait scientifique, reprit l'élève en médecine avec toute l'ardeur d'un néophyte.

— Allons, dit Eugène, je serai donc le seul à soigner ce pauvre vieillard par affection.

— Si tu m'avais vu ce matin, tu ne dirais pas cela, reprit Bianchon sans s'offenser du propos. Les médecins qui ont exercé ne voient que la maladie; moi, je vois encore le malade, mon cher garçon. »

Il s'en alla, laissant Eugène seul avec le vieillard, et dans l'appréhension d'une crise qui ne tarda pas à se déclarer.

« Ah! c'est vous, mon cher enfant, dit le père Goriot en reconnaissant Eugène.

— Allez-vous mieux? demanda l'étudiant en lui prenant la main.

— Oui, j'avais la tête serrée comme dans un étau, mais elle se dégage. Avez-vous vu mes filles? Elles vont venir bientôt, elles accourront aussitôt qu'elles me sauront malade, elles m'ont tant soigné rue de la Jussienne! Mon Dieu! je voudrais que ma chambre fût propre pour les recevoir. Il y a un jeune homme qui m'a brûlé toutes mes mottes.

— J'entends Christophe, lui dit Eugène, il vous monte du bois que ce jeune homme vous envoie.

— Bon! mais comment payer le bois? je n'ai pas un sou, mon enfant. J'ai tout donné, tout. Je suis à la charité. La robe lamée était-elle belle au moins? (Ah! je souffre!) Merci, Christophe. Dieu vous récompensera, mon garçon; moi, je n'ai plus rien.

— Je te paierai bien, toi et Sylvie, dit Eugène à l'oreille du garçon.

— Mes filles vous ont dit qu'elles allaient venir, n'est-ce pas, Christophe? Vas-y encore, je te donnerai cent sous. Dis-leur que je ne me sens pas bien, que je voudrais les embrasser, les voir encore une fois avant de mourir. Dis-leur cela, mais sans trop les effrayer. »

Chritophe partit sur un signe de Rastignac.

« Elles vont venir, reprit le vieillard. Je les connais. Cette bonne Delphine, si je meurs, quel chagrin je lui causerai! Nasie aussi. Je ne

voudrais pas mourir, pour ne pas les faire pleurer. Mourir, mon bon Eugène, c'est ne plus les
voir. Là où l'on s'en va, je m'ennuierai bien.
Pour un père, l'enfer, c'est d'être sans enfants,
et j'ai déjà fait mon apprentissage depuis qu'elles
sont mariées. Mon paradis était rue de la Jussienne. Dites donc, si je vais en paradis, je pourrai revenir sur terre en esprit autour d'elles. J'ai
entendu dire de ces choses-là. Sont-elles vraies?
Je crois les voir en ce moment telles qu'elles
étaient rue de la Jussienne. Elles descendaient
le matin. Bonjour, papa, disaient-elles. Je les pre-
nais sur mes genoux, je leur faisais mille agaceries, des niches. Elles me caressaient gentiment.
Nous déjeunions tous les matins ensemble, nous
dînions, enfin j'étais père, je jouissais de mes
enfants. Quand elles étaient rue de la Jussienne,
elles ne raisonnaient pas, elles ne savaient rien
du monde, elles m'aimaient bien. Mon Dieu!
pourquoi ne sont-elles pas toujours restées petites? (Oh! je souffre, la tête me tire.) Ah! ah!
pardon, mes enfants! je souffre horriblement,
et il faut que ce soit de la vraie douleur, vous
m'avez rendu bien dur au mal. Mon Dieu! si
j'avais seulement leurs mains dans les miennes,
je ne sentirais point mon mal. Croyez-vous
qu'elles viennent? Christophe est si bête! J'aurais dû y aller moi-même. Il va les voir, lui.
Mais vous avez été hier au bal. Dites-moi donc

comment elles étaient? Elles ne savaient rien de
ma maladie, n'est-ce pas? Elles n'auraient pas
dansé, pauvres petites! Oh! je ne veux plus être
malade. Elles ont encore trop besoin de moi. Leurs
fortunes sont compromises. Et à quels maris
sont-elles livrées! Guérissez-moi, guérissez-moi!
(Oh! que je souffre! Ah! ah! ah!) Voyez-vous, il
faut me guérir, parce qu'il leur faut de l'argent, et je sais où aller en gagner. J'irai faire de
l'amidon en aiguilles à Odessa. Je suis malin, je
gagnerai des millions. (Oh! je souffre trop!) »

Goriot garda le silence pendant un moment,
en paraissant faire tous ses efforts pour rassem-
bler ses forces afin de supporter la douleur.

« Si elles étaient là, je ne me plaindrais pas,
dit-il. Pourquoi donc me plaindre? »

Un léger assoupissement survint et dura longtemps. Christophe revint. Rastignac, qui croyait
le père Goriot endormi, laissa le garçon lui
rendre compte à haute voix de sa mission.

« Monsieur, dit-il, je suis d'abord allé chez
Mme la comtesse, à laquelle il m'a été impossible de parler, elle était dans de grandes affaires avec son mari. Comme j'insistais, M. de
Restaud est venu lui-même, et m'a dit comme
ça : « M. Goriot se meurt, eh bien, c'est ce qu'il
« a de mieux à faire. J'ai besoin de Mme de
« Restaud pour terminer des affaires impor-
« tantes, elle ira quand tout sera fini. » Il avait

l'air en colère, ce monsieur-là. J'allais sortir,
lorsque madame est entrée dans l'antichambre
par une porte que je ne voyais pas, et m'a dit :
« Christophe, dis à mon père que je suis en dis-
« cussion avec mon mari, je ne puis pas le quit-
« ter; il s'agit de la vie ou de la mort de mes
« enfants; mais aussitôt que tout sera fini,
« j'irai. » Quant à Mme la baronne, autre histoire! je ne l'ai point vue, et je n'ai pas pu lui
parler. « Ah! me dit la femme de chambre, ma-
« dame est rentrée du bal à cinq heures un
« quart, elle dort; si je l'éveille avant midi, elle
« me grondera. Je lui dirai que son père va plus
« mal quand elle me sonnera. Pour une mau-
« vaise nouvelle, il est toujours temps de la lui
« dire. » J'ai eu beau prier! Ah! ouin. J'ai demandé à parler à M. le baron, il était sorti.

— Aucune de ses filles ne viendrait, s'écria
Rastignac. Je vais écrire à toutes les deux.

— Aucune, répondit le vieillard en se dressant sur son séant. Elles ont des affaires, elles
dorment, elles ne viendront pas. Je le savais. Il
faut mourir pour savoir ce que c'est que des enfants. Ah! mon ami, ne vous mariez pas, n'ayez
pas d'enfants! Vous leur donnez la vie, ils vous
donnent la mort. Vous les faites entrer dans le
monde, ils vous en chassent. Non, elles ne viendront pas! Je sais cela depuis dix ans. Je me le
disais quelquefois, mais je n'osais pas y croire. »

Une larme roula dans chacun de ses yeux, sur la bordure rouge, sans en tomber.

« Ah! si j'étais riche, si j'avais gardé ma fortune, si je ne la leur avais pas donnée, elles seraient là, elles me lècheraient les joues de leurs baisers! je demeurerais dans un hôtel, j'aurais de belles chambres, des domestiques, du feu à moi; et elles seraient tout en larmes, avec leurs maris, leurs enfants. J'aurais tout cela. Mais rien. L'argent donne tout, même des filles. Oh! mon argent, où est-il? Si j'avais des trésors à laisser, elles me panseraient, elles me soigneraient; je les entendrais, je les verrais. Ah! mon cher enfant, mon seul enfant, j'aime mieux mon abandon et ma misère! Au moins quand un malheureux est aimé, il est bien sûr qu'on l'aime. Non, je voudrais être riche, je les verrais. Ma foi, qui sait? Elles ont toutes les deux des cœurs de roche. J'avais trop d'amour pour elles pour qu'elles en eussent pour moi. Un père doit être toujours riche, il doit tenir ses enfants en bride comme des chevaux sournois. Et j'étais à genoux devant elles. Les misérables! elles couronnent dignement leur conduite envers moi depuis dix ans. Si vous saviez comme elles étaient aux petits soins pour moi dans les premiers temps de leur mariage! (Oh! je souffre un cruel martyre!) Je venais de leur donner à chacune près de huit cent mille francs, elles ne pouvaient pas, ni leurs

maris non plus, être rudes avec moi. L'on me
recevait : « Mon bon père, par-ci; mon cher
« père, par-là. » Mon couvert était toujours mis
chez elles. Enfin, je dînais avec leurs maris, qui
me traitaient avec considération. J'avais l'air
d'avoir encore quelque chose. Pourquoi ça? Je
n'avais rien dit de mes affaires. Un homme qui
donne huit cent mille francs à ses filles était un
homme à soigner. Et l'on était aux petits soins,
mais c'était pour mon argent. Le monde n'est
pas beau. J'ai vu cela, moi! L'on me menait en
voiture au spectacle, et je restais comme je voulais aux soirées. Enfin elles se disaient mes filles,
et elles m'avouaient pour leur père. J'ai encore
ma finesse, allez, et rien ne m'est échappé. Tout
a été à son adresse et m'a percé le cœur. Je voyais
bien que c'était des frimes; mais le mal était sans
remède. Je n'étais pas chez elles aussi à l'aise
qu'à la table d'en bas. Je ne savais rien dire.
Aussi quand quelques-uns de ces gens du monde
demandaient à l'oreille à mes gendres : « Qui
« est-ce que ce monsieur là? — C'est le père
« aux écus, il est riche. — Ah! diable! » di-
sait-on, et l'on me regardait avec le respect dû
aux écus. Mais si je les gênais quelquefois un
peu, je rachetais bien mes défauts! D'ailleurs,
qui donc est parfait? (Ma tête est une plaie!)
Je souffre en ce moment ce qu'il faut souffrir
pour mourir, mon cher monsieur Eugène, eh

bien, ce n'est rien en comparaison de la douleur que m'a causée le premier regard par lequel Anastasie m'a fait comprendre que je venais de dire une bêtise qui l'humiliait : son
regard m'a ouvert toutes les veines. J'aurais
voulu tout savoir, mais ce que j'ai bien su, c'est
que j'étais de trop sur terre. Le lendemain je suis
allé chez Delphine pour me consoler, et voilà
que j'y fais une bêtise qui l'a mise en colère.
J'en suis devenu comme fou. J'ai été huit jours
ne sachant plus ce que je devais faire. Je n'ai
pas osé les aller voir, de peur de leurs reproches. Et me voilà à la porte de mes filles. O
mon Dieu! puisque tu connais les misères, les
souffrances que j'ai endurées; puisque tu as
compté les coups de poignard que j'ai reçus, dans
ce temps qui m'a vieilli, changé, tué, blanchi,
pourquoi me fais-tu donc souffrir aujourd'hui?
J'ai bien expié le péché de les trop aimer. Elles
se sont bien vengées de mon affection, elles m'ont
tenaillé comme des bourreaux. Eh bien, les pères
sont si bêtes! je les aimais tant que j'y suis retourné comme un joueur au jeu. Mes filles,
c'était mon vice à moi; elles étaient mes maîtresses, enfin tout! Elles avaient toutes les deux
besoin de quelque chose, de parures; les femmes
de chambre me le disaient, et je les donnais pour
être bien reçu! Mais elles m'ont fait tout de
même quelques petites leçons sur ma manière

d'être dans le monde. Oh! elles n'ont pas attendu le lendemain. Elles commençaient à rougir de moi. Voilà ce que c'est que de bien élever ses enfants. A mon âge je ne pouvais pourtant pas aller à l'école. (Je souffre horriblement, mon Dieu! les médecins! les médecins! Si l'on m'ouvrait la tête, je souffrirais moins.) Mes filles, mes filles, Anastasie, Delphine! je veux les voir. Envoyez-les chercher par la gendarmerie, de force! la justice est pour moi, tout est pour moi, la nature, le Code civil. Je proteste. La patrie périra si les pères sont foulés aux pieds. Cela est clair. La société, le monde roulent sur la paternité, tout croule si les enfants n'aiment pas leurs pères. Oh! les voir, les entendre, n'importe ce qu'elles me diront, pourvu que j'entende leur voix, ça calmera mes douleurs, Delphine surtout. Mais dites-leur, quand elles seront là, de ne pas me regarder froidement comme elles font. Ah! mon bon ami, monsieur Eugène, vous ne savez pas ce que c'est que de trouver l'or du regard changé tout à coup en plomb gris. Depuis le jour où leurs yeux n'ont plus rayonné sur moi, j'ai toujours été en hiver ici; je n'ai plus eu que des chagrins à dévorer, et je les ai dévorés! J'ai vécu pour être humilié, insulté. Je les aime tant, que j'avalais tous les affronts par lesquels elles me vendaient une pauvre petite jouissance honteuse. Un père se cacher pour voir ses filles!

Je leur ai donné ma vie, elles ne me donneront
pas une heure aujourd'hui! J'ai soif, j'ai faim,
le cœur me brûle, elles ne viendront pas rafraî-
chir mon agonie, car je meurs, je le sens. Mais
elles ne savent donc pas ce que c'est que de marcher sur le cadavre de son père! Il y a un Dieu
dans les cieux, il nous venge malgré nous, nous
autres pères. Oh! elles viendront! Venez, mes
chéries, venez encore me baiser, un dernier baiser, le viatique de votre père, qui priera Dieu
pour vous, qui lui dira que vous avez été de
bonnes filles, qui plaidera pour vous! Après tout,
vous êtes innocentes. Elles sont innocentes, mon
ami! Dites-le bien à tout le monde, qu'on ne les
inquiète pas à mon sujet. Tout est de ma faute,
je les ai habituées à me fouler aux pieds. J'aimais cela, moi. Ça ne regarde personne, ni la
justice humaine, ni la justice divine. Dieu serait injuste s'il les condamnait à cause de moi.
Je n'ai pas su me conduire, j'ai fait la bêtise
d'abdiquer mes droits. Je me serais avili pour
elles! Que voulez-vous! le plus beau naturel,
les meilleures âmes auraient succombé à la corruption de cette facilité paternelle. Je suis un
misérable, je suis justement puni. Moi seul ai
causé les désordres de mes filles, je les ai gâtées.
Elles veulent aujourd'hui le plaisir, comme elles
voulaient autrefois du bonbon. Je leur ai toujours permis de satisfaire leurs fantaisies de

jeunes filles. A quinze ans, elles avaient voiture!
Rien ne leur a résisté. Moi seul suis coupable,
mais coupable par amour. Leur voix m'ouvrait
le cœur. Je les entends, elles viennent. Oh! oui,
elles viendront. La loi veut qu'on vienne voir
mourir son père, la loi est pour moi. Puis ça
ne coûtera qu'une course. Je la paierai. Ecrivez-
leur que j'ai des millions à leur laisser! Parole
d'honneur. J'irai faire des pâtes d'Italie à
Odessa. Je connais la manière. Il y a, dans mon
projet, des millions à gagner. Personne n'y a
pensé. Ça ne se gâtera point dans le transport
comme le blé ou comme la farine. Eh, eh, l'amidon? il y aura là des millions! Vous ne mentirez
pas, dites-leur des millions, et quand même
elles viendraient par avarice, j'aime mieux être
trompé, je les verrai. Je veux mes filles! je les
ai faites! elles sont à moi! dit-il en se dressant
sur son séant, en montrant à Eugène une tête
dont les cheveux blancs étaient épars et qui menaçait par tout ce qui pouvait exprimer la menace.

— Allons, lui dit Eugène, recouchez-vous,
mon bon père Goriot, je vais leur écrire. Aussitôt que Bianchon sera de retour, j'irai si elles
ne viennent pas.

— Si elles ne viennent pas? répéta le vieillard
en sanglotant. Mais je serai mort, mort dans un
accès de rage, de rage! La rage me gagne! En

ce moment, je vois ma vie entière. Je suis dupe!
elles ne m'aiment pas, elles ne m'ont jamais
aimé! cela est clair. Si elles ne sont pas venues,
elles ne viendront pas. Plus elles auront tardé,
moins elles se décideront à me faire cette joie.
Je les connais. Elles n'ont jamais su rien deviner de mes chagrins, de mes douleurs, de mes
besoins, elles ne devineront pas plus ma mort;
elles ne sont seulement pas dans le secret de ma
tendresse. Oui, je le vois, pour elles, l'habitude
de m'ouvrir les entrailles a ôté du prix à tout
ce que je faisais. Elles auraient demandé à me
crever les yeux, je leur aurais dit : « Crevez-
« les! » Je suis trop bête. Elles croient que tous
les pères sont comme le leur. Il faut toujours
se faire valoir. Leurs enfants me vengeront.
Mais c'est dans leur intérêt de venir ici. Préve-
nez-les donc qu'elles compromettent leur agonie. Elles commettent tous les crimes en un seul.
Mais allez donc, dites-leur donc que, ne pas venir, c'est un parricide! Elles en ont assez
commis sans ajouter celui-là. Criez donc comme
moi : « Hé, Nasie! hé, Delphine! venez à votre
« père qui a été bon pour vous et qui souffre! »
Rien, personne. Mourrai-je donc comme un
chien? Voilà ma récompense, l'abandon. Ce sont
des infâmes, des scélérates; je les abomine, je
les maudis; je me relèverai, la nuit, de mon cer-
cueil pour les remaudire, car, enfin, mes amis,

ai-je tort? elles se conduisent bien mal! hein?
Qu'est-ce que je dis? Ne m'avez-vous pas averti
que Delphine est là? C'est la meilleure des
deux. Vous êtes mon fils, Eugène, vous! aimez-
la, soyez un père pour elle. L'autre est bien malheureuse. Et leurs fortunes! Ah! mon Dieu!
J'expire, je souffre un peu trop. Coupez-moi la
tête, laissez-moi seulement le cœur.

— Christophe, allez chercher Bianchon,
s'écria Eugène épouvanté du caratère que prenaient les plaintes et les cris du vieillard, et ra-
menez-moi un cabriolet.

— Je vais aller chercher vos filles, mon bon
père Goriot, je vous les ramènerai.

— De force, de force! Demandez la garde, la
ligne, tout! tout, dit-il en jetant à Eugène un
dernier regard où brilla la raison. Dites au gouvernement, au procureur du roi, qu'on me les
amène, je le veux!

— Mais vous les avez maudites.

— Qui est-ce qui a dit cela? répondit le vieillard stupéfait. Vous savez bien que je les aime,
je les adore! Je suis guéri si je les vois... Allez,
mon bon voisin, mon cher enfant, allez, vous
êtes bon, vous; je voudrais vous remercier, mais
je n'ai rien à vous donner que les bénédictions
d'un mourant. Ah! je voudrais au moins voir
Delphine pour lui dire de m'acquitter envers
vous. Si l'autre ne peut pas, amenez-moi celle-

là. Dites-lui que vous ne l'aimerez plus si elle
ne veut pas venir. Elle vous aime tant qu'elle
viendra. A boire, les entrailles me brûlent! Mettez-moi quelque chose sur la tête. La main de
mes filles, ça me sauverait, je le sens... Mon
Dieu! qui refera leurs fortunes si je m'en vais?
Je veux aller à Odessa, y faire des pâtes.

— Buvez ceci, dit Eugène en soulevant le moribond et le prenant dans son bras gauche tandis que de l'autre il tenait une tasse pleine de
tisane.

— Vous devez aimer votre père et votre mère,
vous! dit le vieillard en serrant de ses mains dé-
faillantes la main d'Eugène. Comprenez-vous
que je vais mourir sans les voir, mes filles? Avoir
soif toujours, et ne jamais boire, voilà comment
j'ai vécu depuis dix ans... Mes deux gendres
ont tué mes filles. Oui, je n'ai plus eu de filles
après qu'elles ont été mariées. Pères, dites aux
chambres de faire une loi sur le mariage! Enfin,
ne mariez pas vos filles si vous les aimez. Le
gendre est un scélérat qui gâte tout chez une
fille, il souille tout. Plus de mariages! C'est ce
qui nous enlève nos filles, et nous ne les avons
plus quand nous mourons. Faites une loi sur la
mort des pères. C'est épouvantable, ceci! Vengeance! Ce sont mes gendres qui les empêchent
de venir. Tuez-les! A mort le Restaud, à mort
l'Alsacien, ils sont mes assassins! La mort ou

mes filles! Ah! c'est fini, je meurs sans elles!
Elles! Nasie, Fifine, allons, venez donc! Votre
papa sort...

— Mon bon père Goriot, calmez-vous, voyons,
restez tranquille, ne vous agitez pas, ne pensez
pas.

— Ne pas les voir, voilà l'agonie!

— Vous allez les voir.

— Vrai! cria le vieillard égaré. Oh! les voir!
je vais les voir, entendre leur voix. Je mourrai
heureux. Eh bien! oui, je ne demande plus à
vivre, je n'y tenais plus, mes peines allaient
croissant. Mais les voir, toucher leurs robes, ah!
rien que leurs robes, c'est bien peu; mais que
je sente quelque chose d'elles! Faites-moi
prendre les cheveux... veux... »

Il tomba la tête sur l'oreiller comme s'il recevait un coup de massue. Ses mains s'agitèrent
sur la couverture comme pour prendre les cheveux de ses filles.

« Je les bénis, dit-il en faisant un effort,
bénis. »

Il s'affaissa tout à coup. En ce moment Bianchon entra.

« J'ai rencontré Christophe, dit-il, il va t'amener une voiture. » Puis il regarda le malade, lui
souleva de force les paupières, et les deux étudiants lui virent un œil sans chaleur et terne.
« Il n'en reviendra pas, dit Bianchon, je ne crois

pas. » Il prit le pouls, le tâta, mit la main sur le cœur du bonhomme.

« La machine va toujours; mais, dans sa position, c'est un malheur, il vaudrait mieux qu'il mourût!

— Ma foi, oui, dit Rastignac.

— Qu'as-tu donc? tu es pâle comme la mort.

— Mon ami, je viens d'entendre des cris et des plaintes. Il y a un Dieu! Oh! oui! il y a un Dieu, et il nous a fait un monde meilleur, ou notre terre est un non-sens. Si ce n'avait pas été si tragique, je fondrais en larmes, mais j'ai le cœur et l'estomac horriblement serrés.

— Dis donc, il va falloir bien des choses; où prendre de l'argent? »

Rastignac tira sa montre.

« Tiens, mets-la vite en gage. Je ne veux pas m'arrêter en route, car j'ai peur de perdre une minute, et j'attends Christophe. Je n'ai pas un liard, il faudra payer mon cocher au retour. »

Rastignac se précipita dans l'escalier, et partit pour aller rue du Helder chez Mme de Restaud. Pendant le chemin, son imagination, frappée de l'horrible spectacle dont il avait été témoin, échauffa son indignation. Quand il arriva dans l'antichambre et qu'il demanda Mme de Restaud, on lui répondit qu'elle n'était pas visible.

« Mais, dit-il au valet de chambre, je viens de
la part de son père qui se meurt.

— Monsieur, nous avons de M. le comte les
ordres les plus sévères...

— Si M. de Restaud y est, dites-lui dans
quelle circonstance se trouve son beau-père et
prévenez-le qu'il faut que je lui parle à l'instant
même. »

Eugène attendit pendant longtemps.

« Il se meurt peut-être en ce moment », pen-
sait-il.

Le valet de chambre l'introduisit dans le premier salon, où M. de Restaud reçut l'étudiant
debout, sans le faire asseoir, devant une cheminée où il n'y avait pas de feu.

« Monsieur le comte, lui dit Rastignac, monsieur votre beau-père expire en ce moment dans
un bouge infâme, sans un liard pour avoir du
bois; il est exactement à la mort et demande à
voir sa fille...

— Monsieur, lui répondit avec froideur le
comte de Restaud, vous avez pu vous apercevoir
que j'ai fort peu de tendresse pour M. Goriot.
Il a compromis son caractère avec Mme de Restaud, il a fait le malheur de ma vie, je vois en
lui l'ennemi de mon repos. Qu'il meure, qu'il
vive, tout m'est parfaitement indifférent. Voilà
quels sont mes sentiments à son égard. Le monde
pourra me blâmer, je méprise l'opinion. J'ai

maintenant des choses plus importantes à accomplir qu'à m'occuper de ce que penseront de moi des sots ou des indifférents. Quant à Mme de Restaud, elle est hors d'état de sortir. D'ailleurs, je ne veux pas qu'elle quitte sa maison. Dites à son père qu'aussitôt qu'elle aura rempli ses devoirs envers moi, envers mon enfant, elle ira le voir. Si elle aime son père, elle peut être libre dans quelques instants...

— Monsieur le comte, il ne m'appartient pas de juger de votre conduite, vous êtes le maître de votre femme; mais je puis compter sur votre loyauté? eh bien, promettez-moi seulement de lui dire que son père n'a pas un jour à vivre, et l'a déjà maudite en ne la voyant pas à son chevet!

— Dites-le-lui vous-même », répondit M. de Restaud frappé des sentiments d'indignation que trahissait l'accent d'Eugène.

Rastignac entra, conduit par le comte, dans le salon où se tenait habituellement la comtesse : il la trouva noyée de larmes, et plongée dans une bergère comme une femme qui voulait mourir. Elle lui fit pitié. Avant de regarder Rastignac, elle jeta sur son mari de craintifs regards qui annonçaient une prostration complète de ses forces écrasées par une tyrannie morale et physique. Le comte hocha la tête, elle se crut encouragée à parler.

« Monsieur, j'ai tout entendu. Dites à mon père que s'il connaissait la situation dans laquelle je suis, il me pardonnerait. Je ne comptais pas sur ce supplice, il est au-dessus de mes forces, monsieur, mais je résisterai jusqu'au bout, dit-elle à son mari. Je suis mère. Dites à mon père que je suis irréprochable envers lui, malgré les apparences », cria-t-elle avec désespoir à l'étudiant.

Eugène salua les deux époux, en devinant l'horrible crise dans laquelle était la femme, et se retira stupéfait. Le ton de M. de Restaud lui avait démontré l'inutilité de sa démarche, et il comprit qu'Anastasie n'était plus libre. Il courut chez Mme de Nucingen, et la trouva dans son lit.

« Je suis souffrante, mon pauvre ami, lui dit-elle. J'ai pris froid en sortant du bal, j'ai peur d'avoir une fluxion de poitrine, j'attends le médecin...

— Eussiez-vous la mort sur les lèvres, lui dit Eugène en l'interrompant, il faut vous traîner auprès de votre père. Il vous appelle! si vous pouviez entendre le plus léger de ses cris, vous ne vous sentiriez point malade.

— Eugène, mon père n'est peut-être pas aussi malade que vous le dites; mais je serais au désespoir d'avoir le moindre tort à vos yeux, et je me conduirai comme vous le voudrez. Lui, je le

sais, il mourrait de chagrin si ma maladie devenait mortelle par suite de cette sortie. Eh bien,
j'irai dès que mon médecin sera venu. Ah! pourquoi n'avez-vous plus votre montre? » dit-elle
en ne voyant plus la chaîne. Eugène rougit.
« Eugène! Eugène, si vous l'aviez déjà vendue,
perdue... oh! cela serait bien mal. »

L'étudiant se pencha sur le lit de Delphine,
et lui dit à l'oreille : « Vous voulez le savoir?
eh bien, sachez-le! Votre père n'a pas de quoi
s'acheter le linceul dans lequel on le mettra ce
soir. Votre montre est en gage, je n'avais plus
rien. »

Delphine sauta tout à coup hors de son lit,
courut à son secrétaire, y prit sa bourse, la tendit à Rastignac. Elle sonna et s'écria : « J'y vais,
j'y vais, Eugène. Laissez-moi m'habiller; mais
je serais un monstre! Allez, j'arriverai avant
vous! Thérèse, cria-t-elle à sa femme de
chambre, dites à M. de Nucingen de monter me
parler à l'instant même. »

Eugène, heureux de pouvoir annoncer au moribond la présence d'une de ses filles, arriva
presque joyeux rue Neuve-Sainte-Geneviève. Il
fouilla dans la bourse pour pouvoir payer immé-
diatement son cocher. La bourse de cette jeune
femme, si riche, si élégante, contenait soixante-
dix francs. Parvenu en haut de l'escalier, il
trouva le père Goriot maintenu par Bianchon,

et opéré par le chirurgien de l'hôpital, sous les
yeux du médecin. On lui brûlait le dos avec
des moxas, dernier remède de la science, remède
inutile.

« Les sentez-vous? » demandait le médecin.

Le père Goriot, ayant entrevu l'étudiant, répondit :

« Elles viennent, n'est-ce pas?

— Il peut s'en tirer, dit le chirurgien, il parle.

— Oui, répondit Eugène, Delphine me suit.

— Allons, dit Bianchon, il parlait de ses filles,
après lesquelles il crie comme un homme sur
le pal crie, dit-on, après l'eau...

— Cessez, dit le médecin au chirurgien, il n'y
a plus rien à faire, on ne le sauvera pas. »

Bianchon et le chirurgien replacèrent le mourant à plat sur son grabat infect.

« Il faudrait cependant le changer de linge,
dit le médecin. Quoiqu'il n'y ait aucun espoir,
il faut respecter en lui la nature humaine. Je
reviendrai, Bianchon, dit-il à l'étudiant. S'il se
plaignait encore, mettez-lui de l'opium sur le
diaphragme. »

Le chirurgien et le médecin sortirent.

« Allons, Eugène, du courage, mon fils! dit
Bianchon à Rastignac quand ils furent seuls, il
s'agit de lui mettre une chemise blanche et de
changer son lit. Va dire à Sylvie de monter des
draps et de venir nous aider. »

Eugène descendit, et trouva Mme Vauquer occupée à mettre le couvert avec Sylvie. Aux premiers mots que lui dit Rastignac, la veuve vint à lui, en prenant l'air aigrement doucereux d'une marchande soupçonneuse qui ne voudrait ni perdre son argent, ni fâcher le consommateur.

« Mon cher monsieur Eugène, répondit-elle, vous savez tout comme moi que le père Goriot n'a plus le sou. Donner des draps à un homme en train de tortiller de l'œil, c'est les perdre, d'autant qu'il faudra bien en sacrifier un pour le linceul. Ainsi, vous me devez déjà cent qua- rante-quatre francs, mettez quarante francs de draps, et quelques autres petites choses, la chan- delle que Sylvie vous donnera, tout cela fait au moins deux cents francs, qu'une pauvre veuve comme moi n'est pas en état de perdre. Dame ! soyez juste, monsieur Eugène, j'ai bien assez perdu depuis cinq jours que le guignon s'est logé chez moi. J'aurais donné dix écus pour que ce bonhomme-là fût parti ces jours-ci, comme vous le disiez. Ça frappe mes pensionnaires. Pour un rien, je le ferais porter à l'hôpital. En- fin, mettez-vous à ma place. Mon établissement avant tout, c'est ma vie, à moi. »

Eugène remonta rapidement chez le père Goriot.

« Bianchon, l'argent de la montre ?

— Il est là sur la table, il en reste trois cent

soixante et quelques francs. J'ai payé sur ce qu'on m'a donné tout ce que nous devions. La reconnaissance du mont-de-piété est sous l'argent.

— Tenez, madame, dit Rastignac après avoir dégringolé l'escalier avec horreur, soldez nos comptes. M. Goriot n'a pas longtemps à rester chez vous, et moi...

— Oui, il en sortira les pieds en avant, pauvre bonhomme, dit-elle en comptant deux cents francs, d'un air moitié gai, moitié mélancolique.

— Finissons, dit Rastignac.

— Sylvie, donnez les draps, et allez aider ces messieurs, là-haut.

— Vous n'oublierez pas Sylvie, dit Mme Vauquer à l'oreille d'Eugène, voilà deux nuits qu'elle veille. »

Dès qu'Eugène eut le dos tourné, la vieille courut à sa cuisinière : « Prends les draps retournés, numéro sept. Par Dieu, c'est toujours assez bon pour un mort », lui dit-elle à l'oreille.

Eugène, qui avait déjà monté quelques marches de l'escalier, n'entendit pas les paroles de la vieille hôtesse.

« Allons, lui dit Bianchon, passons-lui sa chemise. Tiens-le droit. »

Eugène se mit à la tête du lit, et soutint le moribond auquel Bianchon enleva sa chemise, et le bonhomme fit un geste comme pour garder quelque chose sur sa poitrine, et poussa des cris plaintifs et inarticulés, à la manière des animaux qui ont une grande douleur à exprimer.

« Oh! oh! dit Bianchon, il veut une petite chaîne de cheveux et un médaillon que nous lui avons ôtés tout à l'heure pour lui poser ses moxas. Pauvre homme! il faut la lui remettre. Elle est sur la cheminée. »

Eugène alla prendre une chaîne tressée avec des cheveux blond cendré, sans doute ceux de Mme Goriot. Il lut d'un côté du médaillon : Anastasie; et de l'autre : Delphine. Image de son cœur qui reposait toujours sur son cœur. Les boucles contenues étaient d'une telle finesse qu'elles devaient avoir été prises pendant la première enfance des deux filles. Lorsque le médaillon toucha sa poitrine, le vieillard fit un *han* prolongé qui annonçait une satisfaction effrayante à voir. C'était un des derniers retentissements de sa sensibilité, qui semblait se retirer au centre inconnu d'où partent et où s'adressent nos sympathies. Son visage convulsé prit une expression de joie maladive. Les deux étudiants, frappés de ce terrible éclat d'une force de sentiment qui survivait à la pensée, laissèrent tomber chacun des larmes chaudes sur le moribond qui jeta un cri de plaisir aigu.

« Nasie! Fifine! dit-il.

— Il vit encore, dit Bianchon.

— A quoi ça lui sert-il? dit Sylvie.

— A souffrir », répondit Rastignac.

Après avoir fait à son camarade un signe pour lui dire de l'imiter, Bianchon s'agenouilla pour passer ses bras sous les jarrets du malade, pendant que Rastignac en faisait autant de l'autre côté du lit afin de passer les mains sous le dos. Sylvie était là, prête à retirer les draps quand le moribond serait soulevé, afin de les remplacer par ceux qu'elle apportait. Trompé sans doute par les larmes, Goriot usa ses dernières forces pour étendre les mains, rencontra de chaque côté de son lit les têtes des étudiants, les saisit violemment par les cheveux, et l'on entendit faiblement : « Ah! mes anges! » Deux mots, deux murmures accentués par l'âme qui s'envola sur cette parole.

« Pauvre cher homme », dit Sylvie attendrie de cette exclamation où se peignit un sentiment suprême que le plus horrible, le plus involontaire des mensonges exaltait une dernière fois.

Le dernier soupir de ce père devait être un soupir de joie. Ce soupir fut l'expression de toute sa vie, il se trompait encore. Le père Goriot fut pieusement replacé sur son grabat. A compter de ce moment, sa physionomie garda la douloureuse empreinte du combat qui se livrait entre la mort et la vie dans une machine qui n'avait plus cette espèce de conscience cérébrale d'où résulte le sentiment du plaisir et de la douleur pour l'être humain. Ce n'était plus qu'une question de temps pour la destruction.

« Il va rester ainsi quelques heures, et mourra sans que l'on s'en aperçoive, il ne râlera même pas. Le cerveau doit être complètement envahi. »

En ce moment on entendit dans l'escalier un pas de jeune femme haletante.

« Elle arrive trop tard », dit Rastignac.

Ce n'était pas Delphine, mais Thérèse, sa femme de chambre.

« Monsieur Eugène, dit-elle, il s'est élevé une scène violente entre monsieur et madame, à propos de l'argent que cette pauvre madame demandait pour son père. Elle s'est évanouie, le médecin est venu, il a fallu la saigner, elle criait : « Mon père se meurt, je veux voir « papa! » Enfin, des cris à fendre l'âme.

— Assez, Thérèse. Elle viendrait que maintenant ce serait superflu, M. Goriot n'a plus de connaissance.

— Pauvre cher monsieur, est-il mal comme ça! dit Thérèse.

— Vous n'avez plus besoin de moi, faut que j'aille à mon dîner, il est quatre heures et demie », dit Sylvie qui faillit se heurter sur le haut de l'escalier avec Mme de Restaud.

Ce fut une apparition grave et terrible que celle de la comtesse. Elle regarda le lit de mort, mal éclairé par une seule chandelle, et versa des pleurs en apercevant le masque de son père où palpitaient encore les derniers tressaillements de la vie. Bianchon se retira par discrétion.

« Je ne me suis pas échappée assez tôt », dit la comtesse à Rastignac.

L'étudiant fit un signe de tête affirmatif plein de tristesse. Mme de Restaud prit la main de son père, la baisa.

« Pardonnez-moi, mon père! Vous disiez que ma voix vous rappellerait de la tombe; eh bien, revenez un moment à la vie pour bénir votre fille repentante. Entendez-moi. Ceci est affreux! votre bénédiction est la seule que je puisse recevoir ici-bas désormais. Tout le monde me hait, vous seul m'aimez. Mes enfants eux-mêmes me haïront. Emmenez-moi avec vous, je vous aimerai, je vous soignerai. Il n'entend plus, je suis folle. » Elle tomba sur les genoux, et contempla ce débris avec une expression de délire. « Rien ne manque à mon malheur, dit-elle en regardant Eugène. M. de Trailles est parti, laissant ici des dettes énormes, et j'ai su qu'il me trompait. Mon mari ne me pardonnera jamais, et je l'ai laissé le maître de ma fortune. J'ai perdu toutes mes illusions. Hélas! pour qui ai-je trahi le seul cœur (elle montra son père) où j'étais adorée! Je l'ai méconnu, je l'ai repoussé, je lui ai fait mille maux, infâme que je suis!

— Il le savait », dit Rastignac.

En ce moment, le père Goriot ouvrit les yeux, mais par l'effet d'une convulsion. Le geste qui révélait l'espoir de la comtesse ne fut pas moins horrible à voir que l'œil du mourant.

« M'entendrait-il? cria la comtesse. Non », se dit-elle en s'asseyant auprès du lit.

Mme de Restaud ayant manifesté le désir de garder son père, Eugène descendit pour prendre un peu de nourriture. Les pensionnaires étaient déjà réunis.

« Eh bien, lui dit le peintre, il paraît que nous allons avoir un petit mortorama là-haut?

— Charles, lui dit Eugène, il me semble que vous devriez plaisanter sur quelque sujet moins lugubre.

— Nous ne pourrons donc plus rire ici? reprit le peintre. Qu'est-ce que cela fait, puisque Bianchon dit que le bonhomme n'a plus sa connaissance?

— Eh bien, reprit l'employé au Muséum, il sera mort comme il a vécu.

— Mon père est mort », cria la comtesse.

A ce cri terrible, Sylvie, Rastignac et Bianchon montèrent, et trouvèrent Mme de Restaud évanouie. Après l'avoir fait revenir à elle, ils la transportèrent dans le fiacre qui l'atten-

dait. Eugène la confia aux soins de Thérèse, lui
ordonnant de la conduire chez Mme de Nucingen.

« Oh! il est bien mort, dit Bianchon en descendant.

— Allons, messieurs, à table, dit Mme Vauquer, la soupe va se refroidir. »

Les deux étudiants se mirent à côté l'un de
l'autre.

« Que faut-il faire maintenant? dit Eugène
à Bianchon.

— Mais je lui ai fermé les yeux, et je l'ai
convenablement disposé. Quand le médecin de
la mairie aura constaté le décès que nous irons
déclarer, on le coudra dans un linceul, et on
l'enterrera. Que veux-tu qu'il devienne?

— Il ne flairera plus son pain comme ça, dit
un pensionnaire en imitant la grimace du
bonhomme.

— Sacrebleu, messieurs, dit le répétiteur,
laissez donc le père Goriot, et ne nous en faites
plus manger, car on l'a mis à toute sauce depuis
une heure. Un des privilèges de la bonne ville
de Paris, c'est qu'on peut y naître, y vivre, y
mourir sans que personne fasse attention à vous.
Profitons donc des avantages de la civilisation.
Il y a soixante morts aujourd'hui, voulez-vous
vous apitoyer sur les hécatombes parisiennes?
Que le père Goriot soit crevé, tant mieux pour

lui! Si vous l'adorez, allez le garder, et laissez-nous manger tranquillement, nous autres.

— Oh! oui, dit la veuve, tant mieux pour lui qu'il soit mort! Il paraît que le pauvre homme avait bien du désagrément, sa vie durant. »

Ce fut la seule oraison funèbre d'un être qui, pour Eugène, représentait la Paternité. Les quinze pensionnaires se mirent à causer comme à l'ordinaire. Lorsque Eugène et Bianchon eurent mangé, le bruit des fourchettes et des cuillers, les rires de la conversation, les diverses expressions de ces figures gloutonnes et indifférentes, leur insouciance, tout les glaça d'horreur. Ils sortirent pour aller chercher un prêtre qui veillât et priât pendant la nuit près du mort. Il leur fallut mesurer les derniers devoirs à rendre au bonhomme sur le peu d'argent dont ils pourraient disposer. Vers neuf heures du soir, le corps fut placé sur un fond sanglé, entre deux chandelles, dans cette chambre nue, et un prêtre vint s'asseoir auprès de lui. Avant de se coucher, Rastignac, ayant demandé des renseignements à l'ecclésiastique sur le prix du service à faire et sur celui des convois, écrivit un mot au baron de Nucingen et au comte de Restaud en les priant d'envoyer leurs gens d'affaires afin de pourvoir à tous les frais de l'enterrement. Il leur dépêcha Christophe, puis il se coucha et s'endormit accablé de fatigue. Le lendemain

matin Bianchon et Rastignac furent obligés
d'aller déclarer eux-mêmes le décès, qui vers
midi fut constaté. Deux heures après aucun des
deux gendres n'avait envoyé d'argent, personne
ne s'était présenté en leur nom, et Rastignac
avait été forcé déjà de payer les frais du prêtre.
Sylvie avait demandé dix francs pour ensevelir
le bonhomme et le coudre dans un linceul, Eugène et Bianchon calculèrent que si les parents
du mort ne voulaient se mêler de rien, ils
auraient à peine de quoi pourvoir aux frais.
L'étudiant en médecine se chargea donc de
mettre lui-même le cadavre dans une bière de
pauvre qu'il fit apporter de son hôpital, où il
l'eut à meilleur marché.

« Fais une farce à ces drôles-là, dit-il à Eugène. Va acheter un terrain, pour cinq ans, au
Père-Lachaise, et commande un service de troisième classe à l'église et aux Pompes Funèbres.
Si les gendres et les filles se refusent à te rem-
bourser, tu feras graver sur la tombe : « Ci-gît
« monsieur Goriot, père de la comtesse de Res-
« taud et de la baronne de Nucingen, enterré
« aux frais de deux étudiants. »

Eugène ne suivit le conseil de son ami
qu'après avoir été infructueusement chez M. et
Mme de Nucingen et chez M. et Mme de Restaud. Il n'alla pas plus loin que la porte. Chacun des concierges avait des ordres sévères.

« Monsieur et madame, dirent-ils, ne reçoivent personne; leur père est mort, et ils sont
plongés dans la plus vive douleur. »

Eugène avait assez l'expérience du monde parisien pour savoir qu'il ne devait pas insister.
Son cœur se serra étrangement quand il se vit
dans l'impossibilité de parvenir jusqu'à
Delphine.

« *Vendez une parure,* lui écrivit-il chez le
concierge, *et que votre père soit décemment
conduit à sa dernière demeure.* »

Il cacheta ce mot, et pria le concierge du
baron de le remettre à Thérèse pour sa maîtresse; mais le concierge le remit au baron de
Nucingen qui le jeta dans le feu. Après avoir
fait toutes ses dispositions, Eugène revint vers
trois heures à la pension bourgeoise, et ne put
retenir une larme quand il aperçut à cette porte
bâtarde la bière à peine couverte d'un drap
noir, posée sur deux chaises dans cette rue déserte. Un mauvais goupillon, auquel personne
n'avait encore touché, trempait dans un plat
de cuivre argenté plein d'eau bénite. La porte
n'était pas même tendue de noir. C'était la mort
des pauvres, qui n'a ni faste, ni suivants,
ni amis, ni parents. Bianchon, obligé d'être à
son hôpital, avait écrit un mot à Rastignac pour
lui rendre compte de ce qu'il avait fait avec
l'église. L'interne lui mandait qu'une messe

était hors de prix, qu'il fallait se contenter du
service moins coûteux des vêpres, et qu'il avait
envoyé Christophe avec un mot aux Pompes
Funèbres. Au moment où Eugène achevait
de lire le griffonnage de Bianchon, il vit entre
les mains de Mme Vauquer le médaillon à
cercle d'or où étaient les cheveux des deux
filles.

« Comment avez-vous osé prendre ça? lui
dit-il.

— Pardi! fallait-il l'enterrer avec? répondit
Sylvie, c'est en or.

— Certes! reprit Eugène avec indignation,
qu'il emporte au moins avec lui la seule chose
qui puisse représenter ses deux filles. »

Quand le corbillard vint, Eugène fit remonter
la bière, la décloua, et plaça religieusement sur
la poitrine du bonhomme une image qui se rap-
portait à un temps où Delphine et Anastasie
étaient jeunes, vierges et pures, et *ne raisonnaient pas*, comme il l'avait dit dans ses cris
d'agonisant. Rastignac et Christophe accompa-
gnèrent seuls, avec deux croque-morts, le char
qui menait le pauvre homme à Saint-Etienne-
du-Mont, église peu distante de la rue Neuve-
Sainte-Geneviève. Arrivé là, le corps fut présenté
à une petite chapelle basse et sombre, autour
de laquelle l'étudiant chercha vainement les
deux filles du père Goriot ou leurs maris. Il fut

seul avec Christophe, qui se croyait obligé de
rendre les derniers devoirs à un homme qui lui
avait fait gagner quelques bons pourboires. En
attendant les deux prêtres, l'enfant de chœur et
le bedeau, Rastignac serra la main de Christophe, sans pouvoir prononcer une parole.

« Oui, monsieur Eugène, dit Christophe,
c'était un brave et honnête homme, qui n'a
jamais dit une parole plus haut que l'autre,
qui ne nuisait à personne et n'a jamais fait
de mal. »

Les deux prêtres, l'enfant de chœur et le bedeau vinrent et donnèrent tout ce qu'on peut avoir
pour soixante-dix francs dans une époque où
la religion n'est pas assez riche pour prier gratis.
Les gens du clergé chantèrent un psaume, le
Libera, le *De profundis.* Le service dura vingt
minutes. Il n'y avait qu'une seule voiture de
deuil pour un prêtre et un enfant de chœur,
qui consentirent à recevoir avec eux Eugène et
Christophe.

« Il n'y a point de suite, dit le prêtre, nous
pourrons aller vite, afin de ne pas nous attarder,
il est cinq heures et demie. »

Cependant, au moment où le corps fut placé
dans le corbillard, deux voitures armoriées, mais
vides, celle du comte de Restaud et celle du
baron de Nucingen, se présentèrent et suivirent
le convoi jusqu'au Père-Lachaise. A six heures,

le corps du père Goriot fut descendu dans sa
fosse, autour de laquelle étaient les gens de ses
filles, qui disparurent avec le clergé aussitôt que
fut dite la courte prière due au bonhomme
pour l'argent de l'étudiant. Quand les deux fos-
soyeurs eurent jeté quelques pelletées de terre
sur la bière pour la cacher, ils se relevèrent, et
l'un d'eux, s'adressant à Rastignac, lui demanda
leur pourboire. Eugène fouilla dans sa poche et
n'y trouva rien, il fut forcé d'emprunter vingt
sous à Christophe. Ce fait, si léger en lui-même,
détermina chez Rastignac un accès d'horrible
tristesse. Le jour tombait, un humide crépuscule
agaçait les nerfs, il regarda la tombe et y ense-
velit sa dernière larme de jeune homme, cette
larme arrachée par les saintes émotions d'un
cœur pur, une de ces larmes qui, de la terre où
elles tombent, rejaillissent jusque dans les cieux.
Il se croisa les bras, contempla les nuages et, le
voyant ainsi, Christophe le quitta.

Rastignac, resté seul, fit quelques pas vers le
haut du cimetière et vit Paris tortueusement
couché le long des deux rives de la Seine, où
commençaient à briller les lumières. Ses yeux
s'attachèrent presque avidement entre la colonne
de la place Vendôme et le dôme des
Invalides, là où vivait ce beau monde dans
lequel il avait voulu pénétrer. Il lança sur cette
ruche bourdonnante un regard qui semblait par

avance en pomper le miel, et dit ces mots grandioses : « À nous deux maintenant! »

Et pour premier acte de défi qu'il portait à la
Société, Rastignac alla dîner chez Mme de
Nucingen.

Saché, septembre 1834.

CHRONOLOGIE BALZACIENNE

1799 — *20 mai*. (1er prairial VII). Naissance d'Honoré Balzac à Tours.

1801 — *6 janvier (?)*. Naissance de Eve Rzewuska, future Mme Honoré de Balzac.

1804 — Honoré Balzac entre à la pension Le Guay à Tours, qu'il quittera en 1807.

1807 — *22 juin*. Sous le n° 460, Honoré entre au collège des Oratoriens de Vendôme où il restera jusqu'au 22 avril 1813.

1814 — *Juillet-septembre*. Honoré est externe au collège de Tours.

1815 — *Janvier*. Balzac entre à l'institution Lepître, à Paris, qu'il quittera le 29 septembre.

1815-1816 — Balzac est élève de l'institution Ganzer et Beuzelin, à Paris.

1816 — Il prend sa première inscription à la Faculté de Droit.
Novembre. Il est clerc d'avoué chez Me Guillonnet-Merville, où il restera jusqu'en mars 1818.

1818 — *Avril*. Il est clerc de notaire chez Me Passez.

1819 — *4 janvier*. Balzac est reçu au baccalauréat en Droit.
Août. Il va habiter une mansarde, 9, rue Lesdiguières, à Paris, pour s'y exercer au métier de romancier.

1819-1820 — Pendant l'hiver Balzac écrit une tragédie en vers, *Cromwell*, qui sera jugée sévèrement par l'académicien Andrieux.

1821 — *Juin*. Rencontre du jeune Honoré et de Laure

de Berny. Elle sera sa maîtresse et jouera un grand rôle dans sa formation de romancier.

1822 — *Janvier.* Publication de *L'Héritière de Birague* sous le pseudonyme lord R'Hoone.

Mars. Jean-Louis (sous le même pseudonyme).

Juillet. Clotilde de Lusignan (sous le même pseudonyme).

Novembre. Publication du *Centenaire* et du *Vicaire des Ardennes,* sous le pseudonyme Horace de Saint-Aubin.

1824 — *Octobre.* Balzac s'installe 2, rue de Tournon.

1825 — *Avril.* Balzac, éditeur, publie les œuvres de La Fontaine et de Molière.

Septembre. Publication de *Wann-Chlore.*

1826 — *1er juin.* Balzac obtient un brevet d'imprimeur et installe son atelier, 17, rue des Marais-Saint-Germain (actuellement rue Visconti). Il fait la connaissance de la duchesse d'Abrantès.

1828 — *Mars.* Balzac loue un appartement 1, rue Cassini, près de l'Observatoire.

12 août. Liquidation de l'imprimerie. Passif : 1 000 francs de dettes.

17 septembre-fin octobre Balzac séjourne en Bretagne pour composer *Le Dernier Chouan.*

1829 — *Mars. Le Dernier Chouan,* premier roman de Balzac sous son véritable nom, paraît en librairie.

Décembre. Physiologie du mariage.

1830 — Balzac collabore à divers journaux.

1831 — *1er août. La Peau de Chagrin.*

1832 — *28 février.* Mme Hanska écrit une première lettre à Balzac; celle que l'on a surnommée *L'Etrangère* deviendra sa femme dix-huit ans plus tard.

Février-mars. Le Colonel Chabert.

Début mars. Balzac rencontre la marquise de Castries.

Avril. Premier dizain des *Contes drolatiques.*

Mai. Le Curé de Tours.

Juin-août. Séjour de Balzac à Saché puis à Angoulême, chez Zulma Carraud.

Août-septembre. Balzac séjourne à Aix-les-Bains avec la marquise de Castries.

1833 — *Février. Histoire intellectuelle de Louis Lambert.*

Mars-avril. Ferragus.

Septembre. Le Médecin de Campagne.

25 septembre. Première rencontre de Balzac et d'Eveline Hanska, née comtesse Rzewuska, à Neuchâtel.

Décembre. Eugénie Grandet.

Décembre-février 1834. Séjour de Balzac à Genève auprès de Mme Hanska.

1834 — Début de la publication des *Etudes de Mœurs au XIX*e *siècle.*

    Avril. La Duchesse de Langeais.

    Octobre. La Recherche de l'absolu.

    14 et 28 décembre. Publication du *Père Goriot* dans la *Revue de Paris.*

    Balzac fait la connaissance de la comtesse Guidoboni-Visconti.

1835 — *Mars.* Le Père Goriot (1ere édition).

    Balzac élit domicile 13, rue des Batailles à Chaillot.

    Mai. Le Père Goriot (2e édition).

    Mai-juin. Séjour de Balzac à Vienne.

    20 mai. Balzac est reçu par Metternich.

    Novembre-décembre. Publication du *Lys dans la Vallée* dans la *Revue de Paris.*

    Décembre. Séraphîta.

1836 — *27 avril-4 mai.* Balzac est emprisonné à l'hôtel Bazancourt pour refus de monter la garde.

    Juillet-août. Voyage à Turin en compagnie de Mme Marbouty.

    Fin novembre. Séjour à Saché.

1837 — *11 février. Illusions perdues* (1ere partie).

    Février-mai. Voyage en Italie.

    Juillet. Publication de *La Femme supérieure* (*Les Employés*) dans *La Presse.*

    6 septembre. Balzac achète une première parcelle de terrain à Sèvres, embryon des futures Jardies.

    Décembre. César Birotteau.

1838 — *24 février-2 mars.* Séjour de Balzac à Nohant chez son amie George Sand.

    Avril. Voyage en Sardaigne.

    Juillet. Balzac s'installe aux Jardies, à Sèvres.

    6 octobre. *La Femme supérieure* (*Les Employés*), *La Maison Nucingen, La Torpille* (début de *Splendeurs et Misères des Courtisanes*).

    Décembre. Balzac demande à être admis à la Société des gens de Lettres.

1839 — *8 mars.* Lecture de *L'Ecole des Ménages* chez le marquis de Custine.

Avril-mai. Béatrix.

15 juin. Un grand homme de province à Paris (2ᵉ partie d'*Illusions perdues*).

16 août. Balzac est élu président de la Société des gens de Lettres.

2 décembre. Candidature à l'Académie française.

1840 — *9 janvier.* Balzac quitte la présidence de la Société des gens de Lettres.

14 mars. Première représentation de *Vautrin* au théâtre de la Porte-Saint-Martin.

25 juillet. Naissance de la *Revue parisienne*, dirigée par Balzac. Elle n'aura que trois numéros.

Octobre. Balzac quitte les Jardies pour s'installer 19, rue Basse, à Passy.

1841 — *Janvier-février. Une Ténébreuse Affaire.*

Août-septembre. Ursule Mirouët.

2 octobre. Contrat pour la publication de *La Comédie humaine.*

Novembre. Mémoires de deux Jeunes Mariées.

10 novembre. Mort de Wenceslas Hanski, mari de Mme Hanska.

1842 — *Avril. Les Deux Frères* (*La Rabouilleuse*).

21-31 mai. Publication des deux premières parties de *Splendeurs et Misères des Courtisanes* dans *Le Parisien* sous le titre *Esther ou les Amours d'un vieux Banquier.*

9-19 juin. Publication du début de la troisième partie d'*Illusions perdues* dans le journal *L'Etat,* sous le titre *Les Souffrances de l'Inventeur.*

27 juillet-14 août. Publication des suite et fin de la troisième partie d'*Illusions perdues* dans le journal *Le Parisien-L'Etat,* sous le nouveau titre *David Séchard ou les Souffrances d'un Inventeur.*

29 juillet. La Comédie humaine, 8ᵉ volume, tome IV, des *Scènes de la Vie de Province,* contenant les trois parties d'*Illusions perdues* dont la dernière, inédite, est publiée sous le titre *Eve et David.*

Juillet-octobre. Voyage à Saint-Pétersbourg.

26 septembre. Première représentation de *Paméla Giraud* au théâtre de la Gaîté.

3 décembre. David d'Angers achève le buste de Balzac.

1844 — *Avril. Modeste Mignon.*

2 *mars. David Séchard* (3e partie d'*Illusions perdues* publiée séparément sous ce nouveau titre).

23 *novembre. Splendeurs et Misères des Courtisanes* — *Esther.* Edition séparée.

La Comédie humaine, 11e volume, t. III des *Scènes de la Vie parisienne,* contenant les deux premières parties de *Splendeurs et Misères des Courtisanes : Esther heureuse* [*Comment aiment les filles*] et *A combien l'amour revient aux vieillards.*

1845 — 24 *avril.* Nomination de Balzac dans l'ordre de la Légion d'honneur.

Mai-août. Voyage à Dresde, puis visite de l'Allemagne, de la France, de la Hollande en compagnie de Mme Hanska, de sa fille Anna et du comte Mnizeck.

1846 — *Mars-mai.* Voyage de Rome à Francfort en compagnie de Mme Hanska.

7-29 *juillet.* Publication de la troisième partie de *Splendeurs et Misères des Courtisanes* dans *L'Epoque,* sous le titre *Une Instruction criminelle.*

Octobre-décembre. Publication de *La Cousine Bette* dans *Le Constitutionnel.*

10 *octobre. La Comédie humaine,* 12e volume, tome IV des *Scènes de la Vie parisienne,* contenant la troisième partie de *Splendeurs et Misères des Courtisanes : Où mènent les mauvais chemins..*

1847 — *Mars-mai.* Publication du *Cousin Pons* dans *Le Constitutionnel.*

13 *avril-4 mai.* Publication de *La Dernière Incarnation de Vautrin* dans *La Presse.*

28 *juin.* Balzac rédige son testament.

Un Drame dans les Prisons (3e partie de *Splendeurs et Misères des Courtisanes* publiée séparément sous ce titre).

5 *septembre.* Départ de Balzac pour Wierzchownia, où il séjournera pendant plus de cinq mois.

La Dernière Incarnation de Vautrin (4e partie de *Splendeurs et Misères des Courtisanes*).

1848 — 15 *février.* Retour de Balzac à Paris.

25 *mai.* Première représentation de *La Marâtre* au Théâtre Historique.

Fin juin. Dernier séjour de Balzac à Saché.

17 août. Lecture du *Faiseur* devant le Comité de la Comédie-Française.

Août-septembre. Publication de *L'Initié* dans *Le Spectateur républicain.*

19 septembre. Séjour de Balzac à Wierzchownia jusqu'en mai 1850.

1849 — *Janvier.* Nouvelle candidature à l'Académie française.

1850 — *14 mars.* Mariage de Balzac avec Mme Hanska à l'église Sainte-Barbe de Berditcheff en Ukraine.

20 mai. Retour à Paris, rue Fortunée. L'état de santé de Balzac s'aggrave.

..   *18 août, 23 h 30.* Mort de Balzac à son domicile.